Judith Cutler

De Geheimenbewaarder

roman

LIBRION | SLIEDRECHT

Nartex Crimeboeken
Misdaad op of rond het kerkelijk erf

In de Nartex-reeks verschijnen detectiveromans en thrillers die zich afspelen op of rond het kerkelijk erf, met een speurder die meestal actief betrokken is bij het kerkelijk en/of maatschappelijk werk. (De nartex is het voorportaal van een basiliek.)

NUR 332
ISBN 978-90-5290-030-8

Nederlandse editie © 2011 Librion
Postbus 217, 3360 AE Sliedrecht, tel. 0184-410224
Librion is een imprint van Merweboek

www.librion.nl

Originally published in English by Allison & Busby Ltd, London
under the title *The Keeper of Secrets*
Copyright © 2007 by Judith Cutler

Vertaald uit het Engels door: Tobya Jong

Omslagillustratie: Pryzmat / Dreamstime
Fotobewerking: Line-Art, Dordrecht
Foto Nartex reeks: Pixelio

Voor Richard Hoggart, wiens inspirerende onderwijs mijn leven veranderde, evenals dat van iedere andere student die zo gelukkig was om door hem beïnvloed te worden.

PROLOOG

Voorjaar, 1810

De vogel die ik zag, heen en weer fladderend tussen de bomen, op weg naar haar onzichtbare nestplaats, was van het soort Sylviidae – een zangvogel. In het schemerige licht dat tussen de majestueuze bomen door naar beneden dwarrelde kon ik niet zien of het een rietzanger of een braamsluiper was.

Ik besloot zo voorzichtig mogelijk in haar richting te sluipen, in de hoop dat ik haar van dichterbij zou kunnen bekijken – en misschien zelfs haar nest vinden.

Daar! Ik was er bijna! Een braamsluiper, inderdaad, met het materiaal waarmee ze haar nest zou bouwen in haar snavel – zachte, ragdunne draadjes, zwevend op de wind terwijl ze doelbewust op een lijsterbes afvloog. De draad was rood.

Durfde ik nog dichterbij te sluipen?

Nu, terwijl de vogel op weg ging om nog meer nestmateriaal te verzamelen, bereikte ik mijn beoogde doel – haar nest. Een wonder van vakmanschap, zelfs bekleed om eerst de eitjes en straks de jongen te kunnen beschermen. Zoveel had ik wel verwacht. Maar nu zag ik wat ik al vreesde, dat de bekleding niet bestond uit grijsgroen gras, maar uit iets wat zacht en rood was. Ik stak mijn hand uit om het aan te raken. Ach, nee – het was zacht en fijn als haar. Het wás haar.

Waar was het vandaan gekomen? Ik nam één enkel draadje tussen mijn vingers. Die glans, die schittering, hoe zou ik die niet herkennen? Betekende dat – ? Terwijl tot me doordrong dat het het hare was, werkelijk het hare, wierp ik mijn hoofd achterover en jankte als een wild beest, net zo lang tot mijn pijn langs de heldere voorjaarshemel weerklonk.

I

Ik mijmerde over mijn toekomst, gezeten in de kamer die men mij zo vriendelijk had toegewezen in de oostelijke vleugel van Moreton Priory, toen ik de bloedstollende angstkreet hoorde. Ik vloog de hal in en zag een roodgouden waterval van haar, glanzend in het licht van de ondergaande zon, uitwaaierend over de vloer. Ruwe handen hielden het in een wrede greep terwijl het meisje probeerde te ontkomen aan de ongewenste omhelzingen van haar belager.

Hoewel het nog vroeg in de avond was, was hij zwaar beschonken, al te ver heen om aandacht te besteden aan mijn dringende vermaningen of los te laten toen ik het arme meisje uit zijn armen probeerde te rukken. Ik kon maar één ding doen. Ik gaf hem een stomp in zijn gezicht, alles wat ik van Tom Cribb geleerd had samengevoegd tot één enkele dreun.

Hij viel bewusteloos, of in elk geval bijna – aan mijn voeten. Het meisje – een dienstmeisje, al bezig om haar haar terug te stoppen onder een onflatteuze hoofddoek – deinsde terug, zo ver mogelijk bij deze ellendeling vandaan, haar rug tegen de antieke lambriscring gedrukt. Haar tengere lichaam schokte van haar intense, droge snikken. Ik vreesde een zenuwinzinking en zou onmiddellijk een andere bediende zijn gaan halen als ze mijn hand niet had vastgegrepen en mij smekend had aangestaard.

'Je bent nu veilig,' stelde ik haar gerust, wijzend op de bewegingloze jongeman, die veel jonger was dan ik eerder gedacht had.

'U hebt hem gedood, meneer. En u bent nog wel een dominee!' riep ze uit.

'Dood! Hij is niet dood, die ongemanierde vlegel. Kijk, hij beweegt al weer. Welke kamer is de zijne?'

Ze wees. Ik duwde de deur open met mijn schouder, greep het sujet in zijn nekvel en bij de onderkant van zijn bretels en sleepte hem bij haar vandaan. Inmiddels was hij voldoende bij kennis om de deur zelf achter zich dicht te schoppen.

'Dat kost me mijn betrekking!' fluisterde ze.

'Heeft hij u pijn gedaan?' Ik hielp haar overeind.

Ze trok het kraagje van haar jurk netjes recht en streek haar schort glad. 'Wat als hij zich beklaagt bij Lady Elham? Ik zal weggestuurd worden! En wat komt er dan van mij terecht?' besloot ze, haast in tranen.

'Wat is je naam?' Ik overhandigde haar mijn zakdoek op het moment dat zij de zoom van haar schort naar haar ogen bracht,

'Lizzie, meneer.' Ze streek over haar kleding, alsof ze nog steeds inzat over haar gehavende toestand, en maakte een kleine buiging. Ze was lang voor een vrouw, maar niet slungelig of overdreven fors. Zeker niet, haar figuur was een en al perfectie; iets wat de eenvoudige kleding die een dienstmeisje nu eenmaal droeg niet kon verhullen. Haar teint was licht, zoals vaak het geval is bij mensen met haar in een kleur waar de schilder Titiaan trots op geweest zou zijn. Haar ogen hadden de blauwgroene schittering van de zee en ondanks haar lage staat was haar stem zo lieflijk en zacht als honing – de droom van iedere dichter.

'Er zal je niets overkomen. Ik zal namelijk met Lady Elham spreken en haar vertellen wat ik hier gezien heb. En als die lafb–'

'Lord Hednesford, meneer –'

'Als hij ooit nog één vinger uitsteekt, naar u of naar een van de andere jongedames hier, dan krijgt hij met mij te maken. Begrijp je dat?'

Mij begrijpen was één ding, mij geloven iets heel anders. En hier stond ik dan. Wat moest ik nu doen? Zes maanden geleden had ik haar een halve guinea in de hand gedrukt en haar haars weegs gestuurd, met het dringende advies om hier vooral niet meer aan te denken; een advies dat ik zelf ook ter harte genomen zou hebben. Dat was ook alles wat ze verwacht had. Maar nu stond ik hier voor haar als geordend geestelijke, wat duidelijk zichtbaar was aan mijn witte boord. Hoorde een predikant tijdens zijn eerste avond in zijn nieuwe parochie zo'n meisje te zegenen? Of moest ik vragen of ze een trouwe kerk-bezoekster was? Wat ik in elk geval niet moest doen was hier als aan de grond genageld blijven staan, volledig in de ban van haar schoonheid. Ik slikte.

'Jawel, meneer. Dank u, meneer. Mag ik nu gaan, meneer?'

'Natuurlijk, Lizzie. Maar zeg wel tegen de huishoudster dat ze in het vervolg iemand anders stuurt om het haardvuur van Lord Hednesford aan te steken en hem water te brengen. Vraag het haar. Zeg tegen haar dat ik tegen je gezegd heb dat je het haar moest vragen.' Inmiddels voelde ik me haast net zo onge-makkelijk als zij en ik probeerde de situatie te redden door een buiging voor haar te maken – alsof ze een dame was met wie ik zojuist gedanst had.

Ze draaide zich om en vluchtte de hal door, de trap af.

Ik keerde terug naar mijn kamer, trok de deur zachtjes ach-ter me dicht en ging zitten, mijn hoofd in mijn handen. Had ik het verkeerd gedaan? Mocht een geestelijke ooit zijn toe-vlucht nemen tot geweld? De stekende pijn in mijn knokkels zei wel iets over de kracht waarmee ik geslagen had.

Er klonk een klop op mijn deur.

'Ik dacht dat u hier wellicht behoefte aan had, meneer,' kon-digde de dienstknecht aan terwijl hij een kan heet water naar binnen droeg. Zijn gezicht verried niets. 'Kan ik u misschien van dienst zijn met basilicumpoeder, meneer?'

'Ik denk het niet.' Maar terwijl ik mijn handen afsponste, kon ik een huivering van pijn nauwelijks onderdrukken. 'Is er iemand die zich ontfermt over Lord Hednesford?'

'Ik zou zo denken dat wij hem kunnen overlaten aan de goe-de zorgen van zijn eigen bediende, meneer. Denkt u niet?'

Ondanks mijn protesten bestrooide hij de geschaafde plek-ken met het poeder dat hij ter hand had genomen. 'Het dienst-meisje beweert met klem dat de edele heer – een vriend van de jonge Lord Chartham, de erfgenaam van Lord Chartham, me-neer – zich verre van adellijk gedragen heeft, meneer, en dat u haar uit zijn greep gered hebt.'

'Ze vertelt de waarheid, niets meer, niets minder. Ik vertrouw erop dat niemand aan haar woord zal twijfelen?'

'Ik zal meneer Davies van de ware toedracht op de hoogte stellen, meneer.'

Davies was de rentmeester van de Elhams, en degene die voorbereidingen had getroffen voor mijn verblijf hier in Moreton St Jude. Het warme onthaal had ik te danken aan Lady Elham, een verre maar vrijgevige nicht van mijn moeder.

'Dank u.'

'Ik begrijp dat u wat betreft uw eigendommen te maken hebt gehad met een kleine tegenslag?'

'Dat klopt – als het spoorloos verdwijnen van twee bagagewagens vol meubilair, kleding en boeken tenminste een kleine tegenslag genoemd kan worden.'

'Ongetwijfeld een ongelukje met een as of een koetswiel, meneer.'

'Ongetwijfeld. Maar ondertussen kan ik niet anders dan gebruik maken van de gastvrijheid van Lady Elham, zoals u kunt zien. Gelukkig had ik mijn reiskoffer meegenomen in het rijtuig.'

Ik had het erop kunnen wagen en een kamer kunnen nemen in de armzalig ogende herberg van Moreton St Jude, de *Silent Woman*, gevestigd aan het dorpsplein tegenover de pastorie, mijn nieuwe en nu nog leegstaande verblijf. Mijn ervaringen van de afgelopen nacht, met een vergelijkbare gelegenheid, weerhielden me daar echter van.

Deze eerste reis zonder de luxe omstandigheden die ik van huis uit gewend was en het feit dat ik niet langer in de beste koetshuizen overnachtte – in een bed dat was opgemaakt met mijn eigen beddengoed – had me in elk geval één belangrijke ontdekking opgeleverd. Ik besefte voor het eerst dat mijn beslissing om afscheid te nemen van het gemakkelijke, luxueuze leventje dat de rest van mijn familie leidde ook een gebrek aan altijd beschikbaar comfort betekende. Mijn slaapvertrek, recht boven de gelagkamer, was gevuld met het doordringende stemgeluid van onbehouwen boeren en de stank van de goedkope tabak waarmee de dronkenlappen hun pijpen vulden. Toen het beneden stil geworden was, begon de herrie boven mij, op de zolderkamer waar de bedienden woonden. Toen slaap uiteindelijk tot de mogelijkheden zou kunnen behoren, ontdekte ik dat het smerige bed met het doorgezakte matras niet voor mij alleen was, maar dat ik het deelde met een verscheidenheid aan gemeen stekende of bijtende insecten.

'Sta mij toe om uw valies uit te pakken, meneer.'

'Hartelijk dank.'

'Ik neem aan dat uw persoonlijke bediende tegelijk met uw andere bezittingen vermist geraakt is, meneer?' Hij drentelde heen en weer, schudde hier en daar wat op en streek hier en daar wat glad. Het duurde niet lang of hij had al mijn kleding en toebehoren netjes opgeborgen, hoewel ik vast van plan was om niet langer dan één nacht gebruik te maken van de gastvrijheid van de familie Elham.

Ik keek hem doordringend aan. Hij was niet veel ouder dan ik, misschien begin dertig, maar hij had nu al de onopvallende houding van een goede kamerdienaar ontwikkeld. Tot mijn ongenoegen wist ik zijn naam niet.

Op dat moment, alsof hij mijn gedachten las, boog hij – maar niet overdreven. 'Sutton, meneer.'

'Helaas, Sutton.' Ik glimlachte. 'Mijn persoonlijke bediende en ik hebben afscheid moeten nemen. Een dorpsdominee heeft een man nodig – of liever, een vrouw – die van alle markten thuis is, in plaats van iemand die zich enkel en alleen toelegt op de zorg voor zijn kleding. Het enige wat ik nodig heb is een huishoudster die ook de weg weet in de keuken.'

'En een dienstmeisje dan? En een stalknecht?'

Ik kon mijn lachen niet inhouden. 'Sutton, je lijkt vastbesloten mijn nederige onderkomen van de kelder tot de zolder te vullen. Een stalknecht heb ik echter niet meer nodig. Jem Turbeville geniet op ditzelfde moment van de gastvrijheid hier beneden.'

Uit zijn knikje bleek enige goedkeuring. 'Een heer moet om zijn positie denken, meneer,' hield hij vol.

Heel even dacht ik dat hij nog iets zou zeggen, maar hij hield zich in plaats daarvan bezig met het verzamelen van enkele hopeloos gekreukte dassen. 'Als u verder geen wensen heeft, meneer, zal ik deze voor u onder handen nemen en ervoor zorgen dat ze op tijd bij u terugbezorgd worden, ruim voor het diner. Ik neem aan dat u niet van plan bent om een bef te dragen, meneer?'

Ik schudde verlegen mijn hoofd. Ik zou informele avondkledij dragen.

Sutton leek eerder opgelucht dan geschokt. 'We houden hier stadse etenstijden aan, meneer. Mevrouw ontvangt haar gasten om zeven uur in de Groene Salon. Het diner wordt geserveerd om half acht.

'Dank je, Sutton.'

'*U* bedankt, meneer.'

Suttons bijstand kwam bijzonder goed van pas. Dat realiseerde ik me ten volle toen ik me in de Groene Salon bij mijn medegasten voegde – het grote verschil tussen hen en mij dat zij door de vrouw des huizes *uitgenodigd* waren – en me verbaasde over de volmaakte elegantie van dit vertrek, gedomineerd door familieportretten.

Lady Elham ontving me allerhartelijkst en ik maakte een beleefde buiging. Ze was een bijzonder aantrekkelijke vrouw, hoewel ik de hulp van een van mijn zusters nodig gehad had om vast te stellen of haar vlammend rode lokken – deels verborgen onder een donkerbruine tulband die ze, naar ik aannam, droeg om Lord Byron een plezier te doen – aangeboren waren of kunstig geverfd. Ze ging gekleed in een donkergroene avondjurk met een zijden overjurk, in precies dezelfde teint als de wandkleden in de salon, en het geheel werd afgemaakt met een zware ketting van smaragd. Ze vertoonde een griezelige gelijkenis met een portret dat achter haar aan de muur hing – een betoverende, sensuele jongedame, kunstig vastgelegd door Lely.

'Luister, neef Tobias – want ik weiger pertinent u dr. Campion te noemen; men zou u nog verwarren met een arts. "Eerwaarde" is veel te formeel en wat betreft "dominee"...' Ik vond het wel prettig om dominee genoemd te worden, maar ik besloot om het geheim van mijn doctorstitel vanaf nu voor mezelf te houden. 'Neef Tobias,' ging ze verder, 'mag ik u voorstellen aan mijn echtgenoot?'

Met weinig enthousiasme van zijn kant, tenminste, die indruk had ik, maakten Lord Elham en ik een buiging naar elkaar. Hij was gekleed in een kostuum, net als ik en alle andere oudere mannen die aanwezig waren. Alleen zijn zoon, Lord Chartham, droeg een pantalon. Chartham was een onaangenaam, nukkig joch dat mij brutaal aanstaarde en zich ongetwijfeld afvroeg of hij zich een opmerking kon permitteren over wat hij waarschijnlijk beschouwde als de mishandeling van zijn vriend, Hednesford. Hednesford zelf was in geen velden of wegen te bekennen.

Toen we plaatsnamen in de imposante eetzaal, zelfs voorzien van een reusachtige Tudor haard, hoopte ik dat ik tijdens dit samenzijn gelegenheid zou krijgen om kennis te maken met een aantal van mijn nieuwe parochianen, maar de jongedames die naast mij zaten waren ook gasten, nichtjes van Lord Elham en afkomstig uit Cornwall. Beiden vonden de keuze die ik wat betreft mijn levensinvulling gemaakt had bedroevend onromantisch, om maar niet te spreken over de financiële vooruitzichten. Ze waren allebei duidelijk van plan om een goed huwelijk te sluiten en omdat ik me ervoor wachtte om mijn achtergrond en familienaam te onthullen, zagen ze in mij niet meer dan een slachtoffer om hun verleidingstechnieken wat op te oefenen. De mogelijkheid tot een gesprek met de heer tegenover mij, jonker Oldbury, werd ernstig belemmerd door een gigantische en bijzonder lelijke pièce de milieu, van het soort dat mijn moeder al lang geleden naar de verste hoek van de zolder had verbannen. Hij bromde iets over de jacht en of ik van plan was om een troep honden te gaan houden, maar verloor zijn interesse op het moment dat ik ontkennend antwoordde.

Mijn nicht stond bekend om de heerlijke maaltijden die in haar huis geserveerd werden. De jongedame aan mijn rechterzijde fluisterde luid en duidelijk dat Lady Elham een Franse chefkok in dienst had, iemand die in ruil voor zijn kookkunsten een fabelachtige vergoeding ontving. De drie gangen die ons werden voorgezet bevestigden dit gerucht. De delicatessen waren afkomstig van zowel het landgoed als de omliggende pachtboerderijen en waren werkelijk voortreffelijk. Het gevogelte, de in roomboter gebakken schorseneren en het zoete nagerecht waren niet te min geweest voor mijn eigen familie, zelfs niet tijdens de meest formele gelegenheden – met dit verschil, dat men in mijn ouderlijk huis nooit een dergelijke maaltijd zou hebben voorgezet aan een gezelschap als dit, bestaande uit slechts twaalf tweetallen. Lady Elham had ongetwijfeld een diepe zucht van opluchting geslaakt toen ze te horen kreeg dat Hednesford onwel geworden was, anders had ze met een oneven aantal gasten aan tafel gezeten – een onbetamelijkheid die haar zwaar gevallen zou zijn.

Eenmaal alleen gelaten dronken de heren een glas port, maar tot mijn grote vreugde duurde dit niet lang. Ik kon me niet langer onttrekken aan de indruk dat het mijn gastheer in ernstige mate ontbrak aan inlevingsvermogen, en dat hij niet in staat was om te praten over iets anders dan de jacht of de wapensport. Zijn zoon, nog steeds ziedend van woede om mijn naar zijn mening ongetwijfeld ongepaste tussenkomst in de schermutseling tussen zijn vriend en het dienstmeisje, droeg zelfs nog minder bij aan het gesprek. Zijn vader merkte tussen neus en lippen door op dat de jongen wegens zijn zwakke gezondheid niet naar school gestuurd was, maar thuis privéles had gekregen. Ik wist uit ervaring dat dat vaak betekende dat zo'n jongen onhandelbaar was. Wat de reden ook was, het ontbrak Chartham aan de sociale vaardigheden en de spontaniteit om op ongedwongen wijze met zijn gelijken om te gaan, iets wat hij op school waarschijnlijk wel geleerd zou hebben. Ondanks de pogingen die men doet om al zijn naasten lief te hebben, moet ik toch toegeven dat ik het moeilijk vond om gevoelens van genegenheid te hebben voor deze roodharige, loslippige, onbehouwen jongeman, wiens genoegen in het vaststellen van de zwakheden van zijn gesprekspartner slechts geëvenaard werd door zijn plezier in het uitbuiten ervan. Misschien een aristocraat van geboorte, maar zeker geen heer in zijn manier van doen.

De andere heren debatteerden over de eigenschappen van een paard dat ik nog nooit gezien had. Ik was verrukt, hoewel dat natuurlijk zeer onbeleefd was, toen jonker Oldbury uit zijn stoel opstond met de mededeling dat hij voornemens was zich bij de dames te voegen. Chartham kondigde aan dat hij zich de rest van de avond zou terugtrekken. Hij nam echter nog even de tijd om mij bij vertrek klem te zetten in de deuropening en me opzij te duwen.

'Mooie gast ben je, om mijn vriend een mep te verkopen!'

Ik had heel kinderachtig willen reageren met: 'Fijne vrienden heb je!' Maar ik hield me in. In plaats daarvan zei ik zachtjes: 'Meneer, uw vriend ging zijn boekje te buiten. Ik weet zeker dat hij de jongedame in kwestie morgenochtend zijn excuses zal willen maken, en haar ongemak wellicht zal willen verlichten met een financiële vergoeding.'

'Betalen omdat je een dienstmeisje hebt aangeraakt!' Hij wrong zich door de deuropening en dat was het dan.

De dames wachtten op ons in de rode salon. Ik moet toegeven dat ik even van mijn stuk was toen ik besefte welk effect mijn binnenkomst op hen had. Het was alsof iemand plotseling een grote pot honing bij een bijenkorf had neergezet. Van het ene op het andere moment was de ruimte gevuld met gonzende vrouwenstemmen. Iemand haalde een harp tevoorschijn, een piano werd opengeklapt en er klonk overduidelijk geritsel van bladmuziek. Zelfs toen de boodschap de ronde deed dat ik niet meer was dan een dorpsdominee, bleven sommige jongedames uitnodigend glimlachen en verleidelijk knipperen.

Ik zou het prettig gevonden hebben om wat voor te lezen, zoals Lady Elham ook voorstelde terwijl ze haar butler opdracht gaf om haar favoriete bundel van Cowper te gaan halen. 'Een uitzonderlijk begaafde dichter, zeker als je bedenkt dat hij een geestelijke was,' voegde ze er ondeugend aan toe.

De jonge mensen waren echter niet in de stemming voor pastorale gedichten. Zij hadden veel meer zin in een danspartijtje en men moest wel harteloos zijn om niet te zwichten voor hun smeekbeden om twee lange rijen te vormen.

Toen Lady Elham besloot dat we lang genoeg plezier gemaakt hadden, bestelde ze thee en vlak daarna werden de jeugdige gasten naar hun slaapvertrekken gedirigeerd. Ik kreeg toestemming om mij bezig te gaan houden met de meer mannelijke vormen van vermaak; in de bibliotheek, waar de heer des huizes al mopperend een spelletje kaart speelde, of ik kon kiezen voor een potje biljart. Ik was niet erg dol op kaarten, dus zocht ik mijn toevlucht in de biljartkamer. Eén blik was echter genoeg om te ontdekken dat deze ruimte reeds bezet werd door Chartham en Hednesford. Ergens wilde ik mijn discussie met deze laatste graag voortzetten, maar tegelijk besefte ik dat ik beter kon wachten tot ik met hem alleen was. Ik wilde voorkomen dat ik mijn jonge achterneef nog meer tegen me in het harnas zou jagen.

Ik was nog maar net naar boven gegaan, toen ik een zachte klop op de deur hoorde en Sutton mijn kamer binnenkwam.

Nadat hij zich ervan verzekerd had dat ik geen hulp nodig had bij het uitkleden, wilde hij zich terugtrekken.

'Dat dienstmeisje, Sutton – is ze volledig hersteld van haar beproeving?'

'Ik geloof van wel, meneer. Ik heb de vrijheid genomen om mevrouw Beckles, de huishoudster, te adviseren het meisje over te plaatsen naar een andere vleugel, zodat ze haar taken voortaan daar kan uitvoeren, maar mevrouw Beckles bleek zelf al zo'n soort besluit genomen te hebben. Het meisje heeft haar taken tot dusver naar tevredenheid vervuld, zo goed zelfs dat ze geschikt is om dienst te doen als kamenierster voor bezoeksters die hun eigen dienstmeisje niet bij zich hebben. Mevrouw Beckles zal haar verder instrueren.'

Tevreden met deze uitkomst had ik de slaap der rechtvaardigen moeten slapen. Maar enige tijd later ontwaakte ik met een schok, mijn hart bonzend in mijn keel. Had ik een schreeuw gehoord? Ik ging rechtop zitten en spitste mijn oren, alert op elk geluid. Maar er was niets anders te horen dan het kraken en kreunen van de oude balken die zich klaarmaakten voor de nacht, wat me uiteindelijk in slaap suste.

Ik had niet verwacht dat ik mijn gastvrouw de volgende ochtend aan de ontbijttafel zou treffen en Lord Elham had de avond tevoren overduidelijk te veel port gedronken, waardoor hij nu zelfs nog minder spraakzaam was.

Ik voorzag mezelf van een plak overheerlijke ham en riep Corby, de butler, bij me. 'Zeg eens, was er vannacht sprake van onrust? Ik dacht dat ik iets hoorde – een schreeuw of een gil – ik weet niet precies…'

Ik zou durven zweren dat ik paniek in zijn ogen zag, maar hij zei op opgewekte toon: 'Meneer, straks gaat u me nog vertellen dat u uit het raam gekeken hebt en een ruiter zonder hoofd over de binnenplaats hebt zien galopperen! Verdraaid,' ging hij verder, zijn ogen twinkelend van plezier, 'ik herinner me dat een van de lakeien een maand of wat geleden beweerde dat er iemand via de trap naar beneden gesleept was, een monnik of iets dergelijks, met een kap over zijn hoofd. Helaas bleek dat deze bediende zich zo te buiten was gegaan aan de portvoorraad van Lord Elham dat ik hem op staande voet moest ontslaan.'

Corby zou het zeker niet wagen om mij rechtstreeks te beschuldigen van overmatig drankgebruik, maar ik begreep waar hij heen wilde.

'Maar goed, meneer,' ging hij verder, 'ik begreep van meneer Davies – de rentmeester van Lord Elham, meneer – dat de koets eindelijk bij de pastorie is aangekomen. Hij zal zelf toezicht houden op het uitladen van uw bezittingen, maar verzoekt vriendelijk om het voorrecht van uw aanwezigheid. Hij wil natuurlijk niet dat het meubilair in de verkeerde kamers terechtkomt, meneer.'

'Natuurlijk niet. Zou u mijn koetsier opdracht willen geven om voor te rijden over – laten we zeggen – een half uur? En wilt u Sutton op de hoogte stellen van mijn vertrek?'

Hij maakte een buiging en draaide zich om, en ik voelde opnieuw een steek in mijn binnenste. Mijn hele leven had ik maar een vinger hoeven verroeren en mijn bevelen werden opgevolgd. Nu zou ik dit soort eenvoudige klusjes zelf moeten opknappen.

Het laatste stuk meubilair stond nog maar net op zijn plaats en Jem, mijn stalknecht, was nog maar net weg om de stal te inspecteren toen ik een klop op de achterdeur hoorde. Ik haastte me door de nog onbekende vertrekken en trof bij de deur een aantrekkelijke vrouw van een jaar of veertig aan. Hoewel ze zeer eenvoudig en kuis gekleed ging, was ze op haar manier zeker zo elegant als Lady Elham. Ze had een mand bij zich, bedekt met een linnen doek, alsof ze zich had voorbereid op een picknick.

In reactie op mijn buiging maakte ze een revérence en zei: 'Mevrouw Beckles, tot uw dienst, dominee Campion. Ik ben in betrekking bij Lady Elham, waar mij de eervolle taak van hoofd van de huishouding is toegevallen. Ik hoop dat deze kleinigheden uw leven iets aangenamer zullen maken totdat uw eigen staf arriveert.'

'Mijn dank is groot, mevrouw Beckles. Dat is bijzonder vriendelijk van Lady Elham –' Ik stopte abrupt. 'Neemt u mij niet kwalijk, mevrouw Beckles. Deze geschenken zijn van u, niet van Lady Elham, is het wel?'

Ze glimlachte bescheiden. 'Een man heeft zo zijn behoeftes, meneer. Zal ik ze voor u in de keuken zetten?'

'Dat kan ik onmogelijk –' Maar ik deed evengoed een stap opzij.

'Sinds wanneer weet een man de weg in de keuken, meneer? Om maar niet te spreken over een heer.'

Haar oprechte gezichtsuitdrukking maakte dat ik haar vertrouwde. 'Mevrouw Beckles, hier in Moreton St. Jude ben ik geen heer meer.'

Ze hief haar kin. 'Met alle respect, meneer, of u een heer bent of niet heeft meer van doen met gedrag dan met geboorte – neemt u me niet kwalijk dat ik het zo zeg,' voegde ze vlug toe. Maar bij het zien van mijn glimlach ging ze verder: 'Boven, in de Priorij, ontmoet ik heren die zich gedragen als beesten, maar ook arbeiders die zo zachtmoedig en vriendelijk zijn dat ze niet slechts met een zilveren lepel, maar met een heel zilveren bestek in de mond geboren hadden kunnen zijn.'

Ik liet mijn hoofd hangen, maar hief het weer omhoog om haar antwoord te geven: 'Mevrouw Beckles, u hebt zojuist een betere preek gehouden dan ik ooit van mijn leven zal doen.'

'Nee, meneer, ieder zijn of haar vak. En het mijne is u adviseren om in deze keuken met spoed een nieuw fornuis te laten installeren.'

Ze onderwierp ook de rest van het huis aan een nauwkeurige inspectie, hing de gordijnen recht en borg het linnengoed op – even kordaat en bekwaam als Sutton, maar spraakzamer, hoewel geen van de uitspraken die volgden zo controversieel waren als haar opmerking over geboorte en adeldom. Ik probeerde haar uit te horen over mijn nieuwe buren, maar ze keek me recht in de ogen. 'Dat zouden roddels en geruchten zijn, dominee Campion. U moet zelf een oordeel vellen. U zult fouten maken – dat overkomt iedere jongeman – maar ik betwijfel of het er veel zullen zijn. Kijk eens aan, in elk geval hebt u morgenochtend een schoon hemd om aan te trekken,' zei ze, terwijl ze de laatste lade dichtschoof. 'Ik zal de oude mevrouw Phipps vragen om uw was voor u te doen, als u dat goed vindt. Elke twee weken? Of elke maand?'

Ik schudde mijn hoofd. 'Mevrouw Beckles, doe alstublieft wat u goeddunkt. Als u in staat bent om de gang van zaken in een huis zo groot als de Priorij soepel te laten verlopen, durf ik te zweren dat u ook weet wat het beste is voor een huishouden als dit.'

Haar lach onthulde haar sterke, witte tanden, tanden waar Lady Elham ongetwijfeld zeer jaloers op was.

Eindelijk sneed ik het onderwerp aan waar ik de hele ochtend al over had willen praten. 'Mag ik u misschien vragen, mevrouw Beckles, hoe de jonge Lizzie er vanochtend aan toe is?'

'Dat mag u zeker. Ze is van streek en huilt wat sneller dan anders, daarom heb ik haar vanochtend wat taken in mijn kamer gegeven.' Ze glimlachte. 'Wat u gisteren gedaan hebt was zeer achtenswaardig, dominee. Andere jongemannen in uw situatie zouden de andere kant opgekeken hebben. Maar u hebt het juiste gedaan. Ik zou het fijn vinden voor Lizzie als ze een betrekking zou kunnen vinden in een ander huis, maar waar ze ook heen gaat, er zouden altijd jonge onbesuisde vlegels zijn die zouden denken dat zij er was voor hun vermaak. Hier kan ik haar tenminste nog een beetje in het oog houden. Maar nog één advies, dominee. Laat u bij het kiezen van uw staf leiden door uw hoofd, niet door uw hart. Een alledaags meisje werkt vaak harder dan een mooi meisje.'

'Ik neem aan, mevrouw Beckles, dat u mij niemand kunt aanbevelen?'

Ze schudde vastbesloten haar hoofd. 'Dat moet u bespreken met uw nieuwe huishoudster en kokkin. Zij is tenslotte ook degene die haar moet opleiden.'

'En waar kan ik een huishoudster èn kokkin vinden? Is het wijs om meneer Davies om advies te vragen?'

We wisten allebei al wat haar antwoord zou zijn. 'Ik denk dat ik daar wel iemand voor weet,' zei ze.

In weerwil van alle gordijnen, tapijten, tafels en stoelen voelde het huis na haar vertrek uitzonderlijk leeg aan.

Ik trok me terug op de meest voor de hand liggende plek – in de kerk van St Jude's, waar ik omgeven door de heilige stilte van het oude gebouw mijn ochtendgebeden opzegde, zij het wat verlaat, en tijd nam om vertrouwd te raken met de sfeer.

Toen ik uiteindelijk opstond keek ik om me heen. Te oordelen naar de vorm van de bogen en de ramen stamde het gebouw uit de tijd van de Normandiërs. Ik zag koperwerk in overvloed, en er stonden een paar majestueuze graftombes met daarin de stoffelijke resten van de familie die het gebouw en de omliggende gronden als leengoed aan de kerk beschikbaar had gesteld. De Latijnse inscripties deden verslag van hun buitengewoon vrome leven. *Nil nisi bonum,* dacht ik bij mezelf. De koorbanken leken net zo oud als die in de kapel van King's College in Cambridge, waar ik mijn graad had behaald en later in mijn ambt bevestigd was. Ik ging even in een van die banken zitten. Het voelde vertrouwd, alsof ik thuiskwam – een gevoel dat ik in de pastorie nog niet gehad had. Op datzelfde moment, als een soort begroeting, viel het zonlicht door de glas-in-loodramen naar binnen, op mijn handen, als een waterval van kleuren.

Ik had de zware deur nog maar nauwelijks achter me dicht gedaan toen ik besefte dat ik niet alleen was. Een man van een jaar of dertig, een riek in de ene en een vormeloze hoed in de andere hand, begroette me. Hoewel hij ongeveer van dezelfde leeftijd was als Jem was deze man broodmager, terwijl Jem breed genoeg was om mij te kunnen dragen – wat hij ook eens daadwerkelijk had gedaan, toen ik veel te veel gedronken had. Het ingevallen gezicht van de man vormde een groot contrast met Jems mannelijke trekken.

'Simon Clark, eerwaarde,' zei hij ter begroeting. 'Uw koster, eerwaarde.'

Was deze man in staat om een graf van twee meter diep te graven? Ik betwijfelde het, maar wist toen nog niet hoe snel hij zou bewijzen dat mijn zorgen ongegrond waren.

'Noem mij maar dominee Campion, meneer Clark. En gaat u vooral verder met uw uitmuntende werk.' Nu ik om me heen keek zag ik hoe netjes het kerkhof erbij lag, hoe goed het onderhouden was. Het gras was onberispelijk en nergens was ook maar een sprietje onkruid te zien. Hij bleef staan waar hij stond, nog steeds glimlachend, en ik voegde er naar waarheid aan toe: 'Ik heb nog nooit een kerkhof gezien dat er zo prachtig bij lag. Is dat allemaal uw werk?'

Zijn ogen werden groot en hij knikte heftig. 'Dank u, eerwaarde!'

Ik schudde mijn hoofd. 'Nee, ik moet u bedanken. U bent ook degene die de kerk schoonmaakt?'

Hij slikte hoorbaar. 'Dat doet mijn lieve vrouw, eerwaarde. Ze doet haar best, eerwaarde.'

'Bedank haar dan alstublieft namens mij.'

'Dank u, eerwaarde.'

Het was duidelijk dat hij niet in beweging zou komen voordat ik dat deed, dus met een laatste glimlach draaide ik me om en liep in de richting van het portaal.

Ik kwam oog in oog te staan met twee ernstig kijkende landarbeiders, de ene breed en met rode wangen, de andere net zo bleek en mager als Simon Clark. Ze deden geen van beiden ook maar de geringste poging tot vriendelijkheid.

'En wie mag u wel wezen, jongeheer?' vroeg de man met het rode gezicht op barse toon.

'Verdraaid, het is de nieuwe dominee!' riep zijn metgezel uit nu hij eindelijk mijn witte boord in het vizier kreeg. Hij trok zijn hoed van zijn hoofd en boog.

Ik stak mijn hand uit en glimlachte. 'Dominee Campion is mijn naam,' verklaarde ik plechtig.

Inmiddels waren beide mannen blootshoofds en hadden ze een onderdanige pose aangenomen. Wellicht een verbetering in vergelijking met hun eerdere agressie. De een na de ander wreef zijn rechterhand ruw langs zijn broek en stak hem uit naar mij.

'Neemt u het ons het niet kwalijk, meneer, we hadden niet verwacht dat u er nu al zou zijn.'

'Of dat u zo jong zou zijn, niet nu zo veel goeie jongens zich als soldaat bij het leger hebben aangemeld.'

Ik zei niets.

'Wij zijn de kerkmeesters, eerwaarde. Deze meneer hier is boer Bulmer.'

De man met het rode gezicht boog opnieuw.

'En ik ben Dusty Miller,' voegde de bleke toe, met een haast tandeloze grijns. 'De molenaar.' Hij klopte op zijn zak om zijn woorden kracht bij te zetten, wat beloond werd met een wolkje wit stof. Hij hoestte, hoewel meer ter voorbereiding op een uitentreuren geoefende voordacht dan als reactie op het meel. 'Welkom bij uw nieuwe kudde, meneer Campion. We hopen dat alles aan uw verwachtingen voldoet, maar mocht dat niet zo zijn, wees er dan van verzekerd dat we zullen doen wat in onze macht ligt om dat alsnog recht te zetten.' Hoeveel uren, hoeveel aantekeningen en hoeveel wijzigingen had het gevergd voordat hij deze zin uit zijn hoofd kon opzeggen?

'Dank u, heren. Ik ben er zeker van dat onze samenwerking zeer prettig zal verlopen.'

'We hebben gehoord dat u nog geen meubilair hebt, dominee,' zei Bulmer.

'Nee, en ook nog geen bedienden,' vulde Miller aan.

Ik glimlachte. 'Tot mijn vreugde heeft de voerman vanmorgen al mijn eigendommen afgeleverd. En wat betreft bedienden – ' Ik had meer vertrouwen in het advies van mevrouw Beckles dan in dat van hen, maar luisteren kon geen kwaad.

'U hebt ongetwijfeld behoefte aan een ervaren dienstmeid,' stelde boer Bulmer vast, met wat in mijn ogen een ongepaste grijns leek.

Ik vermoedde een valstrik en zei op vastbesloten toon: 'Mijn nieuwe huishoudster zal de rest van de staf samenstellen.' Ik dankte de hemel voor de vooruitziende blik van mevrouw Beckles.

Ze wisselden een blik uit. Miller klemde zijn laatste paar tanden op elkaar – ik kon me niet voorstellen dat ze lang tegen die druk bestand zouden zijn.

'Had de vorige predikant geen mensen in dienst?' ging ik verder.

'Lieve hemel, hij had er maar één. En zij is met hem meegegaan naar zijn nieuwe standplaats in de buurt van Bath.'

'Dergelijke trouw is lovenswaardig,' merkte ik op, hoewel ik diep van binnen wenste dat de band die deze vrouw met haar geboortedorp had gehad wat sterker geweest was.

Mijn naïviteit resulteerde in bulderend gelach, dat snel – maar niet snel genoeg – onderdrukt werd. 'Potverdikkeme nog aan toe, natuurlijk is ze trouw! Ze is inmiddels namelijk met die ouwe dominee getrouwd. En er wordt gezegd dat ze binnenkort gezinsuitbreiding verwachten.' Deze keer was de betekenis van zijn grijns onmiskenbaar.

'En dat voor een man die zijn zestigste verjaardag al achter de rug heeft,' voegde Miller toe, zijn stem een mengeling van bewondering en jaloezie.

'En zij nog niet eens 25, zou ik durven zweren. Ja, naar zo'n huishoudster moeten we voor u ook op zoek, dominee Campion. U wilt vast en zeker ook eerst weten of het goed zit met het nageslacht voordat u in het bootje stapt!' Hij lachte hard, en het geluid weerkaatste tegen de bomen.

'Ik ben ervan op de hoogte dat dat gebruikelijk is bij mensen die niet beter weten, maar naar mijn overtuiging, heren, is dat niet de weg die een ware man van God bewandelt.'

'Waag het niet om kwaad te spreken van meneer Hetherington,' zei Miller op scherpe toon. 'Een beste man was het, en een gedreven jager. Ze hebben hem drie keer op een draagbaar naar huis gebracht, op sterven na dood. Maar het volgende seizoen was hij weer van de partij, zoals het een echte man betaamt.'

Ik boog zwijgend en koeltjes. 'Ik geloof dat ik verwacht word in de pastorie. Maar ik vier morgen opnieuw de ochtenddienst en ik hoop op uw beider aanwezigheid. Prettige dag nog, heren.'

Hulpeloosheid was een heel nieuwe ervaring voor me. Toen ik naar Eton ging was ik goed voorbereid dankzij de adviezen van mijn oudere broer en op Cambridge werd ik op mijn eerste dag al opgewacht door vrienden van school. Hier was niemand die ik kende, en hoewel ik dacht dat het zelfs mij zou moeten lukken om uit de inhoud van de mand van die lieve mevrouw Beckles een middagmaal samen te stellen, merkte ik dat ik onbewust stond te wachten op een bediende die mijn spullen zou uitpakken, een bord en een mes voor me op zou zoeken en zelfs mijn stoel naar achteren zou schuiven.

De enige bediende die ik nog overhad was Jem, die nog steeds druk bezig was in de stallen – zo smerig dat je er nog geen varkens zou houden. Het was niet meer dan terecht dat ik hem deze keer zou bedienen. Maar hoe kreeg ik dat voor elkaar zonder hem in verlegenheid te brengen? Uiteindelijk kwam de gedachte bij mij op dat we samen in de tuin zouden kunnen zitten, misschien op een hooibaal, en een echte ouderwetse picknick konden houden. Ik nam een mand mee naar buiten en riep hem. Hij waste zich eerst met water uit de pomp en trok toen, niet helemaal op zijn gemak, drie hooibalen bij – de derde uiteraard als tafel. Hij veegde zijn handen af aan het stro, duidelijk opgelaten, waaruit ik opmaakte dat hij zichzelf niet geschikt achtte voor de taak van butler. Daarom spreidde ik het kleed zelf maar over de derde baal uit en legde de inhoud van de mand erop. Mevrouw Beckles had een flinke kan bier in de mand gestopt, samen met een paar plakken koud vlees en twee stevige pasteien. In de keuken lag meer dan genoeg bestek, zorgvuldig opgeborgen door mevrouw Beckles, maar ik wist niet waar. Zonder iets te zeggen haalde Jem een zakmes tevoorschijn en sneed twee enorme stukken schapenpastei af.

Mijn honger werd gestild, maar mijn verlangen naar een goed gesprek niet. Jem was altijd al zwijgzaam, maar nu zei hij helemaal niets, behalve twee of drie korte opmerkingen over de paarden. Na de maaltijd lag de rest van de dag nog voor me, eindeloos uitgestrekt en door mijzelf in te vullen. Mevrouw Beckles was heel hulpvaardig geweest, maar aan mijn studeerkamer had ze zich niet gewaagd – en volkomen terecht. Mijn boeken wachtten op mij.

Toen ik het allerlaatste exemplaar in mijn mooie nieuwe boekenkast gezet had, had ik opnieuw de hoop dat ik me hier uiteindelijk misschien toch thuis zou voelen, omgeven door mijn oude vrienden met hun versleten kaften, maar met een inhoud die altijd weer nieuw en verkwikkend was. Ik zat nu echter zo onder het vuil dat ik maar één optie had; gebruik maken van dezelfde pomp als waar Jem zich eerder onder had afgespoeld. Ik droop dus van het water op het moment dat ik in de verte mijn nieuwe deurbel hoorde. Er was natuurlijk geen bediende die de deur open kon doen en ik kon de gedachte dat ik een bezoeker mis zou lopen niet verdragen. Ik trok mijn hemd aan en haastte me naar het huis.

'Hallo? Hallo daar?' Wie het ook was, hij had niet gewacht, maar was alvast naar binnen gestapt, zijn robuuste gestalte stak zwart af tegen de felle middagzon.

Nog steeds slechts gekleed in mijn hemd stapte ik naar voren, mijn hand uitgestoken. Als mijn gast zich niet druk maakte om ceremonieel zou ik dat ook niet doen.

'Edmund Hansard, tot uw dienst, meneer,' begroette hij me, terwijl hij zijn vormeloze hoed afnam en een ouderwetse pruik onthulde. Aan zijn gezicht te zien was de man ergens in de vijftig.

'Tobias Campion aangenaam,' antwoordde ik met een kleine buiging. Mijn hand ging verloren in de zijne.

'Ik ben in het voordeel,' lachte hij, zijn blauwe ogen twinkelend van plezier. 'Ik weet dat u de nieuwe dominee bent, maar u kunt onmogelijk weten dat ik de dokter ben. En ik ben hier niet om ziekten te behandelen – u lijkt mij een gezonde jongeman – maar om u te vragen vanavond de maaltijd met mij te gebruiken. O, en neem uw bediende ook mee. Ik twijfel er niet aan dat de mijne goed voor hem zullen zorgen.'

'Dat is bijzonder vriendelijk –' begon ik.

'Heb ik niet ergens gelezen dat men voor een ander moet doen wat men zelf in zijn plaats ook graag zou willen? Nou, beste man, iemand moet u voorzien van wat te eten en te drinken, zo simpel is dat. Al zijn de maaltijden bij mij eenvoudig, moet ik erbij zeggen, en hou ik plattelandstijden aan. Is zes uur te vroeg voor u? U kunt mij vinden in Langley House, aan Leamington Road. Tot zes uur, dan. En kleed u zich vooral niet te formeel.'

'Tot zes uur,' stemde ik in.

Hij vertrok zonder verdere poespas en liet, net als mevrouw Beckles eerder die dag, een voelbare leegte na.

'Langley House,' herhaalde ik tegen Jem toen we zij aan zij door het dorp reden, vanuit het westen overgoten met het roodgouden licht van de zon.

Op het grasveld speelden een paar heel jonge jongens, niet ouder dan een jaar of vijf, zes, een spel met een slaghout en een bal. Achter het grasveld lag een eendenvijver en aan mijn linkerzijde bevond zich de achterkant van de begraafplaats van St Jude. De *Silent Woman*, zo oud dat Shakespeare zelf er misschien wel eens wat gedronken had, lag tegenover de begraafplaats, lager dan de rest. Aan de rand van het dorp werd een koetshuis gebouwd, vast en zeker omdat er langs het dorp een tolweg was aangelegd. Het zou het enige gebouw met status zijn, afgezien van de kerk zelf, natuurlijk. De rest van het dorp bestond uit schilderachtige hutjes met rieten daken, her en der verspreid over de groene vlakten waar onze dichters zo hoog over opgaven.

We raakten steeds verder van Moreton Priory verwijderd, rijdend langs keurig onderhouden, en naar ik hoopte vruchtbare, akkers. Jem reed naast me, zoals hij altijd gedaan had sinds de dag waarop hij me leerde paardrijden. Het was het enige moment waarop hij toestond dat ik hem als mijn vriend behandelde.

'En naar wat voor huis zijn we op zoek?' vroeg hij.

'Weet je, ik heb echt geen idee.' Ik liet mijn blik langs de hutjes glijden en groette de mannen die, slechts gekleed in een onderhemd, bezig waren in hun tuintjes, tot de laatste vierkante centimeter vol geplant met felgekleurde bloemen en groenten die ik niet kende. 'Op zo'n klein stukje grond groeit toch zeker niet genoeg om een heel gezin van te onderhouden?' riep ik uit. 'De moestuinen van de arbeiders van mijn vader zijn drie of vier keer zo groot.'

'Niet alle boeren zijn zo royaal als uw edele vader,' antwoordde Jem, die de halfnaakte kinderen bekeek alsof ze niet veel meer waren dan dieren. Hun smerige handen schoten omhoog terwijl we voorbijreden. Ik gooide een handvol muntjes naar ze toe en nam me voor om me, zo God het wilde, in de toekomst in te spannen voor blijvende veranderingen.

Enige tijd later lagen de hutjes achter ons. Parallel aan de weg stond een hoge stenen muur. Na ongeveer een kilometer werd de muur onderbroken door een kunstig hek, met daarachter een met grint bedekte oprijlaan die naar een huis leidde dat zo'n dertig á veertig jaar oud was, elegant en precies in proportie.

'Zou dit het kunnen zijn?' vroeg Jem. 'Wel een heel mooi huis voor een plattelandsdokter.'

Dat was het zeker. Het rode, bakstenen huis had een warme glans. Het was drie verdiepingen hoog en de symmetrie van het gebouw was een lust voor het oog. Misschien dat het me onbewust deed denken aan het poppenhuis waar mijn zus vroeger zo dol op was.

Twee jongens die naar huis slenterden verzekerden ons ervan – na een penny van mij en een boze blik van Jem, gevolgd door de opmerking dat ze zich moesten gedragen als de dominee tegen hen sprak – dat dit inderdaad het huis van dokter Hansard was. We wisselden een geamuseerde, quasi-zielige grijns en spoorden onze paarden aan, om even later door de gastheer zelf begroet te worden, die op de veranda stond en juist verwikkeld was in een ernstig gesprek met zijn stalknecht.

Toen hij ons zag, verscheen er een brede glimlach op zijn gezicht. 'Welkom op Langley House,' zei hij.

De avond vloog om. Op een gegeven moment, misschien terwijl we op ons gemak dineerden, of misschien toen we na afloop van de maaltijd een glas port dronken, gebeurde er iets tussen mij en Edmund Hansard; in plaats van sympathieke, maar vage bekenden beseften we dat we bezig waren om vrienden te worden. Misschien was het op het moment dat hij me zijn laboratorium liet zien en me uitlegde dat hij probeerde om uit een blauwe hyacint roze bloemen te kweken, misschien kwam het door zijn verzameling vreemde voorwerpen of zelfs door zijn bibliotheek, waar een bescheiden vuurtje brandde om de avondkilte te verjagen.

Bij mijn zusters werd het verschil tussen kennissen en vriendinnen bepaald door het uitwisselen van vertrouwelijkheden, maar zelfs zonder zo'n uitwisseling wisten de dokter en ik dat we op dezelfde manier in het leven stonden. En dat zonder dat we – voor zover ik me kon herinneren – ook maar één keer bewust waren ingegaan op onze diepgaande overtuigingen.

Hij bood me een laatste glas cognac aan.

'Dus nu begrijpt u,' herhaalde hij nog een keer, 'waarom de mensen hier niet weten wat ze nu eigenlijk aan me hebben. Ze zien dit prachtige huis en vervolgens komt daar een oude dorpsdokter uit tevoorschijn. Moeten ze me nu binnenlaten door de hoofdingang van hun landhuizen – zoals, dat moet ik toegeven, Lord en Lady Elham inmiddels doen – of me met mijn staart tussen mijn benen naar de achteringang sturen, die door de bedienden gebruikt wordt?'

'Een man met uw papieren –' begon ik.

'Wordt minder gerespecteerd om de kennis die in zijn hoofd zit dan om de hoeveelheid land die hij bezit, precies zoals bij elke andere landheer het geval is. Denkt u werkelijk dat ik benoemd zou zijn tot lekenrechter als ik niet zo veel grond gehad had? Zouden mijn bibliotheek, mijn reizen en mijn papieren, zoals u ze noemt, genoeg geweest zijn om mij deze verantwoordelijkheid toe te vertrouwen? Ik denk het niet, mijn vriend. En ik durf te beweren dat ik, als ze zouden weten hoe ik aan mijn land en mijn huis gekomen ben, waarschijnlijk ook niet –' Hij slikte de rest van de zin in toen het galmen van zijn deurbel, vast en zeker luid genoeg om de doden tot leven te wekken, door het huis weerklonk. Hij sprong onmiddellijk op.

'Dat kan op dit late uur maar twee dingen betekenen – een geboorte of een sterfgeval,' zei hij met een verontschuldigende grijns. 'Mijn jonge Tobias, excuses voor dit abrupte afscheid. Maar ik heb het gevoel dat wij het goed zullen kunnen vinden, samen.'

En met die woorden beende hij de gang door, waar hij zijn hoed en zijn tas aanpakte van de bediende die de voordeur al voor hem openhield. Terwijl we naar buiten liepen, werd zijn paard al gebracht. Dokter Hansard zette het jongetje dat de boodschap was komen brengen voor zich op het paard en ging ervandoor.

Niet veel later leidde Jem Titus voor.

'Blijkbaar heeft hij die bel ook verbonden met de keuken en de stal, zodat George – dat is zijn stalknecht – altijd precies weet wanneer hij het paard moet zadelen,' zei hij. 'Wilt u hem achterna, meneer Tobias?'

Ik dacht even na. Opnieuw voelde ik het diepe verlangen om van iemand anders te horen wat ik moest doen. Maar ik had nu geen mentor meer die me kon begeleiden. 'Als het een geboorte is, loop ik alleen maar in de weg,' mijmerde ik. 'En als het niet goed gaat met de moeder of de baby weet ik zeker dat hij me zal laten halen.'

Jem fronste. 'Maar het zou ook een sterfbed kunnen zijn waar ze hem bij geroepen hebben. En ik zal maar gewoon zeggen wat ik denk, meneer Tobias, daar hoort u wél te zijn.'

Om zo door mijn eigen bediende op mijn plicht gewezen te worden! Ik liet me in stilte door hem in het zadel helpen en enkele tellen later waren we op weg, volgend in het spoor van de goede dokter.

2

Terwijl ik bij het graf stond, dankte ik de Almachtige dat het eerste sterfbed dat ik in mijn nieuwe gemeente had bijgewoond zo gemakkelijk verlopen was. Het overlijden van de oude mevrouw Gates was vredig geweest, zonder spijt of zelfs maar een blik achterom. Zelfs dokter Hansard had het moeilijk gevonden om te zeggen wanneer ze nou precies gestorven was, zo zacht was haar dood.

Haar familie bestond uit boeren die zich op hun gemak voelden in het huis van de vrouw, dat minstens even oud was als Moreton Priory. Ze hadden om haar heen gestaan en de gebeden die ik uitsprak herhaald. Misschien was het een verrassing voor hen om mij te zien, maar hun ontvangst, toen ik me eenmaal had voorgesteld, was ronduit warm te noemen. Alleen dokter Hansard liet iets van verrassing blijken, gevolgd door een geamuseerde, goedkeurende blik. Als ik het me goed herinnerde had ik zelfs het fatsoen gehad om te blozen. Ik had genoeg vertrouwen in Jem om te weten dat de achtergrond van mijn aanwezigheid nooit openbaar gemaakt zou worden.

Blijkbaar achtte men het in dit deel van het koninkrijk niet gepast dat vrouwen aanwezig waren bij een begrafenisplechtigheid, en dus stonden er alleen mannen langs het graf om te luisteren naar – en naar ik hoopte getroost te worden door – de ernstige maar indrukwekkende boodschap van deze uitvaartdienst. Ze stonden in het licht van de zomerzon, hun hoofden gebogen in een laatste afscheid, in deze wereld, tenminste – maar met de zekere hoop dat ze elkaar in het hiernamaals opnieuw zouden ontmoeten.

'Dank u, dominee Campion,' zei boer Gates toen ik te kennen gaf dat de plechtigheid was afgelopen. 'Ik wil u en dokter Hansard graag uitnodigen om samen met de rouwenden terug te keren naar de boerderij, om daar een glas sherry met ons te drinken voordat het testament van de oude dame wordt voorgelezen.' Hij sloeg me hartelijk op de schouder.

Twee jaar geleden zou ik ineengekrompen zijn bij zo'n aanraking en zeker bij zo'n uitnodiging. Maar nu nam ik ze allebei aan, en wel om twee redenen. De eerste was het behouden van Jems achting, die ik een paar avonden geleden bijna kwijtgeraakt was; de tweede was dat ik in mijn lege huis rondstuiterde als een ei in een emmer – om het met Jems woorden te zeggen. En hoe ik ook probeerde om mijn vrije uren op te vullen met studie en gebed, soms werd ik overvallen door een wanhopige behoefte aan contact met mijn medemensen – zelfs als het, zoals in het geval van boer Gates, keuterboeren waren met een stierennek, blozende wangen, kleding waarvan de naden op springen stonden en kolenschoppen van handen waarmee ze smoezelige speelkaarten vasthielden. Kortom, mensen die mijn familieleden vanuit hun hoogverheven positie in het rijtuig niet eens begroet zouden hebben.

Maar op het moment dat ik instemmend glimlachte zag ik Simon Clark, de koster, over het grasveld in mijn richting lopen, zijn gejaagde passen verre van eerbiedig.

'Simon,' protesteerde ik op ernstige toon.

'Neem me niet kwalijk, eerwaarde, en u ook niet, dokter Hansard, maar de dokter moet komen,' hijgde hij. 'Bijzonder dringend, zeggen ze. In Marsh Bottom. De jonge Will zegt dat de situatie heel ernstig is. Een zaak van leven of dood, zegt hij.'

'Staat William nog te wachten?'

'Nee, dokter. Hij is meteen teruggerend, zo snel alsof zijn leven ervan afhing.'

'Wat een geluk dat u uw koets bij de pastorie hebt laten staan,' zei ik tegen dokter Hansard. 'Ik zal mij verontschuldigen bij deze vriendelijke mensen, dan ga ik met u mee.'

'Naar Marsh Bottom?' vroeg Simon vol ongeloof. 'Dat is geen plaats voor mensen zoals u, eerwaarde!'

'Elke plek op Gods aarde is passend voor zijn dienaren,' zei ik zo minzaam als ik maar kon.

'Daar zou je nog geen varken –'

'Wat een geluk dat ik geen varken ben. Genoeg, Simon.' Ik richtte me tot boer Gates. 'Het lijkt erop dat ik uw vriendelijke uitnodiging toch niet kan aannemen. Vergeef me, alstublieft.'

Hij knikte, duidelijk in de war. Ik kwam echter tot de conclusie dat, zelfs als hij er geen aanstoot aan nam, mijn kerkmeesters dat wel deden. De ogen van meneer Bulmer waren donker van woede en meneer Miller had de zijne tot spleetjes geknepen. Maar te oordelen naar de gezichtsuitdrukking van dokter Hansard was dit geen moment voor discussies over leerstellige of sociale zaken, dus met een laatste handdruk liet ik meneer Gates achter en beende ik naar de pastorie.

Ik liet mijn toga met oneerbiedige haast van mijn schouders glijden en verzamelde zonder erbij na te denken alle rekwisieten voor zowel de heilige communie als de kinderdoop. Ik gaf Jem, die druk doende was met een hamer en lange spijkers, opdracht om onmiddellijk de koets voor te rijden. Zelfs Jem keek somber toen ik onze bestemming omschreef, maar hij knikte ernstig en vastbesloten, alsof hij ondanks zichzelf met dit voornemen instemde.

'Wat is Marsh Bottom voor plaats, dat niemand wil dat ik het zie?' vroeg ik op luchthartige toon terwijl ik plaatsnam naast dokter Hansard. 'Of is het mijn besluit om niet deel te nemen aan het begrafenismaal waar men zo zwaar aan tilt?'

'Ik weet niet waarom Bulmer en Miller zich zo vijandig opstellen,' zei hij nadenkend, terwijl hij zijn paarden aanspoorde tot een stevige draf. 'Ze konden het bijzonder goed vinden met uw voorganger, al is dat op zichzelf genomen geen bewijs van goed karakter; in mijn ogen, althans. Maar Simon Clark is een fatsoenlijke vent die zich – om er maar geen doekjes om te winden – ernstige zorgen maakt over zowel uw gezondheid als uw geestelijk welzijn. Ik betwijfel of u in uw leven ooit dingen gezien hebt die te vergelijken zijn met de Bottom, tenzij u als soldaat in het buitenland gelegerd geweest bent.'

Hoewel ik zijn ogen voelde prikken, besloot ik niet te reageren. Hoewel er ongetwijfeld een dag zou komen waarop ik openheid van zaken zou geven en mijn volledige levensverhaal met hem zou delen, was dit de tijd noch de plaats, en, als ik echt helemaal eerlijk was, de wond was nog te vers en te pijnlijk. 'Mijn gezondheid?' vroeg ik uiteindelijk.

'Een walgelijke plek met bijzonder ongezonde lucht,' zei hij. 'En Simon had gelijk; een fatsoenlijke boer zou zijn varkens nog niet onderbrengen in de hutjes daar. Maar arbeiders zijn geen varkens, Tobias, en hun gezinnen ook niet,' voegde hij grimmig toe. 'Ik denk vaak dat de hoge heren minder waarde hechten aan mensen dan aan vee.' Hij hield zijn paarden in en liet ze langzaam verder lopen. Het pad was eigenlijk meer een geul, en zo diep dat het me niet zou verbazen als het na een flinke regenbui onbegaanbaar was.

'De landheer –'

'– heeft het zo druk met het verbeteren van zijn akkers nadat hij ze eindelijk allemaal omheind heeft, dat hij geen tijd meer heeft om zich te bekommeren om het onderkomen van zijn arbeiders. Hij zou waarschijnlijk ook aanvoeren dat hij er geen geld voor heeft, want het verbeteren van landbouwgrond is een enorme investering die men niet zomaar doet. Maar oordeel straks zelf maar. Normaalgesproken bezoek ik dit soort plaatsen alleen te paard,' zei hij op barse toon, terwijl hij zijn uiterste best deed om de koets recht te houden.

Uiteindelijk kwam de koets tot stilstand – al zag ik daar, hoe ik ook mijn best deed, geen enkele reden toe. Hansard draaide zich om om zijn tas te pakken en sprong uit de wagen, een voorbeeld dat ik onmiddellijk volgde. 'Moeten we hiervandaan lopen?' vroeg ik voorzichtig.

'We zijn er, man,' was zijn reactie, zijn stem schor van emotie – een emotie die ik uiteindelijk duidde als woede.

'Maar ik zie niets anders dan een hooiberg,' protesteerde ik. 'En een verdraaid armzalig exemplaar, bovendien!'

'Wat u ziet is Marsh Bottom,' zei hij droogjes.

Hij liep met grote stappen over wat waarschijnlijk een pad moest voorstellen, waarbij zijn laarzen diepe afdrukken achterlieten in de walgelijke, blauwgroene derrie. Ik volgde langzaam en uiterst voorzichtig, en vroeg me nog steeds af waar de dokter me heen leidde. Uiteindelijk zag ik twee of drie gaten in de zijkant van de hooiberg, wellicht deuropeningen, en nog een paar kleinere gaten waaruit dunne rookslierten opstegen.

'Is het werkelijk mogelijk dat hier iemand woont?'

'Drie gezinnen,' beet hij me toe. 'Eén in elk krot. Begrijpt u nu waarom mensen twijfelden aan de wijsheid van uw beslissing om hierheen te komen? Betreden op eigen risico, dominee Campion.'

Ik vrees dat ik zelfs op dat moment nog besloten zou hebben om om te keren, ware het niet dat ik een afschuwelijk geluid hoorde, dat het midden hield tussen gekreun en gejammer, afkomstig uit het middelste gat.

We stapten naar binnen. Het kostte me al mijn wilskracht om niet te kokhalzen of achteruit te deinzen bij de afgrijselijke stank in deze ruimte, die me nog het meest deed denken aan een grafkelder. Ik kon niet anders dan mijn zakdoek tevoorschijn halen en die uit alle macht tegen mijn neus en mond drukken, zelfs al zou dat misschien betekenen dat ik in Hansards achting daalde.

Na enige tijd wenden mijn ogen aan de schemer. Het enige licht was afkomstig uit de deuropening – ik zag nergens een deur – en uit het gat dat dienst moest doen als schoorsteen. Ergens in een hoek gloeiden de resten van een vuurtje, maar ik dacht niet dat dat nog lang zou branden. Tegen de achterwand zag ik de vorm van drie of vier lichamen, gehurkt en tegen elkaar aangedrukt. Het duurde even voordat ik me realiseerde dat het kinderen waren. Links van mij zat een vrouw, gebogen over iemand die op een hoop stro lag – het enige bed dat dit gezin rijk was.

'Hoe lang is Luke er al zo aan toe, mevrouw Jenkins?' vroeg dokter Hansard, even beleefd als wanneer hij Lady Elham tegenover zich had gehad.

'De afgelopen drie dagen, dokter. En het wordt steeds erger.'

'Waarom hebt u me niet eerder laten roepen, mevrouw?'

Haar wanhopige zucht en het wringen van haar handen was genoeg antwoord.

'U moet weten dat ik in dit soort gevallen nooit een vergoeding vraag. Ik had misschien zijn been niet kunnen redden en wellicht zelfs niet zijn leven, maar ik had hem veel pijn kunnen besparen.'

Er klonk opnieuw een bloedstollende kreet.

'Dominee Campion, neem deze kinderen alstublieft mee naar buiten. Dit schouwspel is niet geschikt voor hun ogen.' Hij had kunnen toevoegen: 'Of de uwe.'

Ik deed wat me gevraagd werd en stak mijn handen uit om hen aan te moedigen. Ze trokken zich nog verder terug in de hoek.

'William, ga met mijn nieuwe vriend mee,' zei de dokter over zijn schouder. 'Je weet wat je in mijn koets zult aantreffen.'

Ik bewoog me naar de deur, met mijn hele hart hopend dat ze me zouden volgen, maar ook in het besef dat ik, als de kinderen veilig buiten waren, terug moest keren om voor de stervende man te bidden.

'Wat zou die beste dokter in zijn koets hebben verstopt?' vroeg ik, mijn stem gemaakt enthousiast. 'Kom, laten we gaan zoeken.'

'Appels,' fluisterde Hansard, al wist ik niet of hij dat nou zei om mij een plezier te doen of hen.

De deugnieten – die meer weg hadden van wilde dieren dan van kinderen, gehuld in vodden die hun lijfjes nauwelijks bedekten – sprongen overeind, schoten me voorbij en haastten zich al struikelend en vallend naar de koets, alsof hun benen niet sterk genoeg waren om te kunnen rennen.

Ik vroeg me af of het wel zo wijs was dat de dokter hen aanmoedigde om fruit te eten, maar kwam tot de conclusie dat hij het wel zou weten. Ik reikte naar de zak, legde een appel in elke graaiende hand en voerde er ook nog een aan de paarden. Ik was geschokt over het contrast tussen de dieren en deze mensen. Het haar van deze kinderen was nog nooit geborsteld of gekamd, hun handen werden nooit gewassen en hun nagels nooit geknipt. Ik schatte in dat ze geen van allen ouder waren dan zes jaar.

De appels werden verslonden, met steeltjes en al. Ik durfde het niet aan ze er nog meer te geven, maar zag toen nog een in papier gewikkeld pakje liggen. Dokter Hansard had ook brood meegenomen. Wat zijn bedoeling met het brood ook geweest was, ik kon me niet inhouden en begon het te breken, met een woordenloze zegenbede, in een vreemde maar niet oneerbiedige parodie op de heilige communie. Als ik wijn gehad had of beter nog, gezonde melk, zou ik dat erbij gegeven hebben.

Een volgende schreeuw verbrak de relatief vredige stilte. Dit was geen plek voor kinderen. Ik stapte af op William, de oudste, hurkte bij hem neer en vroeg zachtjes: 'Weet je de pastorie te vinden, mijn kind?'

'Waar dominee Hetherington woont?'

'Hij woont er niet meer. Ik woon daar nu, met mijn stalknecht, Jem. Neem je broers en zusjes alsjeblieft mee en ga naar hem op zoek. Hij zal jullie nog meer eten en drinken geven. Denk erom dat je Jem in het bijzonder om melk vraagt. En blijf bij hem tot ik terugkom. Begrijp je dat? Zeg tegen hem dat dominee Campion je gestuurd heeft.' Er schoot me nog iets te binnen en ik voegde eraan toe: 'En vraag hem om mevrouw Beckles te laten halen. Hoor je me? Mevrouw Beckles.'

Het stro waar de stervende man op lag was doorweekt met bloed en nog smeriger vloeistoffen. Hij kreunde en kronkelde, en de stomp van zijn ene been bewoog heftig op en neer, in zijn eigen macabere dodendans. In zijn pogingen om niet te schreeuwen had hij zijn arm letterlijk tot op het bot kapotgebeten. 'Kunt u niets doen?' fluisterde ik.

'Als ik genoeg laudanum toedien om zijn pijn te verlichten zal dat zijn dood bespoedigen, dominee,' zei Hansard. 'Wilt u dat wel?'

Dat was een vraag die mijn leraar nooit aan de orde gesteld had. Ik was onderlegd in voorschriften en gewoontes, regels voor een beter leven op deze aarde.

Ik beet op mijn lip. 'Ik geloof dat God zou willen dat u zijn pijn verlicht. Als Hij verkiest om hem tot zich te roepen, dan is dat zijn wil.'

Hij knikte. 'Goed zo. Dat is precies wat ik gedaan heb. Het zal niet lang meer duren voor hij stil wordt.'

Wat moest ik aan met de snikkende vrouw die zelfs nu de hand van de stervende man nog in de hare klemde en zijn naam mompelde? 'Wat kunt u doen om haar pijn te verzachten?' vroeg ik.

'Ik denk dat dat uw taak is. Ze zal uw gebeden misschien niet woord voor woord begrijpen, maar ze zal wel beseffen dat ze worden uitgesproken.'

Eindelijk zweeg de stervende man. Zijn stilte leek op een diepe slaap, afgezien van de moeizame, schurende ademhaling die zijn borst aan stukken leek te scheuren.

'Doodsstuipen,' mompelde Hansard 'Laten we bidden dat het nu niet lang meer duurt.'

Want bij elke ademtocht begon de vrouw opnieuw te jammeren.

'Mevrouw,' zei ik zachtjes, 'wilt u misschien met mij mee bidden?'

Tot mijn ontzetting staarde ze me aan, een wilde blik in haar ogen. Ze hief haar hand en wees beschuldigend in mijn richting. Toen liet ze haar hand slap langs haar lichaam vallen en keek Hansard verward aan.

'Onze nieuwe dominee, Maggie. Dominee Campion. Volgens mij heeft je geliefde man op dit moment alle hulp nodig die hij kan krijgen, denk je ook niet?'

'Hij is nooit naar de kerk geweest, zijn hele leven niet, denk ik.'

'Zelfs niet om gedoopt te worden?'

'Is dat nu van belang?' reageerde dokter Hansard onmiddellijk.

'Haal wat water voor me, mevrouw Jenkins. Nu, meteen. Ik zal mijn tas halen.' Het zou een geïmproviseerde doop worden, maar dat was het beste wat ik kon doen.

De eenvoudige ceremonie duurde niet lang. Misschien was Luke Jenkins wat rustiger, meer sereen, toen ik hem de ontzagwekkende maar hoopgevende woorden voorlas en dokter Hansard namens hem antwoord gaf, alsof hij een pasgeboren kind was. En toen, met een smeekbede die tranen van ontroering bij mij tevoorschijn riep, verzocht mevrouw Jenkins me om hen daar ter plekke in de echt te verbinden. Er was een vergunning nodig, en getuigen – en natuurlijk de instemming van de arme stakker die hier op sterven lag – om dit ritueel rechtsgeldig te maken. Maar hoe kon ik het haar weigeren? In elk geval kon ik iets doen wat op een huwelijksceremonie leek; dat zou haar troost geven in de zware tijd die voor haar lag. Maar ik twijfelde toch nog.

De stem van meneer Hansard had een dringende ondertoon: 'U hebt niet echt veel tijd voor dit soort bespiegelingen, dominee.'

Ik slikte mijn angsten in. 'Als u belooft naar de kerk te komen – binnenkort – om uzelf en uw kinderen door mij te laten dopen, dan doe ik het, mevrouw Jenkins. Met alle liefde.'

Tegen de tijd dat ik thuiskwam, hadden de kinderen al een aardse doop achter de rug. Dokter Hansard liet zijn rijtuig achter bij Jem en liep meteen door naar Simon, de koster, om de begrafenis met hem door te spreken. Jem liet de kinderen een rondje lopen zodat ik ze goed kon bekijken. Ze waren allemaal schoon, hun haren waren geknipt of in een staart gebonden en hun klauwen waren teruggebracht tot normale vingernagels. Ze waren in handdoeken gewikkeld, net kleine hindoes. Maar terwijl ik hen aanstaarde hoorde ik het gekletter van paardenhoeven en het geratel van nog een koets, vakkundig bestuurd door mevrouw Beckles. Bij haar voeten lag een groot pak en tot mijn verrukking werd ze vergezeld door niemand minder dan Lizzie, het dienstmeisje dat ik op Moreton Priory ontmoet had. Te midden van onze duisternis scheen opeens een helder licht, toen de hemel openbrak en de zon Lizzies haar op deed gloeien. Haar lippen weken vaneen in een verlegen glimlach, maar op dat moment viel haar oog op iets achter mij, en ze verstijfde.

Ik draaide me onwillekeurig om. Jem staarde naar haar en zij naar hem. Op beide gezichten werd een blos zichtbaar, waardoor zijn verweerde gezicht een roestbruine tint kreeg, en haar zachte witte huid roze kleurde. Maar misschien verbeeldde ik het me maar, want nog geen twee tellen later hielp Jem mevrouw Beckles uit de koets omlaag en stak ik mijn hand uit naar Lizzie, die mijn inspanningen beloonde met een verlegen lachje, haar ogen zedig neergeslagen.

Jem richtte al zijn aandacht op de paarden terwijl Lizzie, met aan haar arm de bekende mand met de linnen doek, op de beduusde kinderen af rende, alsof ze hen het liefst in de armen zou sluiten. Mevrouw Beckles volgde haar op de voet en niet veel later haalden ze uit het pak allerlei kledingstukken tevoorschijn die ze de kinderen onmiddellijk aantrokken.

Ze waren zo in hun werk verdiept dat ze niet opmerkten dat dokter Hansard aan kwam lopen, zijn gezicht bleek van uitputting. Maar toen hij zag wat de vrouwen aan het doen waren, rechtte hij zijn schouders en er gleed een glimlach over zijn gezicht. Pas toen werden de anderen zich van zijn aanwezigheid bewust.

'Uit de kist voor de armen,' legde mevrouw Beckles uit, met wat een verlegen blik leek. 'Ik leer de dienstmeisjes naaien door ze kledingstukken te laten maken die we dan weer aan de armen geven. Ik heb de stof zelf geknipt, meneer Campion, dus als het goed is heeft ieder kledingstuk het juiste aantal mouwen en pijpen, maar ik kan er niet voor instaan dat alle naden even recht zijn.'

'Hoe de zomen er ook uitzien, ik betwijfel of ze ooit kleding van een betere kwaliteit zullen dragen, hoe oud ze misschien ook zullen worden,' gromde Hansard. 'Of beter voedsel zullen eten.'

Mevrouw Beckles draaide zich vlug om en maakte een revérence.

Dokter Hansard reageerde met een buiging, maar stak toen zijn hand uit, alsof hij ons waarschuwde om niet dichterbij te komen. 'Ik zal ook een bezoekje moeten brengen aan de pomp, vrees ik.' Zijn kleding was inderdaad besmeurd met bloed en andere viezigheid. 'Jem, wil jij deze kinderen naar het armenhuis brengen? Dan zal ik hun moeder daar later ook afzetten,' voegde hij eraan toe, zijn stem een mengeling van woede en wanhoop.

Mevrouw Beckles deed een stap naar voren, precies tegelijk met mij.

'Maar dokter Hansard, de moeder –' begon ik.

'Mogen ze niet één nacht samen doorbrengen, alleen zij en haar kinderen?' drong mevrouw Beckles aan. 'Zelfs de stal van meneer Campion is een prettigere plaats dan het armenhuis. En we kunnen vast wel ergens vrouwenkleding vinden – ik betwijfel of het arme schepsel ook maar een haar beter gekleed gaat dan haar kinderen.'

'Zeker, mijn stal is beschikbaar! Moeten ze echt naar het armenhuis?' Ik wilde niets liever dan de kinderen omarmen, net als Lizzie. Ik hurkte naast ze neer.

'Laat ze dan vanavond samen zijn met hun moeder,' hakte Hansard de knoop door. 'Het is niet meer dan redelijk dat we mevrouw Jenkins overlaten aan de zorg van deze lieve dames. Jem, wil jij het arme schepsel hiernaartoe brengen? Of nee, ik kan maar beter meegaan.'

Mevrouw Beckles knikte goedkeurend en keek hem na, een warme blik in haar ogen, tot hij uit het zicht verdwenen was. Ik wierp een blik op Lizzie, maar zij was druk bezig met het gladstrijken van het haar van het oudste meisje, en leek niet geïnteresseerd in andere dingen.

Een ontroerende hereniging volgde, en kort daarna werden Jem, Hansard en ik als een stelletje kippen door mevrouw Beckles van het erf gejaagd, zodat ze mevrouw Jenkins konden overhalen om zich te wassen bij de pomp.

De dokter wees mijn uitnodiging om nog even binnen te komen af. 'Niet in deze smerige kleren, man. Al gebruiken u en Jem de maaltijd vanavond uiteraard op Langley House,' zei hij, terwijl hij zich omdraaide om op weg naar huis te gaan. 'Maar voordat het zover is adviseer ik u beiden een flinke wasbeurt onder de pomp, en niet te vergeten een open vuur voor het verbranden van uw kleren.'

We protesteerden geen van beiden.

'Is er echt geen alternatief?' hield ik aan toen dokter Hansard en ik ons kort voor de maaltijd terugtrokken in de behaaglijke warmte van zijn studeerkamer, waar we een verkwikkend glas sherry dronken en de met groene stof beklede deur de heerlijke, veelbelovende geuren uit de keuken tijdelijk buitensloot.

'Het armenhuis is de enige mogelijkheid. En hoe somber en

onmenselijk die omgeving misschien ook is, de omstandigheden daar kunnen onmogelijk erger zijn dan de situatie waar het gezin zich op dit moment in bevindt. Hun woning behoort toe aan de landeigenaar –'

'*Woning!*' herhaalde ik honend.

'– en moet daarom ontruimd worden als de arbeider niet langer bij de landheer in dienst is. Dat is de wet en als lekenrechter kan ik niet anders dan de wet ten uitvoer brengen. Maar als Maggie en haar kindertjes onder de zorg van de parochie vallen, zullen ze in elk geval wat te eten krijgen, en het onderdak dat het armenhuis biedt is beter dan wat ze tot nu toe gewend waren.'

'Kan ik dan verder niets doen?' Ik dacht aan mijn nieuwe huis met alle lege kamers.

Hij schudde zijn hoofd, vriendelijk maar vastbesloten, alsof hij mijn gedachten kon lezen. 'Maggie kan niet lezen of schrijven en haar kinderen zijn nauwelijks meer dan wilden,' legde hij uit. Als ze geluk hebben, zullen ze niet allemaal sterven, en als ze zelfs nog meer geluk hebben zullen ze een goede leermeester treffen die hen in dienst neemt en een vak leert. Denk niet dat u alle armen die u ontmoet in huis kunt opnemen, mijn beste, want dat kan niet.'

'Maar ik heb zo veel… en er zijn nog andere gezinnen in Marsh Bottom –'

'Die nog steeds onder de verantwoordelijkheid van de boer vallen. En hoeveel bezit u misschien ook hebt, goede vriend, het is niet genoeg om de wereld te veranderen. Het beste wat u kunt doen – het beste wat ieder van ons kan doen – is u ontfermen over uw eigen kleine wereldje. Jem, bijvoorbeeld: kan hij het zich permitteren om het hemd, de broek en de jas die hij naar ik hoop verbrand heeft te vervangen?'

Ik bloosde. Hoe doodgewoon was het voor mij om schone kleren uit de kast te halen. En hoe gemakkelijk was het om te vergeten dat Jem, hoewel hij in vergelijking met andere stalknechten misschien goed betaald werd voor zijn diensten, zich nauwelijks een extra uitgave kon veroorloven – een bedrag dat mijn vader zonder verblikken of verblozen zou uitgeven aan één maaltijd voor een van zijn deftige gasten.

'Geen zorgen, Tobias. Dat leert u in de loop van de tijd vanzelf.'

Misschien had hij gelijk. 'Maar er is nog iets anders wat mij bezighoudt, dokter Hansard. U hebt me nog niet verteld hoe Jenkins aan die afschuwelijke verwonding kwam. Of waarom zijn… de vrouw die nu zijn weduwe is… me in eerste instantie zo vol haat aankeek.' Hij aarzelde en ik voegde eraan toe: 'Ik ben geen kind dat bescherming nodig heeft, weet u.'

Hij lachte hartelijk, maar zijn stem verhardde toen hij me de hele geschiedenis vertelde. 'Goed dan. Ik had u dit graag willen besparen, in elk geval tot na het eten. Jenkins was een stroper. Zijn been kwam vast te zitten in een voetklem. Hij hakte zijn been zelf los en strompelde naar huis, uit angst dat een van zijn kinderen hem zou komen zoeken en zelf ook in zo'n val zou trappen. En toen had hij drie dagen nodig om te sterven.'

Ik kon minutenlang niets uitbrengen en ijsbeerde heen en weer door de kamer in een poging mijn emoties weer onder controle te krijgen. Deze heldenmoed, dit lijden, dat ging mijn voorstellingsvermogen te boven. Ik kwam tot stilstand bij het raam en keek uit over de vredige tuin van dokter Hansard, in de hoop dat het zien van al dat frisse groen de andere beelden – van het lijden van deze arme stakker – zou verdrijven. Na enige tijd kwam Hansard naast me staan, waarbij hij zijn hand troostend op mijn schouder legde.

'En waarom nam zijn vrouw het mij kwalijk?' vroeg ik, bang voor het antwoord.

'Omdat de val, mijn vriend, op het grondgebied van de pastorie was neergezet.'

Ik schaamde me zo dat geen van de dingen die Hansard tijdens de maaltijd zei me op kon beuren, net zomin als het voortreffelijke voedsel dat mij werd voorgezet.

Uiteindelijk, misschien omdat hij mijn gebrek aan spraakzaamheid aan vermoeidheid weet, nam hij hartelijk afscheid en vertrouwde hij me, zoals hij zelf zei, toe aan de goede zorgen van Jem.

We reden in het aardedonker naar het dorp – de maan ging schuil achter een ondoordringbaar wolkendek – en zeiden geen van beiden iets. We kenden elkaar goed genoeg om de gedachten van de ander nooit te onderbreken met onzinnig geklets.

'Moet je dat horen! Wat is dat in vredesnaam?' riep ik uit.

'Een koets op volle snelheid,' kon Jem nog net uitbrengen.

Voor ik het goed en wel besefte greep hij de teugels van mijn paard en trok hij Titus opzij, een berm in die precies breed genoeg was voor de twee trillende paarden. We waren nog maar nauwelijks opzij gegaan toen er een onverlicht rijtuig voorbijschoot.

'Waarom hebben we die niet eerder gehoord?' vroeg ik, nogal schaapachtig.

'De hoeven van de paarden waren in vilt gehuld,' antwoordde Jem peinzend. 'Waarom zou iemand die moeite nemen?'

Ik haalde mijn schouders op. Na alle beproevingen van deze dag had ik daar geen antwoord op, en hij blijkbaar ook niet.

3

Mijn eerste preek in St Jude's, gehouden voor een aantal gemeenteleden dat ik op twee handen kon tellen, was dan misschien saai en vlak geweest (al wil ik wel even duidelijk stellen
dat het een vrucht van mijn eigen arbeid was, niet een preek uit
het repertoire van iemand anders), maar de tweede zou zeker
ergernis opwekken. Het onderwerp van de preek was onze verantwoordelijkheid ten aanzien van de armen. Ik had er lang en
ernstig voor gebeden, maar het antwoord was steeds weer hetzelfde; dat ik echt deze boodschap moest brengen, ongeacht wie
ik daarmee tegen de haren in zou strijken.

Desondanks ervoer ik een onaangename spanning toen ik de
preekstoel beklom om me te richten tot een – waarom wist ik
niet – veel groter publiek dan de vorige keer. Ik werd geconfronteerd met de samengeknepen ogen van mijn kerkmeesters,
de waterige ogen van Simon Clark en de adembenemende
diepbruine ogen van een verder kleurloze vrouw die vast en zeker zijn echtgenote was, wier inspanningen om de kerk schoon
te houden duidelijk minder geworden waren. Andere aanwezigen waren mevrouw Beckles en een aantal bedienden van
Moreton Priory, onder wie ook Lizzie. Haar blauwgroene ogen
lichtten op in de duisternis, zoals ze daar zat met haar lippen
iets van elkaar, alsof ze mijn woorden in wilde drinken. Even
verderop zag ik een gespierde jongeman die ook zat te staren,
niet naar mij, maar naar haar – met onverholen verlangen. Ik
herkende hem niet, maar het was duidelijk dat hij veel tijd
doorbracht in de buitenlucht. Als ik me al had afgevraagd waarom zo'n gezonde jongen thuiszat in plaats van zich als soldaat
aan te melden bij het leger van de koning, dan had ik in Lizzie
het antwoord gevonden.

Jonker Oldbury en boer Gates zaten onbeweeglijk in de
kerkmeesterbank. De rest van de gemeente bestond uit arbeiders, uitgedost in wat ze hun zondagse kleding noemden, en

één bank was gereserveerd voor de buitengewoon keurig geklede mevrouw Jenkins en haar kinderen. Mevrouw Jenkins, haar
ogen nog rood van het huilen, keek naar me op met het soort
verering dat me deed denken aan de gezichtsuitdrukking van
Maria Magdalena op sommige van de schilderijen van de oude
meesters. De nieuwe kleren van het gezin leverden hier en daar
wat geroezemoes en geschuifel op, alsof de mensen om hen
heen hun dit kleine lichtpuntje in hun verder nog altijd mise-
rabele bestaan misgunden.

Iemand die zijn hoofd niet ophief en ook niet de moeite nam
om me aan te kijken was meneer Ford, de rentmeester die het
grondgebied rond de pastorie voor mijn voorganger beheerd
had. Onze ontmoeting, een dag na de ontboezemingen van
dokter Hansard, was niet erg plezierig verlopen, en dat kwam
niet alleen door het haardvuur dat maar niet wilde branden en
mijn hele studeerkamer in rook hulde.

'Als die klemmen goed genoeg waren voor dominee Hetherington zie ik niet in waarom ze niet goed genoeg zouden zijn
voor u,' had hij gemompeld. Hij was maar een klein mannetje,
met een langwerpig gezicht dat mij aan dat van een fret deed
denken.

'Ik twijfel er niet aan dat de klemmen volkomen in orde
zijn,' verzekerde ik hem. 'Maar ik wil helemaal geen vallen op
mijn land hebben.'

'Ook geen strikken, om konijnen te vangen?'

Misschien was hij niet erg vlug van begrip. Maar ik besefte
tot mijn afschuw dat ik het me niet kon permitteren om hem
te ontslaan totdat ik iemand gevonden had die beter voor deze
taak geschikt was.

'Niets wat gevaarlijk is voor een mens, of het nu een volwas-
sene is of een kind,' had ik resoluut geantwoord.

Er was een eigenaardige blik in zijn gemene oogjes verschenen en op dat moment wist ik dat hij minstens net zo'n hekel
aan mij had als ik aan hem, maar hij had niets gezegd.

Ik had geprobeerd om ons onaangename gesprek op een
vriendelijke manier af te sluiten. 'En, meneer Ford, hoe maken
uw vrouw en kinderen het?'

'Ze zijn allemaal gezond, God zij dank.'

'Fijn. Zou u misschien iemand kunnen vragen om mijn schoorstenen te inspecteren? En, meneer Ford,' zei ik, op een toon die me deed denken aan die van mijn vroegere hoofd-meester, 'ik hoop dat u mij nooit weer reden tot ontevreden-heid zult geven.'

Ik vrees dat ik niet anders kan zeggen dan dat de blik hij me bij zijn vertrek toewierp er een vol haat en minachting was.

Nee, ik hoefde vandaag niet te rekenen op een geruststellend knikje van mijn rentmeester.

Ik kreeg er echter wel een van Jem, gekleed in zijn beste pak en met een schone halsdoek om, die onverstoorbaar in zijn bank zat, zijn handen deemoedig in zijn schoot gevouwen. Hij had wel iets van een waakhond, zij het een zachtaardige. Tel-kens als er iemand binnenkwam, had hij even over zijn schou-der gekeken. Was het mijn verbeelding maar, of was zijn blik net even langer bij Lizzie blijven hangen, en daarna naar de smoorverliefde jongeman gegleden?

Ik nam even tijd voor een stil gebed en begon aan mijn preek.

Onze Heer, zo stak ik van wal, was gewoon om armen te ge-nezen en van voedsel te voorzien, en hoewel Hij de mensen adviseerde om de keizer te geven wat des keizers was, was er nergens in het Nieuwe Testament een tekst te vinden die zelfs maar suggereerde dat Hij in zou stemmen met het plaatsen van voetklemmen. Ik beleed mijn eigen aandeel in het overlijden van die arme Luke Jenkins en zwoer publiekelijk dat ik nooit weer zou toestaan dat er zo'n gemene val op mijn land geplaatst werd.

Tot slot drong ik er bij alle aanwezige landeigenaars en pacht-boeren – en bij iedereen die van anderen zou horen wat ik had gezegd – op aan dat ze hun land volledig zouden zuiveren van dit soort gevaarlijke klemmen en andere martelwerktuigen.

Als het gemompel dat uit de gemeente opsteeg grotendeels bestond uit blijken van goedkeuring, dan vrees ik dat dat voor-al kwam door de samenstelling van mijn toehoorders; als ik wilde dat deze boodschap de voorname huizen en landerijen in de omgeving zou bereiken, moest ik haar daar zelf gaan verkondigen. Ik geloof dat mijn bezorgdheid niet zichtbaar was toen we ons slotlied zongen en ik het laatste gebed uitsprak.

Aan het einde van de dienst herinnerde ik mijn kudde eraan dat we de week erna de heilige communie zouden vieren, direct na de doop van de kinderen van mevrouw Jenkins en de arme weduwe zelf. Daarna nam ik plaats bij de deur, om iedereen die deze dienst bezocht had persoonlijk de hand te schudden.

Mevrouw Beckles had nog even staan treuzelen, maar kwam nu ook naar me toe om me een prettige dag te wensen. 'Het deed me goed om te zien dat de kinderen van Jenkins vandaag in de kerk waren,' begon ze, 'en uw preek deed me ook goed. Ik zal het maar gewoon zeggen zoals het is; zulke dingen zou meneer Hetherington nooit gezegd hebben. Dat had hij ook niet gekund.'

'Denkt u dat ik, om het zo maar te zeggen, hier en daar ook wat mensen op de tenen getrapt heb?'

'Niet iedereen was blij met uw boodschap, dat is zeker. Maar ik denk ook niet dat dat uw bedoeling was.'

'Als dat mijn leidraad was, zou ik mijn plicht verzaken. Maar, mevrouw Beckles,' ging ik verder, en opeens viel het me op dat ze er niet zo goed uitzag. 'U ziet er…'

'Doodmoe uit,' zei ze, terwijl ze mijn zin beleefd afmaakte. 'Inderdaad. Mijn week zou al druk geweest zijn zonder alle gebeurtenissen rondom de familie Jenkins. Hebt u niet gehoord van de voorvallen op de Priorij?'

'Helaas, ik ben nog niet voldoende in deze gemeenschap ingeburgerd om op de hoogte gesteld te worden van de alledaagse roddels.'

'Het zal vast niet lang duren voordat u volledig bent opgenomen,' stelde ze me gerust. 'En misschien is een wisseling van butler uiteindelijk ook niet zo heel ingrijpend – behalve voor zijn medebedienden, dan.'

'De butler! Corby?' Een ervaren, discrete butler was een van de belangrijkste pijlers in voorname huishoudens. 'Die vriendelijke oude man die aanwezig was toen ik op de Priorij logeerde?'

'Diezelfde. Meneer Corby. Hij is zomaar zonder reden vertrokken, met niet meer dan een briefje aan meneer Davies, de rentmeester, om hem op de hoogte te stellen van het feit dat hij een kleine erfenis heeft ontvangen en van plan is om een klein hotel aan zee te openen, in Devon. Hebt u ooit zoiets gehoord?'

'Dat heb ik zeker niet.'

'En dat juist hij, nauwkeurig als hij altijd was, zijn kamer in zo'n erbarmelijke toestand zou achterlaten! Wat kunnen wij ons toch vergissen in onze medemensen.'

Ik knikte vol medeleven. 'Maar een huishouden als dat op de Priorij heeft een butler nodig.'

'Inderdaad. Daarover is meneer Davies in ieder geval tevreden; hij heeft een plaatsvervanger gevonden – meneer Woodvine – die zal voldoen aan de strenge eisen van Lady Elham.'

Het noemen van deze eisen deed haar blijkbaar ergens aan denken en ze knikte ze in de richting van de smoorverliefde jongen die nog steeds als verdwaasd naar Lizzie stond te staren. Ze zei niets over de jongeman zelf, maar ging verder: 'Ik geloof dat Lizzie, met haar bekwaamheden en haar ijver, erg ver zou kunnen komen.' Haar overtuiging, dat Lizzie wanneer ze haar leven aan die melkmuil verbond een stuk minder goed terecht zou komen, was overduidelijk. 'Daarom heb ik met mevrouw over haar gesproken en we zijn het er allebei over eens dat ze een kans verdient om zich verder te ontwikkelen – misschien zou ze zelfs de kamenierster van mevrouw zelf kunnen worden. Uw voorganger heeft ooit eens voorgesteld om sommige van de bedienden te leren lezen en schrijven, hoewel deze plannen om de een of andere reden op niets uitgelopen zijn. Zou u, dominee Campion, iets van uw wijsheid met hen willen delen?'

'Niets liever dan dat, mevrouw Beckles,' antwoordde ik naar waarheid. 'Wilt u nagaan op welk moment deze jonge mannen en vrouwen het minst gemist zullen worden, zodat dan het onderwijs kan plaatsvinden? En kunt u voorzien in een geschikte ruimte?'

'Maar natuurlijk.' Ze knikte kordaat en keek om zich heen, op zoek naar protégés, die allemaal genoten van deze zeldzame vrije minuten in het warme schijnsel van de zon.

Ik besloot hen nog iets meer tijd te gunnen. 'Mevrouw Beckles, ik heb het plan opgevat om een school te beginnen voor de kinderen in de parochie. Ik heb de beheerder van het armenhuis al medegedeeld dat ik van plan om alle minderjarige bewoners les te gaan geven.'

'Medegedeeld?' herhaalde ze, een geamuseerde glinstering in haar ogen.

'Ik heb hem verteld dat ze gemakkelijker een betrekking zullen vinden als ze kunnen lezen en rekenen. En voor de parochie zelf zou het natuurlijk zonde zijn als alleen de kinderen in het armenhuis daarvan gebruik zouden kunnen maken. Daarom hoop ik ook de arbeiderskinderen te mogen verwelkomen.'

Ze keek me doordringend aan. 'En zijn er aan deze scholing kosten verbonden?'

'Lieve hemel, nee! Hoe zou ik zulke arme gezinnen kunnen vragen om –'

Ze schudde haar hoofd en zei langzaam: 'Als u hun zoiets voor niets geeft, schatten ze het wellicht niet op waarde. Wat dacht u ervan om voor elk kind een duit in rekening te brengen?'

'Maar ik zou niet willen dat iemand zich liet weerhouden vanwege het geld!'

'Geef ze gelegenheid om in termijnen te betalen. Als sommige schulden nooit worden afgelost, hoeft niemand dat te weten en is ieders eer gered – die van u, meneer Campion, en die van de ouders. Waar wilt u de lessen houden?'

'Er is meer dan genoeg ruimte in de pastorie.'

Ze knikte, maar boven haar neus verschenen rimpeltjes, alsof ze twintig jaar jonger was. Ze was toen vast en zeker heel aantrekkelijk.

'Bent u het er niet mee eens?'

'Zelfs een dominee,' zei ze aarzelend, 'heeft misschien een vrouw nodig om hem te steunen.'

Ik dacht aan de wanordelijke wijze waarop mijn voorganger in het huwelijk getreden was. Zij misschien ook. 'Mevrouw Beckles, de beste persoon om toezicht te houden op deze kinderen zou mijn echtgenote zijn, als ik die had – en bij gebrek aan een echtgenote een huishoudster. Ik verwacht dat het gemakkelijker zal zijn om iemand te vinden die aan de laatste omschrijving voldoet dan aan de eerste.'

Ze wierp haar hoofd naar achteren en lachte. 'Mijn beste meneer Campion, als u uw zakdoek zou laten vallen, weet ik van wel veertig jongedames die hem maar wat graag voor u op zouden rapen! Maar wat betreft die huishoudster hebt u gelijk. U had mij gevraagd er naar een op zoek te gaan en uiteindelijk – met mijn oprechte verontschuldigingen voor het oponthoud – heb ik twee dames gevonden om aan u voor te stellen. Wilt u hen zelf spreken? In dat geval zal ik de ene vragen zich morgenochtend om elf uur haar opwachting te maken en de andere rond het middaguur.'

Ik had het gevoel dat ze mij op de proef wilde stellen. 'Zijn deze dames in alle opzichten gelijk geschikt?'

'Dat zijn ze zeker. Zowel mevrouw Trent als mevrouw Wallace kunnen koken en naaien en met gemak een huishouden draaiende houden dat enkele malen groter is dan het uwe. Maar omdat de vrouw die u uitkiest ook met u onder één dak moet wonen, meneer Campion, is het van belang dat u haar aardig vindt – en,' voegde ze met een overduidelijke knipoog toe, 'dat zij u aardig vindt.'

'Of in elk geval uw zwakheden kan verdragen – hetzij in de leer, hetzij op andere terreinen,' zei dokter Hansard op zijn beurt, die ongemerkt achter mij was komen staan. 'Mijn excuses voor het verzuimen van de dienst, dominee. Mijn paard was een hoefijzer verloren en ik kon niet anders dan naar huis lopen. Maar in elk geval heb ik met mijn nachtelijke inspanningen een bijdrage moge leveren aan de geboorte van een gezond jongetje. Meneer en mevrouw Hall – hun derde, mevrouw Beckles.'

'Wie had dat ooit gedacht?' riep ze uit, al klonk ze eerder verontrust dan boos.

'Pardon, dominee,' kwam meneer Miller tussenbeide. Hij was tegelijk met de anderen vertrokken, maar kwam nu het portaal weer inlopen. Ik draaide me om om met hem te kunnen praten en liet mijn twee vrienden samen achter, iets wat ze geen van beiden erg vervelend leken te vinden.

'Goedemorgen, meneer Miller.'

'Die preek, dominee. Wij willen geen politiek gebazel vanaf onze kansel.'

'Wat wilt u dan wel?' kaatste ik terug.

Hij kreeg een kleur. 'Wat gepast is,' zei hij. 'Ontzag voor je meerderen, je plaats kennen, dat soort dingen.'

Ik stond mezelf een kil glimlachje toe. 'Het onderhouden van de Tien Geboden, wellicht?'

Hij knikte.

'De sabbat heiligen en meer van dat soort dingen?'

Hij schuifelde heen en weer.

'Mooi zo. Denk dan eens aan het zesde gebod, als u dat tenminste uit uw hoofd kent. Weet u niet welk gebod ik bedoel? Mag ik u dan uitnodigen om met mij mee te lopen naar de kansel, dan zal ik het u aanwijzen in de Bijbel.'

Hij wees mijn aanbod af, zoals ik al verwacht had. 'Op een dag gaat u te ver, dominee, dat is alles wat ik erover kan zeggen. En we weten allebei wie er dan spijt zal hebben.'

Voordat ik hem kon vragen om dit dreigement verder uit te leggen, kwam Jem bij mij staan en Miller kromp ineen, verwelkend als een plant die te lang geen water gehad heeft.

'Kerkmeester of niet,' mompelde Jem toen we samen terugliepen, 'ik mag hem niet. En ik vertrouw hem voor geen cent.'

Later die week gebruikte ik opnieuw een maaltijd op Moreton Priory, en opnieuw had mijn aanwezigheid heftige beroering onder de jongedames tot gevolg. Ik kan hun interesse alleen maar wijten aan het gebrek aan huwbare jongemannen in de omgeving en de overvloed aan dochters in de plaatselijke adellijke families. Voor mijn gevoel van eigenwaarde was het echter zeer gelukkig dat ik met zulke beeldschone jongedames aan tafel zat. Hoewel de dienst van afgelopen zondag niet erg goed bezocht geweest was, had wat ik tijdens mijn preek gezegd had blijkbaar overal de ronde gedaan. Als gevolg daarvan behandelden veel van de mannen me zo afstandelijk dat het haast niet meer beleefd te noemen was, en ze me net zo goed rechtstreeks hadden kunnen aanvallen.

'Slechte zaak,' gromde Lord Elham, terwijl hij een groot stuk overheerlijke Stilton afsneed. 'Als een man geen voetklemmen meer plaatsen mag, hoe moet hij dan zijn landgoed beschermen? Vertel me dat maar eens, jonge vriend.'

'Meneer, ik –'

'Ah, dus daar heb je geen antwoord op, hè?'

Ik had een heleboel antwoorden, maar geen ervan leek me geschikt voor een gesprek bij een glas port. Toch hield ik stand. 'Meneer, als alle gezinnen genoeg te eten hadden, zouden mannen niet op elkaars wild hoeven jagen.'

'Als ze meer willen eten moeten ze harder werken. En moeten ze zorgen dat er minder monden te voeden zijn. Verdraaid, het zijn net konijnen.'

'Al smaken ze niet half zo lekker,' sneerde Lord Chartham, en hij gaf me een por met zijn elleboog waardoor de port over de rand van mijn glas klotste.

Jonker Oldbury knikte. 'En als ze zich niet op verboden terrein begeven, raken ze ook niet gewond, toch?' vroeg hij, in de overtuiging dat hij het beslissende woord had gesproken.

Misschien was dat ook wel zo. Lord Elham hees zich uit zijn stoel; we zouden ons eindelijk bij de dames voegen.

'Niet als ze hun plaats zouden kennen,' stemde Chartham in. Hij zette zijn been voor het mijne, zodat ik struikelde en het niet veel scheelde of ik was de salon letterlijk binnengevallen.

Mijn openlijke afkeuring van die verfoeilijke werktuigen had anderen echter juist aangesproken. Terwijl mijn blik door de salon gleed, op zoek naar een geschikte zitplaats, werd ik aangesproken door een jong meisje met diepblauwe ogen dat, zoals ze me toefluisterde, nog niet officieel voorgesteld was.

'Dominee Campion, ik heb gehoord dat u een echte held bent!'

Dit waanidee moest onmiddellijk de wereld uit geholpen worden.

'Zeker niet. Ik ben geen held. De jongemannen die beantwoord hebben aan de roep om onze kusten te verdedigen of overzees de strijd aan te gaan, dat zijn onze helden. Mijn bestaan is veel minder onstuimig – bedaard zou ik willen zeggen, en misschien zelfs saai.'

'Nee,' zei ze met een vastbeslotenheid die mij verbaasde, zeker van iemand die gevangenzat in dat niemandsland tussen schoolmeisje en jongedame die haar debutantenbal achter de rug had. 'Dat is geen juiste omschrijving van iemand die door Lord Chartham de voet dwars gezet wordt.'

'Dat was slechts het gevolg van een gebrek aan manieren,' sprak ik haar tegen.

Tot mijn verbijstering reageerde ze echter met wat sommigen hadden beschouwd als een ongepast scherpe opmerking: 'Maar heeft meneer Burke ons niet geleerd dat manieren belangrijker zijn dan wetten, die ons leven slechts bij tijd en wijle beïnvloeden? Manieren, zo zegt hij, vormen de basis van onze moraliteit en bepalen de mate van onze beschaving of verwording.'

'Dat heeft hij inderdaad,' zei ik glimlachend, verwonderd over het feit dat zo'n aantrekkelijke jongedame werken van deze grote schrijver gelezen had. Maar voordat ik haar ernaar kon vragen, voegde zich nog een tweede meisje bij ons, donkerharig, in tegenstelling tot de blonde jongedame met wie ik tot dan toe had staan praten.

'Hemeltje,' zei ze, 'Sophia is soms ook zo'n studiebol. En na een diner discussiëren over moraliteit is op zijn minst… u weet wel… onfatsoenlijk te noemen. Kom, meneer Campion, het is de hoogste tijd dat mijn nichtje plaatsneemt achter de piano om ons te begeleiden bij het dansen.'

'Maar mevrouw –' begon ik.

'Kom nou toch, daar zal ze heus geen bezwaar tegen hebben. En u weet dat dansen in een situatie als deze vele malen belangrijker is dan het voeren van een gesprek.'

'Dat is nu eenmaal fatsoenlijk,' gaf juffrouw Sophia zich gewonnen, maar haar knipoog ontging me niet.

Ik lachte. 'Maar een jongedame van uw leeftijd, juffrouw Sophia, zou moeten dansen in plaats van zich te verstoppen achter een piano,' zei ik, met de bedoeling om ernstig te klinken, hoewel het ongetwijfeld overkwam als een flirt.

'Zie je wel, Sophia, ik zei toch tegen je dat er heus wel

iemand zou zijn om mee te dansen?' riep haar nichtje opgewekt uit, 'en nu word je zelfs ten dans gevraagd door een geestelijke!'

De diepblauwe ogen werden groot. 'Maar ik kan toch niet met hem dansen? Of wel? We zijn nog niet aan elkaar voorgesteld.'

'Dominee Campion, mijn nichtje, juffrouw Sophia Heath. Sophia, dominee Campion. Ziezo. Nu mogen jullie dansen, alleen geen wals.' Ze grijnsde ondeugend. 'Het zou niet gepast zijn,' voegde ze toe, haar gezichtsuitdrukking weer volkomen ernstig, 'als men zou denken dat Sophia overhaast te werk gaat.'

Ik zei maar niet dat het waarschijnlijk Sophia's manier van spreken was die haar van anderen zou onderscheiden. In gezelschap was ze de bescheidenheid zelve, haar ogen neergeslagen, alsof ze haar waaier aan een nauwkeurig onderzoek onderwierp, een keurige parelketting om haar nek en een hooggesloten witte japon – haast identiek aan de jurken die mijn zusters op haar leeftijd gedragen hadden. Mijn moeder zou over haar te spreken zijn.

Haar nichtje daarentegen gaf blijk van de stadse manieren van een jongedame die in het eerste seizoen na haar debuut volop kennis gemaakt had met Londen en ging gekleed in een ragdunne japon, zo doorschijnend dat hij zeker zo veel onthulde als dat hij bedekte. Daar zou mijn moeder niet over te spreken zijn, net zo min als over de manier waarop ze zich voorstelde, haast tussen neus en lippen door, als Charlotte Winthrop, verloofd met Lord Warley, naar wie ze even zwaaide voordat ze zich omdraaide om zich bij hem te voegen.

Sophia, plompverloren voor een sociaal dilemma geplaatst, voelde zich duidelijk niet op haar gemak. Wat kon ik anders doen dan een buiging maken en haar ten dans vragen?

'Weet u het zeker?' vroeg ze, volkomen oprecht. 'Er zijn genoeg jongedames zonder partner die hun debuut al achter de rug hebben.'

Ik glimlachte. 'Maar aan hen ben ik nog niet voorgesteld.'

Tot mijn verbazing zag ik dat dokter Hansard, die tot mijn spijt niet aanwezig was geweest bij het diner, ook danste. Vanwege zijn leeftijd had ik verwacht dat hij zou hebben plaatsgenomen aan een van de kaarttafels die mijn nicht in de bibliotheek had laten neerzetten. Maar in plaats daarvan nodigde hij de jongedames zonder partner uit voor een dans, waarbij zijn enthousiasme niet onderdeed voor dat van mij.

Uiteindelijk, na afloop van mijn twee dansen met juffrouw Sophia, werd ik bij Lady Elham geroepen, die samen met de andere dames aan tafel zat. Ik maakte een buiging en wilde haar complimenteren met het adembenemende amusement, maar ze legde me het zwijgen op met een beweging van haar waaier.

'Neef Tobias, laat ik niet opnieuw klachten over u krijgen. Ik begrijp dat u jong bent, en vol idealen, maar in deze parochie is geen plaats voor de evangelische leer.'

'Beste mevrouw, als iemand u verteld heeft dat ik de evangelische leer aanhang, bent u verkeerd geïnformeerd. Alstublieft, mevrouw, laat me dat bewijzen door hier, in uw eigen kapel, te preken. Ik heb begrepen dat deze in onbruik geraakt is. Ik zou met alle plezier de taak van huiskapelaan op me nemen.'

'U mag ons voorgaan in gebed, en af en toe in een gezang, maar dat is alles. Ondeugend bent u wel,' voegde ze eraan toe, met een glimlachje dat erop wees dat ze me niet verder zou berispen, 'om zo'n opschudding te veroorzaken onder onze buren!'

'Mevrouw, als alle buren in de kerk waren geweest om zelf te horen wat ik te zeggen had, hadden ze geweten dat er geen enkele reden voor opschudding was.'

'Geen reden voor opschudding? Terwijl de man van die arme weduwe Jenkins nog maar nauwelijks in zijn graf ligt?'

Ik ging meer rechtop staan. 'Pardon, mevrouw, maar er is hier sprake van een ernstig misverstand. De kleding die mevrouw Jenkins en haar gezin ontvangen hebben was afkomstig uit uw eigen armenkist en inmiddels verblijven ze noodgedwongen in het armenhuis. Ze komen naar de kerk –'

'Op uw uitdrukkelijke verzoek, heb ik begrepen –'

'Omdat de kinderen nog niet gedoopt zijn. Dat moet wel gebeuren.'

'En mevrouw Jenkins ook, neem ik aan?' Ze keek me aan, een flauwe glimlach rond haar lippen.

'Natuurlijk. Dat heeft ze haar man op zijn sterfbed beloofd,' zei ik. 'Die belofte heeft ze gedaan op het moment dat ik hen trouwde.' In mijn verlangen om alle mogelijke geruchten de kop in te drukken klonk mijn stem veel te beslist, veel te luid voor zo'n gezellig samenzijn, en ze trok haar wenkbrauwen op.

Ik besloot een meer neutraal onderwerp aan te snijden. 'Is er nog nieuws van Corby?'

'Van die man? Wat voor nieuws zou ik moeten hebben?'

'Hoe staat het met zijn voornemen om een hotel aan zee te openen?'

'Hij heeft mijn vertrouwen beschaamd, neef. Waag het niet om zijn naam in dit huis ooit nog te noemen!'

Ik dacht niet dat dit een geschikt moment was om haar te vertellen over mijn voornemen om de kinderen in de parochie te leren lezen.

Dokter Hansard was mijn redding. Hij stond opeens naast me om afscheid te nemen van zijn gastvrouw. Ik volgde zijn voorbeeld en sprak mijn dank uit, waarna ik samen met hem vertrok. We stapten de nacht in en vulden onze longen met de frisse buitenlucht. De lucht was helder, wellicht een voorteken van vorst.

'Ik zag dat u de aandacht van onze kleine erfgename getrokken hebt,' zei hij, terwijl onze paarden naast elkaar voortstapten.

'Juffrouw Sophia? Een jong ding dat nog op school zit en niet eens "officieel voorgesteld" is?'

'Daarmee doet u haar geen recht, Tobias. Vandaag is ze misschien nog niet veel meer dan een aardig jong meisje, maar het zal niet lang duren voordat ze tot bloei komt en u onder de voet gelopen wordt door al haar andere bewonderaars.'

'Hoewel die haar intellectuele inslag misschien niet op prijs zullen stellen,' mijmerde ik.

'U wel?'

'Alstublieft, dokter Hansard, ik ben zeker tien jaar ouder dan zij.' Hoewel dat niet de werkelijke reden was dat mijn hart geen sprongetje maakte als ik aan haar dacht. Ik moest toegeven dat ik mijn onderwijsplannen nog niet aan Lady Elham bekend gemaakt had uit angst dat zij daar, ondanks haar overleg met mevrouw Beckles, bezwaar tegen zou maken, waarmee ik een belangrijke kans op een hernieuwde kennismaking met de beeldschone Lizzie verspeelde. Wie, zo hield ik mezelf voor, zou beter geschikt zijn als domineesvrouw, een knappe erfgename of een jonge vrouw die aan zwaar werk gewend was? Een vrouw die een appelflauwte zou krijgen zodra ze geconfronteerd werd met in lompen geklede kindertjes was niets voor mij, maar ik had al genoeg van Lizzie gezien om te weten dat ze geweldige kwaliteiten had en om aan te nemen dat ze met vrijwel elke situatie uit de voeten zou kunnen.

Ik deelde deze gedachten niet met dokter Hansard. Ik wist dat hij onmiddellijk door mijn mooie woorden heen zou prikken. Ik voelde me niet aangetrokken tot Lizzie omdat ze een goede kruising was tussen een verpleegster en een huishoudster, maar domweg omdat ze de allermooiste jonge vrouw was die ik ooit ontmoet had. Ik kon niet anders dan tot de conclusie komen dat ik voor het eerst in mijn leven smoorverliefd was.

'Ik ben bijna veertig jaar ouder dan zij, maar als ik Sophia zie gaat mijn hart nog altijd sneller kloppen,' lachte hij. Maar hij zweeg abrupt en zijn gezichtsuitdrukking werd ongewoon ernstig. Ik had het vermoeden dat er een andere vrouw was die zijn hart op hol joeg als hij haar zag, een vrouw die, als hij ze zou maken, wellicht op zijn avances in zou gaan.

'Het verbaasde me om u tussen de dansers te zien,' merkte ik op luchtige toon op.

'U had verwacht dat ik bij de speeltafels zou zitten? Ik gok tegenwoordig niet meer, Tobias.' Hij maande zijn paard tot stilstand. 'Sommigen denken misschien dat dat met mijn geloofsovertuiging te maken heeft, maar het ligt net even anders. Toen ik uit India terugkwam, was ik schatrijk. Ik was naar India gestuurd om mijn fortuin te maken en dat heb ik dan ook gedaan. Maar toen raakte ik het kwijt, bijna alles, op een klein beetje na. U hebt Langley Park gezien en ik heb u ontvangen in een aantal mooi ingerichte kamers. Maar beseft u wel dat dat de enige vertrekken zijn die gemeubileerd en gestoffeerd zijn? Zo diep was ik gezonken. Het was de angst om mijn bibliotheek te verliezen die me uiteindelijk de ogen opende. En tot op deze dag heb ik geen kaartspel meer aangeraakt. Ik probeer ieder jaar genoeg geld te verdienen om één nieuw stel gordijnen op te hangen of één nieuw tapijt te leggen.'

'Dan heb ik nu zelfs nog meer bewondering voor u dan eerst,' riep ik uit, 'om uw eerlijkheid en om uw ijver. Onder deze omstandigheden is uw vriendelijkheid ten aanzien van de familie Jenkins zelfs nog meer te prijzen.'

'Er is een groot verschil,' zei hij droogjes, 'tussen je geen zijden gordijnen kunnen veroorloven en nauwelijks geld hebben voor je dagelijkse brood. Verdraaid, wat is dat?' We waren net weer in beweging gekomen, toen hij zijn paard opnieuw inhield en afsteeg.

Ik volgde zijn voorbeeld.

Hij stond gebukt langs de rand van het pad en stak zijn hand uit. Blijkbaar had hij iets zien glinsteren in het maanlicht. 'Dat dacht ik al! Hebt u misschien een zakmes bij de hand?'

Ik overhandigde hem mijn mes zonder iets te zeggen. Even later hield hij een lang stuk touw omhoog.

'Tussen de struiken gespannen, mijn vriend. Bedoeld om een paard te laten struikelen – waardoor de ruiter uit het zadel geworpen wordt.'

'Weer één van Charthams streken,' zei ik, zogenaamd onverschillig.

'Weet u het zeker? Hebt u geen andere vijanden? Hoe dan ook,' zei hij, terwijl hij het touw oprolde en in zijn zak stopte, 'in elk geval is er niemand gewond geraakt. Maar kijk wel uit, mijn jonge Tobias. Zelfs een val kan heel vervelende gevolgen hebben.'

4

Mijn inspanningen om onderwijs te geven waren geen onverdeeld succes. Meneer Bulstrode, de beheerder van het armenhuis, had onder dwang ingestemd met mijn voorstel, maar hij
vond altijd wel een excuus om de lessen niet door te laten gaan,
bijvoorbeeld door te zeggen dat hij meer dringende of beter
geschikte klusjes voor zijn jonge pupillen gevonden had. En
vanuit het dorp waren er ook niet veel gegadigden. Jem dacht
dat dat kwam doordat de ouders altijd met een schuin oog naar
de Priorij keken en dat ze het risico om hun kinderen naar
school te sturen niet zouden nemen als er ook maar iets was dat
erop wees dat hun landheer daarop tegen was.

Ironisch genoeg had mevrouw Beckles juist daar, op het terrein van de mensen die de dorpelingen het meest vreesden, een
lokaal en schoolbanken voor mijn oudere leerlingen gevonden.
Ik vroeg niet na of de Elhams daarvan op de hoogte waren, of
dat het ze zelfs maar interesseerde. Maar ik was ook geen goede
leraar. Hoe meer ik mijn best deed om mijn leerlingen te helpen, hoe meer waardering ik kreeg voor de inspanningen van
mijn gouvernante, die het op de een of andere manier voor elkaar gekregen had om mij ervan te overtuigen dat de vreemde
symbolen die samen het alfabet genoemd werden toch wel degelijk betekenis hadden – een concept dat de bezoekers van
mijn lessen, zowel de jongere als de oudere, volledig ontging. In
mijn wanhoop schreef ik mijn geliefde Addie – juffrouw Addi-
son – die op mijn brief reageerde door me een klein pakje te
sturen. In dat pakje trof ik blokjes aan die me bekend voorkwa-
men, beschilderd met letters waarvan de kleur in de loop der
tijd vervaagd was, en een aantal boekjes die duidelijk bedoeld
waren voor kinderen.

Ik realiseerde me nu ook hoe ongelofelijk geduldig Addie
moest zijn geweest; hoezeer ik en mijn medeleerlingen haar ook
plaagden en hoe we ons ook verzetten tegen haar inspanningen,

ik had haar nooit anders meegemaakt dan kalm en glimlachend.

'Ze werd betaald om geduldig te zijn,' merkte Hansard op toen ik op zekere avond in zijn studeerkamer zat en mijn hart uitstortte. Hij gooide nog een blok hout op het vuur om mij wat op te vrolijken. Hoewel mevrouw Trent inmiddels haar intrek in de pastorie genomen had en mevrouw Beckles geen woord teveel gezegd had over haar kookkunst, bracht ik nog steeds veel van mijn avonden door op Langley House, waar ik genoot van de gastvrijheid van de goede dokter en Jem als betoverd luisterde naar de – hier en daar wellicht wat aangedikte – verhalen van Turner, Hansards persoonlijke bediende, die hem had vergezeld naar India. Turner was niet veel ouder dan Jem, maar hij had veel meer van de wereld gezien.

'Ze betaalden haar niet genoeg, dat weet ik zeker. Want hoewel kibbelen over het salaris van bedienden in mijn familie als onverdraaglijk kleinburgerlijk beschouwd werd, was dat wel precies hoe ze haar behandelden – als een bediende, die om het minste of het geringste de laan uitgestuurd kon worden en die lange dagen maakte, tegen een salaris dat echt niet opwoog tegen haar inspanningen.'

'En hoe is het haar vergaan?' Hij schonk mijn glas vol.

Ik zei niets over het bedrag dat ik haar geschonken had zodra ik meerderjarig geworden was. 'Ze heeft een kleine erfenis gekregen, genoeg voor een onbezorgd pensioen – en dat is wel het minste, Edmund, na een arbeidzaam leven. Het feit dat zij die arbeid vooral met haar hoofd verrichtte en niet met haar handen is niet relevant.'

'Zei ik dat dan?' vroeg hij, met een gebaar van overgave. 'Zoals u weet behandel ik soms patiënten die mopperen dat ik niets anders doe dan hun pols voelen en ze een gekleurd drankje geven. En wat u betreft, u hoeft niet eens hun pols te voelen voordat u ze van een gekleurd drankje voorziet!'

Hoewel hij de draak stak met de heilige communie was hij zelf een regelmatige kerkganger, iemand die vol eerbied aan dit sacrament deelnam, daarom stond ik mezelf een lachje toe.

Ik nam een slokje wijn. 'Moet ik u nu ook vragen om mijn

pols te voelen, Edmund? Tenslotte is dit ook een gekleurde drank. En een verrukkelijke drank, mag ik wel zeggen.'

'Dank u. Maar geen van uw leerlingen boekt dus enige vooruitgang?'

'Eén van hen heeft een flinke stap vooruit gedaan,' gaf ik toe, 'maar niet in mijn klaslokaal. Lizzie Woodman gaat inmiddels door het leven als *juffrouw* Lizzie, de persoonlijke dienstbode van mijn nicht, Lady Elham in hoogsteigen persoon. Naar verluidt is ze alert en behendig, en heeft ze een uitzonderlijk kalme manier van doen. Maar dat betekent wel dat ze veel minder tijd heeft om zich bezig te houden met cijfers en letters.'

'Uiteindelijk zijn niet alle adellijke dames even blij met een dienstmeisje dat kan lezen,' mompelde Hansard met een verdachte twinkeling in zijn ogen.

'Juffrouw Lizzie zegt dat mijn nicht de vriendelijkheid zelve is,' zei ik, ondanks mezelf gepikeerd over deze insinuatie.

'Daar ben ik zeker van.'

'Ze zegt ook dat ze zich nu, onder de hoede van Lady Elham, een stuk veiliger voelt.'

'Veiliger? O, vanwege al die jonge heethoofden die haar zou graag van dichterbij zouden leren kennen.'

Ik hoorde de woeste ondertoon in mijn eigen stem. 'U hebt wellicht gehoord dat ik haar eigenhandig van zo'n opdringerige aanbidder heb moeten verlossen? Dus ik geloof dat mijn nicht het allerbeste met haar voor heeft.'

'Met haar? O, nee, Tobias. Mensen van haar stand hebben – over het algemeen – alleen hun eigen belangen op het oog. Als dat ook voor de bediende positieve gevolgen heeft is dat niet meer dan een toevalligheid. Neem uzelf nou, dominee – u komt hier voor uw eigen plezier, niet voor dat van Jem, of wel soms? O, ik weet wel dat hij Turners sterke verhalen erg kan waarderen en dat het zomaar zou kunnen dat hij schaamteloos flirt met dat nieuwe dienstmeisje van mij, maar hij is hier alleen omdat dat u uitkomt.' Hij schonk nog wat wijn in, als om de harde waarheid wat te verzachten. 'Maar u hebt dus nog geen vooruitgang geboekt met uw eigen leerlingen?'

'Het gaat een stuk beter nu ik de lat minder hoog leg. Maar

ze ontwikkelen zich maar langzaam. Ik weet niet of ze gewoon niet slim genoeg zijn of dat er misschien andere factoren zijn die hun vooruitgang in de weg staan.'

Hij trok een wenkbrauw op. 'Wat voor factoren?'

'Is het gemakkelijker om dingen te leren als je warm gekleed bent en genoeg gegeten hebt? Is het gemakkelijker om iets nieuws te leren als je jong bent dan als je oud bent? Toe, Edmund, dat is meer uw vakgebied dan het mijne: wat zegt u ervan?'

'Ik weet alleen dat mijn hyacinten nog steeds blauw zijn,' zei hij, verwijzend naar zijn pogingen om een nieuw ras te kweken. 'Hoewel ik wel denk dat die van afgelopen zomer een rozige gloed hebben gekregen. Misschien zijn mensen net als bloembollen. Misschien kunnen we veranderingen aanbrengen door middel van selectieve voortplanting.'

Ik lachte hem recht in zijn gezicht uit.

'Kijk eens naar uw eigen familie,' zei hij op ernstige toon. 'Is iedereen daar net als u, lang van stuk en gezegend met een scherp verstand?'

'Over het algemeen wel. Maar – en hier wordt nooit over gesproken – ik meen dat mijn moeder ooit een mismaakt, achterlijk kind ter wereld heeft gebracht, wat onmiddellijk daarna is ondergebracht bij een liefhebbend gezin op een afgelegen gedeelte van ons landgoed.' Ik bloosde. 'Ik heb gezworen dat ik mijn achtergrond niet zou onthullen, en dat ik boven alles over dat geheim zou zwijgen. Edmund, vergeet alsjeblieft wat ik zojuist gezegd heb.'

Hij knikte toegeeflijk. 'Mijn goede vriend, ik heb altijd geweten dat u afkomstig bent uit de bon ton. Hoe zou anders te verklaren zijn dat u spreekt zoals u spreekt? Het blijkt zelfs uit uw manier van lopen. Maar uw geheim – zoals u het noemt – is veilig bij mij. Tenslotte hebt u niets gezegd dat niet ook van toepassing is op tientallen andere rijke gezinnen in dit land. Ik heb geen flauw idee op welke familie u doelt. En dan nu iets heel anders,' zei hij, terwijl hij opstond, 'ik heb mezelf beloond voor mijn harde werk van het afgelopen jaar. Zullen we de levering van mijn nieuwe biljarttafel vieren door ons naar mijn al even nieuwe biljartkamer te begeven en het spel in te wijden?'

Tijdens de lessen die ik op Moreton Priory gaf, werden mijn ogen geopend voor nog een ander aspect van het leven van de bedienden. Ik was gewend aan het leven aan de andere kant van de salondeur, daar waar de familie verbleef en waar ik te maken had gehad met enkele ongemakken, die echter in het geheel niet opwogen tegen de enorme luxe die voor mij vanzelfsprekend was. Maar nu ontdekte ik tot mijn verbazing over hoe weinig voorzieningen de bedienden eigenlijk beschikten – dingen die ik tot dan toe als absoluut noodzakelijk beschouwd had. Voor hen geen fluwelen gordijnen of dikke tapijten, niet de warmte van een groot haardvuur of het heldere licht van kroonluchters; zij moesten het doen met stenen vloeren, groengeverfde muren, eindeloze, niet-verwarmde gangen en de piepkleine vlammetjes van sputterende kaarsen om hun werk bij te doen. Hun hele leven werd beheerst door een rijtje bellen in de bediendenvleugel; bij het kleinste rinkeltje sprong een van de jonge mannen of vrouwen op en stoof ervandoor alsof zijn of haar leven op het spel stond.

Natuurlijk waagde ik me niet op zolder, waar de bedienden met de laagste status gehuisvest waren, maar de Spartaanse omstandigheden in het vertrek van zo'n beetje de meest charmante vrouw die ik kende – mevrouw Beckles – beloofden niet veel goeds. Haar zitkamer leek gemeubileerd te zijn met afdankertjes van de familie. Het tapijt was volgens mij een Aubusson, maar de kleuren waren vervaagd en het was op maat gesneden om in de kamer te passen. Een van de stoelen was een Hepplewhite, maar als je goed keek zag je dat de armleuning met lijm op zijn plaats gehouden werd. De muren hingen vol met schilderijen van bekende kunstenaars, maar geen ervan was schoon, en geen ervan straalde iets anders uit dan droefenis en ellende. Eén muur was gereserveerd voor silhouetten, ingelijst op een manier die me deed vermoeden dat mevrouw Beckles deze portretten zelf gemaakt had. De boeken die haar kleine boekenkast vulden had ze in elk geval zelf uitgekozen, daar was ik zeker van. Behalve enkele prekenseries trof ik romans van Richardson en Fielding aan – al verbaasde ik me erover dat een vrouw in het bezit was van een exemplaar van *Tom Jones,* een boek van Smollett en een verzameling Gothic verhalen. Gelukkig zag ik ook een groot aantal gedichtenbundels, zowel klassiekers als moderne poëzie. Alles bij elkaar genomen werd ik echter bevestigd in mijn mening over mevrouw Beckles, dat ze een buitengewone vrouw was – zelfs de collectie van mijn moeder, die er een eer in schiep om boeken te verzamelen van schrijvers die op dat moment in zwang waren, was niet half zo uitgebreid.

Ik kreeg geen gelegenheid om een kijkje te nemen in het vertrek van meneer Woodvine, maar ik nam aan dat de kamer van de butler te vergelijken zou zijn met die van meneer Davies, de rentmeester, misschien ietsje groter, maar zeker net zo somber. Als de mannen hun deur op een kiertje lieten staan, hadden ze altijd zicht op die enorm belangrijke rij bellen.

In de kamer van Davies waren geen romans te vinden, maar dikke boekwerken over het beheren van landerijen – boeken waarvan ik begon te geeuwen als ik alleen al aan de inhoud dacht. Tegelijkertijd besefte ik dat ik vanaf nu mijn eigen land in de gaten moest houden, of er in elk geval op toezien dat Ford, mijn eigen rentmeester die me bepaald geen warm hart toedroeg, me niet zou afzetten. Daarom vroeg ik Davies welk boek hij me zou aanraden – en dan liefst een zo dun mogelijk exemplaar. Hij stak juist zijn hand om het voor me te pakken toen de chaos losbarstte, veroorzaakt door het luide gerinkel van de voordeurbel. Terwijl ik daar stond begonnen er nog allerlei andere bellen te rinkelen, die in de slaapkamer van Lord Elham als laatste. De paniek op het gezicht van die arme, oude Davies was hartverscheurend. Ik geen idee waar hij precies ontboden was, maar net als hij draaide ik me onmiddellijk om en rende ik achter hem aan, tussen de dienstmeisjes door die te hysterisch waren om opzij te gaan als ik dat vriendelijk vroeg.

'Het is mijnheer,' bracht mevrouw Beckles ademloos uit, terwijl ze ruimte maakte onder aan de personeelstrap. 'Alstublieft, meneer Campion, ga naar zijn kamer en kijk wat u nog kunt doen.'

'U hebt dokter Hansard al laten roepen?'

'Natuurlijk,' was haar eenvoudige antwoord. 'Ga nu gauw, meneer!' En duwde me stevige tussen mijn schouderbladen.

Het eerste wat ik deed was me een weg banen tussen de menigte die zich rond het bed verzameld had, gevolgd door het eisen van gepaste stilte in plaats van het gebabbel en het hysterische gejammer waar ik nu door omgeven was.

Alleen Lady Elham bleef ijzig kalm. Ze zat geknield bij het bed, maar stond nu op en zei zachtjes: 'Ik ben bang dat u te laat bent, en dat de reis van dokter Hansard ook voor niets zal blijken te zijn. Mijn man is heengegaan. Ik denk dat hij al dood was toen ik probeerde om hem uit de beek te trekken.'

Ik merkte nu pas op dat ze inderdaad drijfnat was. 'Haal juffrouw Lizzie,' zei ik tegen een jong meisje – te jong voor een schouwspel als dit – dat met ogen als schoteltjes stond toe te kijken.

Lizzie verscheen als bij toverslag.

'Wees zo goed om Lady Elham mee te nemen naar haar eigen kamer en zie erop toe dat ze droge kleren aantrekt. Ze is vast en zeker tot op het bot verkleumd en ik twijfel er niet aan dat dit is wat dokter Hansard zou adviseren. Maak voort, Lizzie.'

Verstandig als ze was sprak ze me niet tegen, maar nam mijn nicht bij de arm en leidde haar de kamer uit, op dezelfde tactvolle maar vastbesloten wijze als eerder die week, toen ze zich over de familie Jenkins ontfermd had.

Haar voorbeeld werd gevolgd door de andere bedienden, die een voor een verdwenen en Lord Elham overlieten aan de respectvolle zorg van zijn butler en zijn persoonlijke bediende.

Dokter Hansard, zijn gezicht nog rood van de inspanningen van zijn haastige tocht, sloot de ogen van Lord Elham en trok een laken over zijn gezicht, juist op het moment dat Lady Elham de kamer opnieuw binnenkwam, inmiddels van top tot teen in het zwart gekleed. Ik betwijfel of haar schoonheid ooit eerder zo oogverblindend was geweest, al ben ik er zeker van dat dat niet haar bedoeling was. Ze deed me denken aan een zinnetje uit een gedicht van Shakespeare, dat ik eigenlijk allang vergeten was: 'Geduld, een monument van verdraagzaamheid, dat haar verdriet glimlachend onder ogen ziet.' Op dit moment glimlachte ze uiteraard niet en het zou wellicht nog vele maanden duren voordat ze zichzelf weer enige vrolijkheid toestond, maar haar zelfbeheersing en haar waardigheid waren onmiskenbaar. Ik ging de aanwezigen voor in gebed, waarbij Lady Elham opnieuw neerknielde.

Toen we haar enige minuten later weer naar haar eigen vertrek begeleidden, bood dokter Hansard haar enkele druppels laudanum aan, maar die weigerde ze. Ze had niets nodig, zo hield ze vol, behalve tijd om alleen te zijn en de gebeurtenissen in stilte te overdenken. Maar haar zoon moest onmiddellijk gehaald worden – hij was immers de nieuwe Lord Elham, zei ze ons, met enige nadruk.

'Een slechte zaak,' merkte dokter Hansard even later op, toen we in de bediendenkamer zaten en op zijn advies wat van de wijn van de nieuwe Lord tot ons namen. Hij had erop gestaan dat zowel mevrouw Beckles als meneer Davies een glas wijn zouden drinken, om bij te komen van de schrik.

'Maar hoe is dit mogelijk?' wilde mevrouw Beckles weten. 'Mijnheer was toch zeker geen kind meer, dat in het water zou kunnen vallen als zijn kindermeisje even niet oplette? Hij was een volwassen man met een helder verstand, zou je zeggen. En hoe kan het dat mevrouw hem gevonden heeft?'

Hansard knikte haar goedkeurend toe. 'Dat zijn precies de vragen die ik uit hoofde van mijn functie als lekenrechter zal moeten stellen. Was ze alleen en was het toeval dat ze hem aantrof terwijl hij in het water lag? Of maakten ze een gezamenlijke wandeling? Zeg eens, was het hun gewoonte om 's middags samen een rondje om te gaan?'

Haar gezichtsuitdrukking sprak boekdelen.

Hij stond op. 'Kom, Campion, het is nog licht genoeg om zelf een kijkje te nemen op de plaats van het ongeval. Meneer Davies is wellicht bereid om ons te vergezellen?'

Davies sprong op alsof iemand hem een schop gegeven had. Hij had zo lang stil in een hoekje gezeten dat ik hem helemaal vergeten was. 'Zeker,' zei hij. 'En de jongen die het roepen van

Lady Elham als eerste hoorde en hulp kwam halen moet ook mee. Als we hem tenminste kunnen vinden.'

Mevrouw Beckles opende haar mond om iets te zeggen, maar sloot hem meteen weer, alsof ze een gedachte onderdrukte die maar beter niet uitgesproken kon worden. Op datzelfde moment bedacht ik dat zij waarschijnlijk meer zou bijdragen aan ons onderzoek dan die oude Davies, met haar scherpe ogen, die volgens mij nooit iets misten en in ieder geval een hele verbetering waren in vergelijking met de troebele, waterige kijkers van die arme Davies. Maar haar plaats was natuurlijk hier, waar ze de kok op de hoogte moest stellen van de noodzakelijke veranderingen in het menu. Tenslotte was het huis nog steeds vol gasten. Bovendien moest ze zich bezighouden met rouwkleding voor alle bedienden – zou ze ergens op een van de zolders een voorraadje kant-en-klare rouwkleding hebben liggen, of moest ze in allerijl contact opnemen met een kleermaker die dat soort kleding leverde?

Ik wilde haar een bemoedigende glimlach toewerpen, maar dokter Hansard was al met haar in gesprek, half fluisterend waardoor ik niet kon verstaan wat hij zei. Ongetwijfeld gaf hij haar wat laatste instructies met betrekking tot het welzijn van Lady Elham.

'Waar bent u naar op zoek?' vroeg ik aan mijn vriend en voorbeeld toen we bleven staan op ongeveer vijf meter afstand van het riviertje waar Lord Elham aan zijn einde gekomen was. Davies, zijn taak volbracht, stond in de luwte van een grote boom toe te kijken. De jongen was nergens te vinden en Edmund wilde het laatste beetje daglicht niet verspillen aan een uitgebreide zoektocht.

'Van alles en nog wat en helemaal niets.' Hij duwde zijn handen nog wat dieper in de zakken van zijn ruiterjas.

'Wat bezielde hen om een wandelingetje te maken op een koude, vochtige dag als vandaag?' Het had de hele dag gemiezerd en alles was drijfnat.

'Stil, man! Excuses, Tobias, maar ik moet me tot het uiterste concentreren.'

'Natuurlijk.' Ik had mijn opmerking graag verder toe willen toelichten, maar aanvaardde de terechtwijzing. Hij was tenslotte de rechter en ik slechts een geestelijke. Ik wilde graag leren, dus ik volgde zijn blik nauwkeurig en probeerde te zien wat hij misschien ook zag.

Een ruwe, houten brug zo'n tien meter verderop; één van de leuningen was losgeraakt. Dat moest de plek zijn waar Lord Elham gevallen was. In de stroperige modder waren talloze voetafdrukken te zien en veel van de overhangende takken van de struiken die langs het water groeiden waren geknakt. Bij het zien van dit bewijs kon zelfs ik me voorstellen wat een wervelwind van activiteit hier na Elhams onvrijwillige duik had plaatsgevonden.

Ik liep naar de beek toe, waarbij ik goed oplette dat ik het terrein dat Hansard bestudeerde niet betrad. Maar terwijl ik dat deed, schoot zijn hoofd omhoog. Toen hij zag waar ik mee bezig was, glimlachte hij van oor tot oor.

'U bent een goede leerling,' zei hij. 'Laten we die houten brug van wat dichterbij bekijken, ja?' En even later: 'Ja, die is al behoorlijk oud. En die spijker is nogal roestig. Eens kijken hoe de leuning aan de andere kant eruitziet. Hm, even oud, maar wel stevig.' Hij wees en ik zag dat Davies het liefst door de grond zou gaan.

Davies krabbelde iets op een stukje papier en ik had medelijden met hem. Als Lady Elham ook maar het geringste vermoeden zou hebben dat hij nalatig geweest was, zag zijn toekomst er niet bepaald zonnig uit. Hansard duwde uit alle macht tegen de leuning die nog intact was, meerdere keren zelfs, maar er was geen beweging in te krijgen.

'Waarom is die andere dan wel bezweken?' vroeg hij zich hardop af, terwijl hij zich omdraaide om de kapotte leuning nogmaals te bestuderen. 'Misschien loont het de moeite om dit onderzoek te herhalen als er meer licht is. Ik denk dat we nu beter kunnen terugkeren naar de Priorij. Wellicht heeft Lady Elham inmiddels besloten dat ze onze diensten nodig heeft, Tobias, of in elk geval die van een van ons. En haar tekortdoen is wel het laatste wat we willen. Ik stel me zo voor dat meneer

Davies hier het de komende week bijzonder druk zal hebben, van 's ochtends vroeg tot 's avonds laat.'

'Een drukbezochte begrafenis?'

'Alle edelen uit de wijde omgeving, en dan nog familie en kennissen.'

'Arme mevrouw Beckles.' Het ontglipte me voor ik er erg in had.

'Ik kan me niet voorstellen dat er ook maar iets is wat zij niet aan zou kunnen,' zei hij. 'Als ik de kroonprins was, zou ik na het verscheiden van onze arme koning haar hulp inroepen voor het organiseren van de begrafenis, en vervolgens ook mijn eigen kroning. Maar voordat er een begrafenis kan plaatsvinden – en het is van belang dat u navraagt of de voorkeur van Lady Elham uitgaat naar het familiegraf in St Jude's of naar het mausoleum op het terrein van Moreton Priory – moet door een rechter van instructie de doodsoorzaak worden vastgesteld.'

Mijn adem stokte. 'Wilt u zeggen dat –?'

'Ik zeg helemaal niets. Maar hij heeft al het bewijs nodig waarvan u en ik hem kunnen voorzien. Het is zelfs zo,' ging hij verder, 'dat het vanuit mijn positie als rechter mijn plicht is om mevrouw zelf te ondervragen. Het is wellicht – nuttig – als u ook bij deze ondervraging aanwezig bent.'

Ze was familie van mij! 'Wat heeft dat voor zin?'

Hij klopte me vriendelijk op de schouder. 'U hebt altijd een kalmerende invloed op mensen, Tobias. En daarnaast vindt u het misschien ook prettig om mij in de buurt te hebben wanneer u de teraardebestelling met Mevrouw doorspreekt. Hoe rustig ze nu misschien ook is, dergelijke gedachten over het lot dat ons uiteindelijk allemaal wacht veroorzaken wel vaker spasmen, hartkloppingen of nog erger.'

Hij had zich geen zorgen hoeven maken. Toen we binnengelaten werden in het boudoir fluisterde Lizzie – ook al in rouwkleding gehuld – ons toe dat Lady Elham zojuist wat soep gegeten had. Inmiddels had ze plaatsgenomen op de sofa en stond er een glas wijn naast haar op tafel.

'En hoe is mijn patiënte eraan toe?' informeerde dokter Hansard beleefd.

'Behandel me alstublieft niet als een zieke,' snauwde ze. 'U vergeet dat mijn stamboom teruggaat tot in de tijd van de Veroveraar. Mensen uit ons milieu bezwijken nooit en te nimmer!'

Ik had voldoende historische kennis om haar erop te kunnen wijzen dat Willem de Veroveraar geneigd was om zijn gunsten vooral te bewijzen aan zijn meest bloeddorstige volgelingen; ik had echter ook voldoende mensenkennis om te beseffen dat het geen goed idee was om deze dame, die me regelmatig van een op duur servies geserveerde maaltijd voorzag, tegen me in het harnas te jagen. Geschokt over mijn eigen gebrek aan eerbied op een moment als dit steeg het bloed naar mijn wangen en sloeg ik mijn ogen neer.

'U kunt mij niet wijsmaken dat u een beproeving als deze hebt ondergaan zonder dat dat nare gevolgen heeft,' hield dokter Hansard vriendelijk doch beslist vol.

Ze zwaaide haar benen over de rand van de sofa en ging rechtop zitten; terwijl ze dat deed drukte ze haar hand tegen haar rug en onderdrukte een kreun. 'Eén gevolg is in elk geval de afschuwelijke pijn in mijn rug, dokter Hansard. Ik heb geprobeerd hem uit het water te trekken, ziet u, maar hij was zo ontzettend zwaar.' Er klonk een snik, maar ze slikte haar tranen vastbesloten weg en keek ons recht in de ogen aan.

We knikten meelevend. 'Hebt u hem zien vallen?' vroeg ik zachtjes.

'We stonden samen op de brug, met onze armen op de leuning, en keken naar de vissen. Maar na een tijdje liep ik alleen verder – het was zo koud en vochtig buiten dat ik het gevoel had dat de kou doordrong tot in mijn botten. Elham bleef staan. Toen hoorde ik een plons. Ik rende terug en ik trok en schreeuwde en...'

'Zeg maar niets meer, Lady Elham, niet als u daardoor van streek raakt.' Hansard haalde reukzout tevoorschijn.

Ze maakte een afwerend gebaar. 'Het lukte me om hem uit het water te trekken. Dat wel. En ik denk dat ik hem heb omge... Nee, ik heb hem met zijn gezicht naar beneden laten liggen zodat het water uit zijn mond kon lopen. Ik heb wel eens gehoord van zeelieden die mensen die haast verdronken waren weer tot leven wekten, maar ik had nooit gedacht – ik had geen flauw idee hoe…' Ze wrong wanhopig haar handen. Dit was de eerste keer dat haar zelfbeheersing wankelde. 'Ik riep om hulp en stuurde een jongen die uit het bos tevoorschijn kwam naar het huis om andere bedienden te halen. Toen probeerde ik het nog een keer. Vergeef me alstublieft…' Ze wendde haar hoofd af zodat we haar tranen niet zouden zien.

'Het is goed mogelijk dat meneer al gestorven was voordat hij in het water viel,' zei Hansard, op de toon van iemand die alle mogelijkheden afweegt.

Deze kalme opmerking veroorzaakte een buitengewone reactie. Lady Elham was opgesprongen en had haar vinger beschuldigend uitgestoken. 'Leg dat uit, alstublieft!'

'Alstublieft, mevrouw, beheerst u zich,' drong ik aan.

'Niet totdat Hansard heeft uitgelegd wat hij met die vreemde opmerking bedoelde!'

'Mevrouw, Lord Elham ging zich regelmatig te buiten aan uitgebreide maaltijden en grote hoeveelheden drank. Ik heb hem meerdere malen gewaarschuwd en hem gemaand tot een matiger manier van leven. Maar hij wees mijn waarschuwingen steeds weer van de hand. Ik ben bang dat de inspanning van de wandeling en de vochtige, koude weersomstandigheden – dat die misschien een hartinfarct hebben veroorzaakt, mevrouw. Een fataal hartinfarct. Als hij vervolgens met zijn volle gewicht tegen de leuning van de brug is gevallen is het niet ondenkbaar dat die bezweek, waardoor hij in het ijskoude water viel. Die schok op zichzelf zou al fataal kunnen zijn, zelfs voor iemand die jonger en beter in vorm is dan Lord Elham. Als dat inderdaad het geval is, moet u het uzelf niet kwalijk nemen dat het u niet gelukt is om hem bij te brengen,' sloot hij af, zijn stem vriendelijk en zacht.

Ze ging weer zitten en hij reikte naar haar pols. 'Daar was ik al bang voor. Uw hartslag is ernstig verhoogd. Laat me u alstublieft een drankje geven om wat te kalmeren. Als het goed is zal dat de pijn in uw rug ook verlichten.'

'Als u erop staat zal ik het medicijn innemen, dokter. Geef

het maar aan mijn bediende. Neef Tobias, u zult de begrafenis leiden, is het niet?'

'Maar natuurlijk. Ik vind het vreselijk om u dit te vragen, mevrouw, maar wilt u dat de teraardebestelling plaatsvindt in het familiegraf in St Jude's? Of –'

Ze onderbrak me met een vlugge beweging. 'Hebben we een paar weken geleden niet met elkaar gesproken over de mogelijkheid om de kapel hier op het terrein opnieuw in gebruik te nemen? Zou dat geen geschikte plaats zijn?'

'Het zou een geweldig eerbetoon zijn,' zei ik. 'Maar dan zouden alleen uw directe familie en vrienden aanwezig kunnen zijn; er zou geen ruimte zijn voor de bedienden of voor ander personeel, en al helemaal niet voor dorpelingen die uw man de laatste eer zouden willen bewijzen. Als de dienst in St Jude's gehouden wordt, zouden ze in elk geval nog langs de weg kunnen staan, of misschien zelfs meelopen in de rouwstoet.'

Het was duidelijk dat de wensen van de dorpelingen wel het laatste was waar ze aan dacht. Ze ging rechtop zitten. 'Lord Elham zal alle voorbereidingen treffen, heren. Mijn zoon, de elfde Lord Elham,' zei ze, met dezelfde trotse ondertoon als eerder.

5

Toen we de kamer van Lady Elham verlieten, stond mevrouw Beckles ons al op te wachten. Ze had een bezorgde uitdrukking op haar gezicht. Ze maakte alleen een kleine buiging en ging ons voor, niet naar het trapportaal, maar naar de personeelstrap.

Ze zei niets en wij begrepen niet wat er aan de hand was, maar aan de voet van de trap bleef ze staan en draaide ze zich om, alsof ze tot een besluit gekomen was. 'Heren, ik realiseer me dat het al laat is, maar ik wil u desondanks om een gunst vragen.'

Hoewel hij er vermoeider uitzag dan ik ooit had gezien, maakte dokter Hansard een beleefde buiging. Ik kon niet anders dan zijn voorbeeld volgen.

'Het vroegere kindermeisje van Lord Elham – *wijlen* Lord Elham – woont in een van de arbeidershuisjes aan de voet van Prior's Hill. Zou u zo vriendelijk willen zijn om dit nieuws persoonlijk aan juffrouw Abney mede te delen? Na al die jaren trouwe dienst zou het niet goed zijn als ze het van iemand anders hoort. Ik zou zelf gegaan zijn, maar zoals u ziet laat de drukte hier dat niet toe.'

Ze overdreef niet. In de personeelsvleugel gonsde het van de activiteit en de gedempte gesprekken. Elke jonge vrouw in dit deel van het huis had een lap zwarte stof op schoot en een naald met zwart garen in haar hand en de jonge mannen renden heen en weer tussen de kamer van meneer Davies en de ruimtes waar het servies en de voorraden bewaard werden. Wat werd hier een ongelofelijke hoeveelheid werk verzet om de rust en de orde boven, in het huis, te bewaren.

De regen was overgewaaid en de avondhemel was bezaaid met sterren en werd verlicht door het schijnsel van de halve maan. Dokter Hansard gaf zijn paard de vrije teugel.

'Hij weet precies waar hij moet zijn voor een appel of een

wortel,' zei de dokter lachend. 'Juffrouw Abney is een goede vriendin van hem. Ze is de zeventig al gepasseerd, maar nog net zo kwiek als vrouwen die half zo oud zijn als zij. In de zomer, in elk geval. In deze tijd van het jaar heeft ze vreselijke last van haar gewrichten. Als ze van adel was zou ik haar een bezoekje aan Bath of Cheltenham aanraden. Maar zoals de situatie nu is, voorziet mevrouw Beckles haar regelmatig van ganzenvet en warme kousen om de pijn onder controle te houden. Ik wilde wel dat ik meer kon doen. Maar ze klaagt nooit en ze wil de laudanumdruppels die ik haar heb aangeboden niet aannemen. Als ze niet kan slapen leest ze in haar bijbel. Kijk – er brandt nog een kaars. Ze heeft vast een slechte nacht.'

Het gezicht van de oude vrouw was een netwerk van rimpels, verweerd door vreugde of verdriet, of allebei. Ze begroette dokter Hansard alsof hij haar zoon was en voor mij maakte ze zo'n diepe revérence dat ik mijn neiging om haar bij de armen te pakken en haar overeind te helpen nauwelijks kon bedwingen. Dokter Hansard dacht daar wat gemakkelijker over. Hij hielp de oude vrouw voorzichtig in haar stoel, naast het kleine tafeltje met de brandende kaars en, inderdaad, een opengeslagen bijbel.

'Wat een eer, dominee Campion, om u te mogen ontmoeten. Ik heb u nooit eerder gezien en nu komt u helemaal hiernaartoe, naar mijn nederige onderkomen, waar u van harte welkom bent. Wat een knappe man bent u. U hebt vast en zeker al heel wat harten van jongedames gebroken, daar twijfel ik niet aan. En hebt u al een liefje? Een dominee heeft een vrouw nodig, en hij moet een gezin stichten als hij zich dat kan veroorloven. En u, dokter Hansard, u zorgt zo goed voor mij dat ik niets te klagen heb, geen centje pijn. De hemel weet dat een vrouw van mijn leeftijd niet ondersteboven is van wat stijve gewrichten op zijn tijd, alleen is het wel eens jammer dat ik dan niet kan naaien, op de dagen dat het vroeg donker is en het wel lijkt alsof de zon zich helemaal niet laat zien. Ga toch alstublieft zitten, heren, en laat me u een glas wijn inschenken. Dat houdt de kou buiten.' Ze praatte maar door. Nog voor we haar konden tegenspreken stond ze op en schuifelde door het huis.

Voor ik het goed en wel in de gaten had, was me een zitplaats toegewezen – hoewel die niet erg comfortabel was. Ze stond erop dat dokter Hansard plaatsnam in de enige overgebleven stoel en ik zocht een plekje op de brede vensterbank. Zelfs op een nacht die zo rustig was als deze drongen er gemene tochtvlagen door het raam naar binnen, waardoor ik een ijskoude nek kreeg en de warmte van het felle maar kleine vuurtje nauwelijks meer voelde. In het licht van het vuur en de extra kaars die ze ter ere van onze komst had aangestoken, zag ik dat alle oppervlakken smetteloos schoon waren – een geweldige prestatie, vooral als je bedacht dat de vloer uit aangestampte aarde bestond.

De wijn smaakte bijzonder goed; ik zou er zonder meer een paar glazen van gedronken hebben, als ik niet had gezien dat de goede dokter slechts af en toe een klein slokje nam. Hij keek me aan alsof hij me wilde waarschuwen het rustig aan te doen. Ondertussen hield onze gastvrouw ons bezig met een gestage stroom van woorden.

'Juffrouw Abney, dominee Campion en ik komen rechtstreeks van de Priorij. Ik vrees dat we slecht nieuws hebben,' zei Hansard uiteindelijk. 'Ik ben bang dat Lord Elham niet meer bij u op bezoek zal komen.'

Ze keek hem verward aan. 'Maar hij komt elke week.'

Elham had haar hier opgezocht, maar hij had niets gedaan om haar levensomstandigheden te verbeteren! Ik onderdrukte een uitroep van ongeloof.

'Ik ben bang dat hij nooit mee op bezoek zal komen, mijn beste mevrouw.'

Het was alsof Hansard haar in het gezicht had geslagen, zo heftig was de schok die door haar heen ging. 'Mijnheer Augustus! Nee! Toch niet –?'

Hij pakte haar hand. 'Het ging erg snel, juffrouw. En ik denk niet dat hij geleden heeft.'

'Maar hij was in de bloei van zijn leven…' Ze probeerde haar tranen terug te dringen, maar tevergeefs. Al snel schudde haar lichaam van het huilen.

'U was zijn kindermeisje, mevrouw,' zei ik ten slotte, terwijl ik naast haar neerknielde en probeerde om haar aandacht te verplaatsen naar gelukkiger tijden.

Ze pakte mijn hand stevig vast. 'Zo'n schattig jongetje, met krullen die zo licht waren dat ze in het licht van de zon glinsterden als witte zijde. Zo'n knappe jongeman, vastbesloten om die roodharige schoonheid voor zich te winnen. Vergis je niet, hoor, ze deden het spreekwoord "Haastig getrouwd, lang berouwd" al snel eer aan. Hij was nog maar net met haar getrouwd of hij ging op reis en liet haar in haar sop gaar koken. Maar wat de oorzaak van hun ruzie ook was, uiteindelijk hebben ze het natuurlijk wel weer goed gemaakt – en nu is het dan de beurt aan de elfde graaf, de jonge Arthur, ook al zo'n knappe man, met hetzelfde haar als zijn vader, hoewel het een rossige gloed heeft. Niet zo opgewekt als zijn vader, dat moet ik toegeven, en hij heeft natuurlijk nooit tijd voor zijn oude kindermeisje, maar zijn moeder is de goedheid zelve. De goedheid zelve. Niet zo vriendelijk als die lieve mevrouw Beckles, natuurlijk – en als het niet zo donker was zou ik durven zweren dat ik een blos op uw wangen zie, oude vriend.' Ze zweeg even om adem te halen en liet mijn hand los om dokter Hansard vriendschappelijk op de arm te kloppen.

Hoe hij op deze uitspraak gereageerd zou hebben zal ik nooit weten, want op dat moment hoorden we haastige voetstappen en een ferme klop op de deur, gevolgd door een woedende jongeman die het hutje binnenstormde zonder zelfs maar te wachten op de toestemming van zijn tante.

'Ben jij dat, Matthew? Kom binnen, mijn jongen, kom binnen. De deur zit nooit op slot, zoals je weet, overdag niet en 's nachts ook niet. En we hebben bezoek, beste jongen, de dokter en de dominee.'

De nieuwkomer leek het hele kamertje te vullen. Toen ik hem in de kerk gezien had, had ik hem afgedaan als een onbehouwen, niet al te intelligente boerenjongen, die als verdwaasd naar Lizzie had zitten staren terwijl zijn aandacht op de Almachtige gevestigd had moeten zijn. Nu was hij opeens een potige knul, iemand die het in een gevecht waarschijnlijk van mij zou winnen. Zijn ogen schoten vuur en om de een of andere reden leek hij vooral boos te zijn op mij. Hij stak zijn arm uit, niet om me de hand te schudden, maar om woest naar mij te wijzen – waarbij zijn priemende vinger mijn borst net niet raakte.

'U bent degene die het verpest heeft tussen mij en Lizzie, mijn mooie Lizzie! Ik ga al drie jaar lang met haar uit wandelen, meneer de dominee, en ik had hoop dat er meer tussen ons zou groeien. Maar nu is ze te goed voor me, of niet soms, dominee, nu ze kan lezen en schrijven en rekenen! Meneer Campion zegt dit, de dominee zegt dat – ik hoor niets anders meer. En nu is ze ook nog bevorderd tot persoonlijke dienstbode van Lady Elham. Te goed voor een doodgewone man als ik. En dat is allemaal uw schuld!'

'Heb je gedronken, man? Luister,' ging Hansard verder toen Matthew beschaamd naar achteren stapte, 'bied je excuses aan aan dominee Campion en maak dat je wegkomt.'

'Pas als ik weet wat de reden van uw nachtelijke bezoek is. Ik dacht dat mijn tante ziek was,' zei hij, zijn stem oprecht bezorgd.

Hansard legde uit waarvoor we kwamen, maar zonder zelfs maar te suggereren dat de dood van Lord Elham misschien geen natuurlijke oorzaak had.

Matthew deed niet eens alsof hij de situatie betreurde. 'Die gierige, ouwe – het spijt me, tante, ik weet dat u altijd van hem gehouden hebt, alsof hij uw eigen zoon was, maar hij heeft dit landgoed zelfs nog beroerder achtergelaten dan hij het heeft aangetroffen. En wat betreft die spilzieke zoon van hem, met zijn gemene, boosaardige trekjes – nou ja, ik ben blij dat die ouwe dood is, maar ik ben bang dat zijn opvolger nog erger is. Veel erger.'

'Kom, kom, dat is wel genoeg,' onderbrak Hansard hem. 'Nog even en meneer Campion hier denkt dat je van plan bent om een of andere revolutie te ontketenen. Scheer je weg, man.'

'Ik ben niet in het minst geïnteresseerd in wat meneer Campion denkt,' wierp hij tegen, terwijl hij met zijn vingers knipte. 'De man die me mijn toekomstige vrouw heeft ontnomen.' Desalniettemin pakte hij zijn hoed.

Ik volgde Matthew naar de deur. 'Het spijt me werkelijk dat je denkt dat ik Lizzie van je heb afgenomen, Matthew,' zei ik, met een verpletterend schuldgevoel omdat dat eerder wel degelijk mijn bedoeling geweest was. 'Maar ze heeft in elk geval geen interesse getoond in mij,' voegde ik naar waarheid toe. 'En in geen enkele man, voor zover ik weet.' Op dat moment schoot me een herinnering aan haar eerste ontmoeting met Jem te binnen, toen ze elkaar hadden aangestaard en het was alsof ze in elkaars ogen verdronken. Maar ik zou niets toegeven, niet eens tegenover mezelf. 'En wat betreft je gedachten over het wanbeheer van sommige landheren zou het je nog wel eens kunnen verbazen hoezeer jij en ik het eens zijn.'

'Wij zijn het eens, zegt u? Laat me u dit vertellen, dominee. Ik ben van plan om mijn Lizzie terug te winnen – en daarbij laat ik me niet door u tegenhouden.'

Ik knikte zo begripvol als ik maar kon. 'Ga terug naar binnen, Matthew, en neem op gepaste wijze afscheid van je tante. Je bent misschien boos, maar niet op haar. En zij heeft vanavond behoefte aan de troost van een geliefd familielid.'

'Dat doe ik voor haar, niet voor u. En ook niet voor hem. Ik had die kerel met alle plezier de nek omgedraaid.' Met die woorden liep hij terug het huisje in en bleef daar, ook toen Hansard naar buiten kwam en wij in het zadel klommen. Bij het wegrijden zagen we hun hoofden achter het raam, omlijst door het kozijn.

'Lady Elham? Een getuigenverklaring afleggen? In het openbaar?' vroeg ik verontwaardigd, mijn stem steeds luider. 'Dat gaat in tegen alle fatsoensnormen. U kunt onmogelijk echt van plan zijn om mijn nicht aan zoiets bloot te stellen.'

Hansard zakte onderuit in zijn favoriete stoel en nam nog een slokje van de overheerlijke cognac. 'Jammer genoeg is het nauwelijks een getuigenverklaring te noemen, en ze zal zeker niet in het openbaar gehoord worden – tenminste, niet in de gelagkamer van de plaatselijke herberg. Lady Elham moet simpelweg verslag doen – onder ede – van wat haar man op de dag van zijn overlijden overkomen is. Met het oog op de omstandigheden ben ik er zeker van dat de persoon die met het onderzoek belast is – een rechter net als ik, Sir Willard Comfrey – haar toestemming zal geven om haar verklaring af te leggen in een van de vertrekken van Moreton Priory, mits de ruimte groot genoeg is om plaats te bieden aan een jury. Kijk niet zo, Tobias. Volgens de wet horen we allemaal gelijk behandeld te worden. Dat gebeurt natuurlijk niet, maar we moeten ons in elk geval inspannen om te doen alsof.'

'Lady Elham wordt toch nergens van verdacht?' In het dorp deden genoeg geruchten de ronde dat ze Lord Elham van de brug geduwd zou hebben en zijn hoofd onder water gehouden had. Diep in haar hart kon zelfs mevrouw Beckles niet ontkennen dat ze betwijfelde of het verhaal van mijn niet helemaal klopte, maar ze deed haar uiterste best om geen ongegronde beschuldigingen te uiten.

'Ziet u daar reden toe?' vroeg Hansard plagerig. 'Ik zal de jury laten weten dat ik al lange tijd vreesde voor een hartinfarct, en dat het goed mogelijk is dat hij er inderdaad een gehad heeft. Ik zal noemen dat de brug zorgvuldig onderhouden werd, maar dat het zeker niet is uitgesloten dat er onder het dode gewicht van Lord Elham een roestige spijker bezweken is. Ik zal Davies vragen de andere hekken op het terrein zo snel mogelijk te controleren. De jury zal vaststellen dat Elham een natuurlijke dood gestorven is en de rechter zal aanbevelen dat alle bruggen in de wijde omgeving worden nagekeken – een aanbeveling die iedereen meteen naast zich neer zal leggen. Vervolgens zal hij zijn deelneming betuigen aan Lady Elham en aan de nieuwe Lord Elham. Let op mijn woorden.'

'Maar wat als –? Hoe kunt u nu voorspellen wat een jury zal doen?'

'De jury zal bestaan uit haar eigen personeel, Tobias,' legde hij getergd uit. 'U kunt zich toch zeker niet voorstellen dat mannen als Bulmer en Miller haar werkelijk zouden ondervragen, of wel? Nou dan. In vredesnaam, man, ga zitten en neem nog een slok cognac om tot bedaren te komen.'

Ik hechtte te veel waarde aan onze vriendschap om niet te gehoorzamen.

'Maar u moet met me eens zijn dat de omstandigheden van het ongeluk hier en daar wat nadere uitleg vergen, of niet? Er is maar één persoon die min of meer als getuige beschouwd kan worden en dat is de jongen die Lady Elham geholpen heeft en daarna hulp is gaan halen. Ondanks de gedetailleerde omschrijving van Lady Elham en ondanks de aanzienlijke beloning die ze heeft uitgeloofd, heeft die jongen zich nog steeds niet gemeld. Ik vind het niet prettig om tegengewerkt te worden, Tobias. Ik wil zeker weten dat hij echt bestaat – hoewel er in elk geval *iemand* geweest moet zijn, want er is hulp gehaald.'

'U bedoelt –? Bent u van plan om uw twijfels bekend te maken aan Sir Willard?'

'Ik kan hem toch moeilijk vertellen dat ik Lady Elham van leugens verdenk of dat ik denk dat ze die jongen nodig had om haar verhaal te staven.'

'Dat kan zeker niet!'

'En dan zijn er nog de nagels van Lady Elham.'

Ik verslikte me in mijn cognac en vroeg: 'Heb ik u goed verstaan? De nagels van Lady Elham? Wat hebben die in 's hemelsnaam met deze situatie te maken?'

Hij grijnsde breed. 'In elk geval heb ik nu eindelijk uw volledige aandacht. Zeg eens, Tobias, wat gebeurt er als je iets stevig vastpakt om het naar je toe te trekken. Iets dat bedekt is met textiel en bijzonder zwaar.'

'Lady Elham klaagde over pijn in haar rug.'

'Dat klopt. En ze zou – onder dergelijke omstandigheden – niet klagen over beschadigde nagels. Maar ik verzeker u ervan dat dat wel zeer waarschijnlijk is – in het bijzonder bij iemand met zulke lange, elegante nagels als zij, die weinig meer te verdragen hebben dat wat borduurwerk op zijn tijd. De jonge Lizzie heeft me verteld dat Lady Elham haar op de dag van het overlijden niet gevraagd heeft om haar nagels te verzorgen.'

'U hebt hier met Lizzie over gesproken?' vroeg ik, iets te snel. Ik legde nog een blok op het vuur, zowel om mijn verwarring te verbergen als om de rode gloed op mijn gezicht te verklaren.

'Alleen om te informeren naar het algehele welzijn van Lady Elham. Ik hoop niet dat Lizzie mijn vraag over die nagels erg vreemd vond. Maar er zaten ook geen afgeknipte nagels in de prullenbak.'

'Lady Elham droeg vast en zeker handschoenen!' Ik leunde naar achteren, tevreden over dit sterke argument en de punten die dat me vast en zeker opleverde. Het winnen van deze discussie was van het grootste belang; de reputatie van mijn nicht stond op het spel!

'Het zou niet moeilijk zijn om van een paar kapotte handschoenen af te komen... Nee, Tobias, ik zal er het zwijgen toedoen. Laten we het hier niet meer over hebben.'

Toen het moment van de ondervraging uiteindelijk was aangebroken, bleken de voorspellingen van Hansard precies te kloppen. De bijeenkomst werd gehouden in de stijlvolle bibliotheek van wijlen Lord Elham en was niet meer dan een formaliteit, haast de moeite van het bijwonen niet waard. Zelfs voor mij was duidelijk dat Sir Willard Comfrey minder geïnteresseerd was in het blootleggen van de waarheid dan in het bewaren van de vertrouwde, aangename status quo. Zoals Lady Elham daar stond, van top tot teen in het zwart gehuld en zo bleek als Marie Antoinette moest zijn geweest toen ze op een mestkar naar het schavot gereden werd, durfde niemand ook maar iets van wat ze zei in twijfel te trekken – zelfs Hansard niet, hoe strijdbaar hij anders misschien ook was. Het kostte de personeelsleden die als jury waren uitgekozen geen enkele moeite om tot de conclusie te komen dat die arme Lord Elham een hartinfarct moest hebben gehad, dat hij op de brug in elkaar gezakt en vervolgens in het water gevallen was en dat de inspanningen van Lady Elham om haar geliefde man te redden zeer lovenswaardig waren. Ze betuigden hun innige medeleven en hun hartelijke toewijding aan de nieuwe Lord Elham, die gedurende het hele proces niets anders had gedaan dan nors voor zich uit staren, een diepe frons op zijn gezicht. Sir Willard kwam zonder meer tot de conclusie dat de doodsoorzaak volkomen natuurlijk was en hij adviseerde met klem dat alle bruggen in de omgeving gecontroleerd zouden worden op losse onderdelen.

De dames verzamelden zich rond Lady Elham om haar te

troosten en de mannen zochten hun toevlucht in smakelijk bier, goede wijn en enkele delicatessen uit de keuken van de Franse chef. Lord Elham, zelfs nog minder beleefd dan zijn vader, hing wat rond zonder ook maar enige aandacht aan zijn gasten te besteden. En hoewel hij het niet aandurfde om een van ons openlijk aan te vallen, keerde hij dokter Hansard en mij de rug toe.

'Ik zei toch al dat het een verspilling van tijd zou zijn,' mompelde Hansard. 'Is er ook maar één feit bevestigd?'

'We zijn zelfs niet ingegaan op de identiteit van de getuige,' stemde ik in.

Hij keek me aan, een geamuseerde blik in zijn ogen die niet geheel gepast was tijdens een bijeenkomst als deze. 'En dat terwijl alleen al de gedachte aan een ondervraging zo'n weerstand bij u opriep.'

'Een degelijk proces had een einde aan de geruchten kunnen maken, maar ik kan me nauwelijks voorstellen dat deze schijnvertoning ook maar iets heeft bijgedragen.' Ik rechtte mijn schouders. 'In elk geval zullen de schuldigen op zekere dag voor een andere rechter staan.'

'Ik zal voor u nagaan of meneer Campion thuis is,' zei mevrouw Trent op plechtige toon, alsof ze de butler van Chatsworth House was en vervelende toeristen buiten de deur moest houden – mensen die het kasteel kwamen bekijken en in één moeite door de hertog wilden ontmoeten.

'Natuurlijk is hij thuis,' klonk het knorrig. 'Dominees horen thuis te zijn – in tegenstelling tot die sjieke heren met hun overdreven uitstapjes. Hoe dan ook, zijn paard staat achter en die stalknecht van hem is ermee bezig.'

'Meneer Campion is misschien wel aanwezig,' gaf ze toe, 'maar dat betekent nog niet dat hij ook beschikbaar is.'

Ik had helemaal geen zin in bezoek, maar mijn gast had gelijk. Hij was kerkmeester in mijn kerk en had dus recht op mijn aandacht. De Persoon met wie ik in gesprek was had dat recht echter ook.

Ik vroeg om Zijn zegen voor mijn inspanningen van deze dag

en stond op. Mevrouw Trent stond in de deuropening toe te kijken en ik voelde haar goedkeuring. Al was ik op dat moment in gesprek geweest met de armste, meest ellendige bedelaar uit de wijde omgeving, dan nog had ze graag gezien dat ik meneer Bulmer even liet wachten. Het noemen van zijn naam was al genoeg om een indrukwekkende verandering van gezichtsuitdrukking bij haar te bewerken; alsof ze op een heel zure citroen gezogen had. Jem gebruikte een veel grovere vergelijking, iets met kippen en hun achterwerk, maar hij behandelde haar met oprecht respect; en niet alleen vanwege haar leeftijd, hoewel ze de zestig zeker gepasseerd was. Zij op haar beurt behandelde hem zoals ze een geliefde, altijd hongerige neef zou behandelen. Haar overheerlijke pasteitjes en taarten waren net zozeer voor hem bedoeld als voor mij.

Ik geloof dat het de superioriteit van mevrouw Trent was, niet de mijne, waardoor Bulmer zijn pet niet slechts oplichtte maar hem afnam en verfrommelde als een schooljongetje dat betrapt was op het plunderen van een boomgaard.

'Goedemorgen, dominee Campion,' zei hij behoedzaam, zich ongetwijfeld net zo bewust van de wederzijdse gevoelens van antipathie als ik.

'U ook een goedemorgen, meneer Bulmer,' zei ik zo vriendelijk mogelijk. 'Gaat u alstublieft zitten. Wat kan ik voor u doen?'

Hij nam plaats op het puntje van de stoel die ik had aangewezen.

'Kan ik u misschien een hartversterkertje aanbieden? Een glas madeira?'

Ik zag hem watertanden bij het vooruitzicht. In het dorp deed het gerucht de ronde dat hoewel de boer er warmpjes bij zat, hij ook een vrek was.

'Hij is het soort man dat liever geld van een ander uitgeeft,' had mevrouw Trent al meteen gezegd. En ook nu, nu ik haar riep, spraken haar ogen boekdelen.

'En misschien wat van die heerlijke koekjes van u, mevrouw Trent?' voegde ik toe.

Het was dat de warme, kruidige geur ervan de kamer vulde,

anders had ze het bestaan van de koekjes vast en zeker ontkend. Ze zette de schaal koekjes op het tafeltje naast meneer Bulmer, met net even meer kracht dan ik van haar gewend was. Naar haar mening was dit ongeveer hetzelfde als parels voor de zwijnen werpen. Maar de karaf op het dienblad was de mooiste die we hadden en ze had de glazen gepoetst tot ze fonkelden. Ze zou haar eigen principes nooit geweld aandoen.

Uiteindelijk, na een flinke slok wijn, kwam Bulmer ter zake. 'Het gaat om een gedenkteken, dominee. Voor Lord Elham. Er is nog ruimte aan de muur achter de koorbanken en ik dacht – pardon, meneer Miller en ik dachten – dat het *gepast* zou zijn om daar een gedenkteken te plaatsen, misschien met een mooie Latijnse spreuk of zo – als eerbetoon aan wijlen Lord Elham. De nieuwe Lord zal daar vast en zeker geen bezwaar tegen hebben.' Zijn stem klonk zelfverzekerder toen hij eraan toevoegde: 'De vroegere generaties deden het ook, zoals u ongetwijfeld gezien hebt. En u, als oud-student van Oxford –'

'Cambridge, maar dat maakt niet uit.'

Mijn onderbreking werd opzijgeschoven. 'Als geleerd man bent u in staat om ons te vertellen wat er op die gedenktekens staat.'

Ik besefte dat ik serieus op zijn verzoek moest ingaan. 'De boodschap op al de plaquettes is min of meer hetzelfde – dat de overledene een Godvrezend man was die door zijn familie en pachters herdacht wordt vanwege zijn ruimhartigheid in tijden van tegenspoed.'

'Dus als wij geld inzamelen voor zo'n gedenkteken kunt u de steenhouwer vertellen wat hij erop moet zetten? In het Latijn.'

'Dat kan ik inderdaad. Welke tekst had u in gedachte?' Ik liep naar mijn bureau, pakte een onbeschreven vel papier en doopte mijn pen in de inkt. Ik verwachtte dat er heel wat gekrast zou moeten worden.

Hij schraapte zijn keel. 'Ik dacht dat u dat misschien kon zeggen, dominee. U kunt lezen en schrijven.'

'U kende Lord Elham beter dan ik,' wierp ik tegen. 'Vond u hem aardig?'

'Hij ging altijd op bezoek bij dat kindermeisje van hem. Er

zijn mensen,' vertrouwde hij me toe, 'die zeggen dat ze een heks is, maar met dat soort praatjes laat ik me niet in.'

'Alstublieft niet, zeg. Juffrouw Abney is een keurige, Godvrezende dame.' Ik overwoog even om toe te voegen dat ze ook een dame was met slechts twee stoelen en een vloer van aangestampte aarde. 'En wat deed hij nog meer voor vriendelijke dingen?'

'Nou, hij zorgde er altijd voor dat meneer Davies de mensen eerst waarschuwde als ze achter waren met hun huur. En hij nam het op voor die jongen die ze wilden verbannen. Ze hebben hem in plaats daarvan naar een gesticht gestuurd, herinner ik me.'

Ik knikte zonder iets te zeggen.

'Maar vriendelijk… dat hing ervan af. Je wist nooit precies waar je met hem aan toe was, dat is zeker. De ene dag maakte hij een praatje met je over de oogst, zo vriendelijk als maar kon, en de volgende dag sloeg hij met zijn zweep naar je en schold hij je uit. Dan gebruikte hij woorden die ik hier in uw aanwezigheid niet zal herhalen, dominee. Net als de jonge Lord,' voegde hij in gedachten verzonken toe. 'Hem wilt u niet tegen de haren instrijken, dat kan ik u verzekeren.'

'Hoezo?' drong ik aan.

'Die moordpraktijken van hem. Hij vermoordt dieren. Dat doet-ie.'

'Doen we dat hier op het platteland niet allemaal? We doden schapen en ander vee om op te eten, vossen als sport –'

'Zeker, vossen en ander ongedierte. Maar als wij ze doden, doden we ze. Nee, ik heb genoeg gezegd.' Ik had durven zweren dat alle kleur uit zijn verweerde gezicht wegtrok op het moment dat mijn deurbel klingelde, alsof de edele heer hem had gehoord en onmiddellijk wraak kwam nemen. 'Maar het gedenkteken, dominee – wat moeten we erop zetten?' ging hij verder, blijkbaar gerustgesteld door het zachte geroezemoes van stemmen in de hal.

Mevrouw Trent liet meneer Miller binnen.

'Wat vindt hij van het gedenkteken?' vroeg de nieuwkomer aan mijn andere bezoeker, zo luid dat ik het ook kon verstaan.

'We waren net in gesprek over de bewoordingen,' zei ik, waarmee ik het toneelstukje beëindigde nog voor het begonnen was. 'Waar gaat uw voorkeur naar uit, meneer Miller?'

'Het is niet zozeer de bewoording als wel de betaling waar ik me druk over maak,' zei hij. 'Heb je het daar al met hem over gehad?'

Miller schuifelde wat heen en weer en keek mij vanonder zijn wenkbrauwen aan. Hij voelde al aan dat ik niet onverdeeld enthousiast was over zijn plan om geld in te zamelen.

'Ik geloof dat meneer Bulmer zoiets gezegd heeft,' gaf ik toe, om hem uit de wind te houden. 'Maar ik moet eerlijk zeggen dat ik hem niet genoeg tijd heb gegeven om zijn ideeën daarover uit te leggen. Wat is uw voorstel, meneer Miller?'

'Nou, om elk gezin in het dorp om een bijdrage te vragen, natuurlijk. Een sixpence van iedere inwoner, mannen, vrouwen en kinderen. Niemand kan zeggen dat dat niet redelijk is.'

Te oordelen naar de uitdrukking op het gezicht van meneer Bulmer had hij daar heel andere gedachten over, maar ontbrak het hem aan de juiste woorden om zijn bezwaren te formuleren.

Ik nam het opnieuw voor hem op. 'Bent u op de hoogte van de graanprijzen van dit jaar, meneer Miller? Ik weet zeker dat u, met uw beroep, precies weet hoeveel een brood kost. Als we weer een strenge winter krijgen, en alles wijst daarop, dan zijn er gezinnen waarvan ik me afvraag of ze met z'n allen één sixpence kunnen missen, laat staan eentje voor iedere man, iedere vrouw en ieder kind.'

De lijnen in zijn gezicht verdiepten zich. 'Het is alleen maar eerlijk dat iedereen zijn steentje bijdraagt. Lord Elham zou niet minder verwachten.'

Bulmer was diep in gedachten verzonken, wat hem verhinderde om deel te nemen aan het gesprek.

'Welke Lord Elham? De dode of de levende?' drong ik aan. 'Als u op de eerste doelt kan ik u ervan verzekeren dat hij zich, als hij nu bij de Almachtige is, niet langer druk maakt over aardse beslommeringen als gedenkstenen.'

Op Bulmers gezicht verscheen langzaam maar zeker een

brede grijns. 'En als hij op een andere plaats is,' zei hij, 'dan verdient hij geen gedenkteken.'

In een wanhopige poging om niet in lachen uit te barsten maakte ik een buiging, maar meneer Miller bleef stijf rechtop staan. De blik in zijn ogen was minsten even argwanend als die van Bulmer toen hij dacht dat iemand hem had horen praten.

Ik ging verder: 'Als u zich daarentegen bezorgd maakt over de woede van de jonge Lord Elham wanneer u zijn vader niet de eer bewijst die hem toekomt, dan kan ik alleen maar zeggen dat hij toch zeker zelf kan zien hoe zwaar de armen het hebben. Het kost hun de grootste moeite om simpelweg te overleven.'

'Voor wie het niet redt is er altijd nog het armenhuis,' wierp Miller tegen.

Ik dacht aan de arme familie Jenkins, wiens toestand steeds wanhopiger werd, ondanks mijn pogingen om iets aan hun situatie te verbeteren. Als het voorjaar werd en de zaaitijd aanbrak, kon ik de jongens in elk geval inhuren als vogelverschrikkers, al maakte ik het daarmee onmogelijk voor hen om ooit verder te komen dan hun arme vader, om meer te worden dan ongeschoolde, slecht betaalde arbeiders. En ondertussen werd mevrouw Jenkins dag in, dag uit – wat voor weer het ook was – gedwongen om stenen te rapen op de akkers van plaatselijke boeren.

'Het armenhuis is een enorme belasting voor de parochie,' zei Bulmer somber. 'Het zou beter zijn als ze een gewone baan hadden.'

'Daar zeg ik amen op,' reageerde ik. 'En ik ben ervan overtuigd dat Lord Elham het met ons eens zal zijn dat het bij elkaar houden van gezinnen belangrijker is dan het plaatsen van een gedenkteken voor zijn vader.'

Miller schudde vertwijfeld zijn hoofd. 'Dat is misschien uw overtuiging, dominee. Maar ik ben bang dat onze nieuwe meester daar heel anders over denkt.'

De vraag wat er op de plaquette moest komen te staan was eventjes vergeten en de twee mannen vertrokken al gauw.

'Mijnheer, laat me het nog een keer duidelijk stellen; dat kunnen ze niet,' zei ik, vanachter mijn bureau. Deze keer had mevrouw Trent mijn gast allerhartelijkst verwelkomd en hem binnengelaten zonder mij te waarschuwen, hoewel hij had geweigerd om de zorg over zijn hoed, zijn handschoenen en zijn paardenzweep aan haar over te dragen. 'Ze hebben geen geld voor brood, voor schoenen voor zichzelf of voor hun kinderen. Zo'n eis zou voor velen van hen het armenhuis betekenen.' Ik liet hem op dit moment maar even in de waan dat dit mijn beslissing was geweest, niet die van de kerkmeesters.

'Het is de gewoonte,' zei hij met de koppigheid van iemand die niet erg wijs was.

'Het is altijd de gewoonte, nee, zelfs de plicht, geweest van de bewoners van de grote huizen om liefdadigheid te bewijzen aan hun ondergeschikten – niet alleen aan degenen die door huwelijk of afkomst aan hen verwant zijn, maar aan alle mensen op hun landgoed. Uw eigen moeder heeft een armenkist in huis staan zodat de kinderen van uw arbeiders niet ongekleed over straat hoeven; ze geeft mevrouw Beckles opdracht om voedzame soep te laten bezorgen aan mensen die ziek zijn. U kunt toch zeker niet ingaan tegen het geweldige voorbeeld van uw eigen moeder en mij vragen geld af te troggelen van mensen die het eenvoudigweg niet hebben?'

'Wat de dominee zegt is de waarheid,' verklaarde dokter Hansard, die zonder kloppen binnenwandelde. 'Hebt u enig idee van de enorme stijging van de graanprijzen de laatste tijd?'

Elham haalde zijn schouders op op een manier die ik eerder in Frankrijk gezien had, maar met zo weinig élégance dat het gebaar niet slechts onverschilligheid uitdrukte, maar een regelrechte belediging was.

'Bent u op de hoogte van de staat van de huisjes waar uw arbeiders in moeten wonen?' hield ik aan. 'Zelfs uw beste krachten wonen in huisjes met een vloer van aangestampte modder, en het is er zo koud en vochtig dat ze haast beter af zouden zijn in uw ijskelder.'

'Dan hadden ze maar in een rijke familie geboren moeten worden,' zei hij. 'Hoe durft u me in deze zaak tegen te spreken? Ik meen het, dominee, u hebt me nu een keer te vaak de voet dwars gezet. En u, Hansard – uw aandringen op dat verhoor ging alle perken te buiten. U vergeet allebei uw plaats.'

'Genoeg muggen en olifanten,' zei ik, met net te veel nadruk.

Hij hief zijn zweep en sloeg in de palm van zijn gehandschoende hand. Heel even dacht ik dat hij naar mij zou uithalen en ik zette me schrap voor de klap. In plaats daarvan veegde hij in één beweging alles van mijn bureau, draaide zich op zijn hielen om en liep naar buiten. Toen hij de deur bereikt had, bleef hij even staan. 'Dit komt u nog duur te staan,' zei hij op ijskoude toon. 'Let op mijn woorden.'

'Nou, we zijn in elk geval een vijand rijker,' zei Hansard, die bukte om mij te helpen bij het oprapen van mijn bezittingen. De inktpot was in duizend stukjes uiteen gespat en ik betwijfelde of zelfs de meest grondige poetsbeurt van mevrouw Trent het tapijt nog zou kunnen redden.

'*Ik*, Edmund – u niet. U was toevallig aanwezig bij het laatste stukje van onze woordenwisseling, dus u kunt onmogelijk verantwoordelijk gehouden worden.'

'Niet door een redelijk wezen, nee. Maar onze nieuwe heer beschikt slechts over een beperkt intellect; en tegelijkertijd over een eindeloos vermogen tot het koesteren van wrok. Lieve hemel, hij was zelf aanwezig bij die ondervraging. Heeft hij niet gezien hoe mild, hoe overmatig beleefd en inschikkelijk ik was? Het had een theekransje kunnen zijn, zo vriendelijk en oppervlakkig waren de vragen.'

'De kerk en de medische wetenschap moeten zich hard maken voor hun overtuigingen,' stemde ik in. 'Bovendien, hoe zou hij ons kwaad kunnen doen? Een man die nooit naar de kerk komt en die sowieso slechts zelden op de Priorij aanwezig is? Hij heeft geen vrienden hier in de omgeving. Hij heeft te veel dochters geprobeerd te kussen en te veel zoons overgehaald om verboden gebied te betreden. En bovendien heeft hij,' voerde ik aan als doorslaggevend argument, 'zijn speelschulden niet vereffend.'

Hansard snoof. 'Weet u dat er in het dorp nog een gerucht de ronde doet? Het gerucht dat *hij* zijn vader vermoord heeft en dat zijn moeder hem beschermd?

'Nee! Edmund, u maakt een grapje.'

'Ik geef toe dat ik de zaak graag zou heropenen en de gelegenheid zou hebben om hem onder ede te laten ondervragen. En dan door iemand anders als Sir Willard. Ik zal mijn oor te luisteren leggen, Tobias – en dat moet u ook doen.'

6

De grijze, sombere novembermaand leek eindeloos te duren. Het was nooit droog, maar het regende ook nooit echt, het was nooit licht maar ook nooit donker, de temperatuur nooit zacht, maar ook niet bijzonder koud. Alsof hij aanvoelde dat we hem graag zouden ondervragen, was de nieuwe Lord Elham er zonder ook maar een woord van afscheid vandoor gegaan, hoewel zijn pachters daar minder ontstemd over waren dan over het feit dat hij de gebruikelijke visites om hun gelukwensen in ontvangst te nemen niet afgelegd had. Niemand had gerekend op een formele bijeenkomst op de Priorij, zeker niet omdat zijn rouwende moeder daar ook nog woonde, maar ondanks dat waren er nog steeds beleefdheden die in acht genomen moesten worden.

Lizzie deelde mee dat Lady Elham erg van streek was, dat ze het ene moment sprak over een reis naar Londen, maar het volgende over een verblijf in Cheltenham of Bath om weer op krachten te komen. Ik had het vermoeden dat Lizzie veel meer had kunnen zeggen, maar haar loyaliteit aan haar meesteres was al even absoluut als prijzenswaardig. De momenten waarop we alleen waren, waren zeldzaam; enkele minuten voor of nadat haar medeleerlingen naar de pastorie kwamen voor het volgen van hun lees- en schrijflessen. Addies hulp en adviezen waren van grote waarde gebleken, en hoewel mijn leerlingen slechts langzaam vooruitgingen, was hun vooruitgang over het algemeen constant.

Mijn bezoekjes aan het armenhuis waren minder succesvol, zoals ik ook al aan dokter Hansard verteld had. Ik nam elke week dikke plakken van de door mevrouw Trent gebakken vruchtencake mee naar de lessen. In theorie waren de stukken cake bedoeld voor de beste leerlingen, om hen te belonen; in werkelijkheid kon ik het niet over mijn hart verkrijgen om ook maar één van die halfverhongerde, graatmagere kindertjes de beste maaltijd die ze de hele week zouden krijgen te ontzeggen. Maar hoezeer ze allemaal ook verlangden naar de wekelijkse lessen, als het niet was om iets te leren dan toch in elk geval om wat te eten te krijgen, dat weerhield de beheerder van het armenhuis er niet van om mij te dwarsbomen. Om het met de woorden van de dichter te zeggen, hij deed mijn activiteiten 'eer aan, echter niet door ze te steunen, maar door ze te schenden'. Het verging mijn kleine beschermelingetjes, de kinderen van weduwe Jenkins, precies zo als de anderen. Alleen William was terughoudend, altijd op zijn hoede, terwijl ik me hem herinnerde als een open, opgewekt kind. Misschien zag hij mijn vriendschap met de andere kinderen als een bedreiging voor de speciale status die hij en zijn broertjes en zusjes tot nu toe gehad hadden.

De volgende dag werd ik naar de Priorij geroepen. Het rouwgewaad van Lady Elham benadrukte haar extreem bleke gelaatskleur en de rode randjes rond haar ogen verrieden dat ze even terug nog gehuild had. Mevrouw Beckles fluisterde dat de nieuwe Lord Elham zojuist onverwachts was teruggekeerd, maar kort daarna weer was vertrokken, na een heftige ruzie. Ondanks dat zei Lady Elham niets over de oorzaak van haar verdriet van dit moment en ik was niet in de gelegenheid om het onderwerp ter sprake te brengen, vooral niet omdat Lizzie de kamer telkens in- en uitliep.

Lady Elham was bezig met het naaien van een kledingstuk voor in de armenkist. Volgens mevrouw Beckles was dat tegenwoordig haar favoriete bezigheid als ze thuis was. Soms wisselde ze die routine af door een groepje dienstmeisjes om zich heen te verzamelen en hen voor te lezen uit de Bijbel, een gebedenboek of een prekenboek terwijl zij zaten te naaien of te breien. Soms mocht Lizzie wat voorlezen, zo goed was ze al vooruitgegaan tijdens de lessen die ik – ondanks alle ophef – nog steeds gaf aan haar en aan de andere bedienden.

Lady Elham keek me aan over de rand van de bril die ze tegenwoordig droeg als ze met een precies werkje bezig was. 'Er is een kwestie die mij steeds meer aan het hart gaat en die ik graag met u wil bespreken,' zei ze zonder inleiding. 'Zoals u weet heb ik ingestemd met uw voorstel dat mijn overleden man zou worden bijgezet in het familiegraf. Maar ik ben nog steeds voornemens om de huiskapel in ere te herstellen.'

'Dat is geweldig nieuws, mevrouw. Allereerst vanwege de religieuze betekenis, maar ook omdat het een bijzonder gunstige ontwikkeling is voor de mensen in mijn parochie,' voegde ik in een dwaze opwelling toe.

Ze keek me ijzig aan. 'Hoe bedoelt u? U dacht toch zeker niet dat de dorpelingen hier diensten zouden kunnen bijwonen?' Het was alsof ze me in mijn gezicht sloeg.

'Ik doelde op de bouwlieden die u nodig hebt om de herstelwerkzaamheden uit te voeren, mevrouw.'

'Ik neem alleen de allerbeste ambachtslieden en kunstenaars in dienst,' zei ze, op een manier die duidelijk maakte dat niemand in het hele dorp aan haar hoge eisen zou voldoen. 'Laten we ons naar de noordelijke galerij begeven. Daar bewaren we enkele van de religieuze schilderijen die de grootvader van de huidige Lord... de vader van wijlen mijn man,' verbeterde ze zichzelf nadrukkelijk, 'meegenomen heeft van zijn grote reis.' Ze trok haar zijden shawl om zich heen en ging me voor, terwijl ik weer op de voet gevolgd werd door Lizzie.

Lady Elham bleef staan voor een paar schilderijen die zij geschikt achtte voor haar doel. Naar mijn mening waren de schilderijen, vooral die van Murillo, overdreven dramatisch, maar net als Lady Elham had ik waardering voor het menselijke aspect van zijn werk. Eén schilderij, een voorstelling van de Maagd met haar Kind, ontroerde me bijzonder – het was de kunstenaar op de een of andere manier gelukt om in de ogen van de jonge vrouw een besef te leggen van wat haar Zoon te wachten stond.

'Het is net alsof je je hand uit zou kunnen steken en het kindje zou kunnen aanraken,' zei Lady Elham, 'en zijn moeder is duidelijk dol op Hem.' Ze liep naar een ander schilderij.

'Neemt u me niet kwalijk dat ik het zeg, dominee, maar wat een draak van een kind,' zei Lizzie zachtjes.

'Denk je niet dat afbeeldingen van Hem je zou moeten aanzetten tot eerbiedige bespiegelingen?' vroeg ik, terwijl ik een lach onderdrukte.

Lizzie schudde haar hoofd. Wat was ze bleek. Ze had donkere schaduwen onder haar ogen, net als Lady Elham, en haar zwarte jurk onttrok alle kleur aan haar gelaat. Was ze soms ziek? Ik wilde het gebabbel van Lady Elham over dode, uit de mode geraakte oude kunstenaars dolgraag onderbreken en het gesprek op de levenden brengen, maar die mogelijkheid diende zich niet aan. Na een paar opwindende momenten waarop het leek alsof Lady Elham op het punt stond om ons alleen te laten, werd Lizzie weggestuurd om een boodschap te doen. De rest van de dag zag ik haar niet meer.

Afgezien van dit soort momenten en de lessen die ik af en toe gaf, was mijn leven zo stil en grijs als het weer. Ik bracht plezierige avonden door met dokter Hansard, in zijn huis of het mijne, maar minder vaak dan ik eigenlijk zou willen, zeker nu het dorp getroffen was door een besmettelijke keelontsteking die volgens Hansard ook te maken had met het weer.

Maar begin december veranderde er eindelijk iets. Een gure noordoostenwind blies de mist weg en bracht een bijtende kou mee. Het was buiten zo fris en helder dat ik regelmatig uit wandelen ging, zonder een duidelijke bestemming maar gewoon om te genieten van Gods schepping. Op een dag voerde mijn wandeling me naar de bossen rond de Priorij. Ik liep het bos in, maar nog voor ik erg ver gevorderd was trof ik Matthew aan, op een zonovergoten open plek. Zelfs daar lag de rijp nog op de grond.

De laatste keer dat Matthew en ik elkaar onder vier ogen gesproken hadden, waren we natuurlijk niet als vrienden uit elkaar gegaan en hij verzuimde de zondagse dienst maar al te vaak. Moest ik hem eens flink de waarheid zeggen? Kwam mijn aarzeling om dat te doen voort uit mijn eigen lafhartigheid, of was het een reactie op de duidelijke afkeer op zijn gezicht? Zijn boosheid leek echter niet tegen mij gericht te zijn.

Hij schopte ergens tegenaan en spuugde. 'Heb ik u niet verteld over de gemene trekjes van onze nieuwe landheer?' blafte hij me zonder inleiding toe.

Ik kwam dichterbij. Als je op het platteland woonde, kon je niet al te teerhartig zijn. De Almachtige had ons de vogels van de hemel en het gedierte van het veld als voedsel gegeven en iedereen wist dat die dieren gedood moesten worden voordat ze als maaltijd konden dienen. Een wildezwijnenjacht was een feest voor het hele dorp, een overvloedige maaltijd in een periode van gebrek. Kleine knaagdieren die de oogst vernielden waren prima geschikt voor het maken van een warm vest. Geen enkele dorpeling zou een vogel of een ander dier zomaar doden – tenslotte waren zij ook schepselen van God – alleen maar om het achter te laten als een bloederig hoopje vlees en botten dat ongedierte aantrok.

Daar, aan Matthews voeten, lag een dood konijntje dat er niet bepaald appetijtelijk uitzag. Matthews hond, een lelijk, slechtgehumeurd monster, blafte vinnig en begon zelfs te grommen, maar toen ik op mijn hurken ging zitten en tegen hem praatte, begroette hij me al snel alsof ik een oude vriend was. En toen ik hem op precies het juiste plekje op zijn rug krabbelde, gaf hij zich helemaal over. Misschien moest ik ook een hond nemen; dan had ik gezelschap.

'Van dat konijn had een heel gezin kunnen eten,' stelde Matthew vast. 'Wat een verspilling van goed voedsel!'

Ik vertelde hem maar niet over het voedsel dat overbleef na een diner op de Priorij, hele schotels waar soms niet eens van geproefd was.

'Maar hij spijkert het tegen de grond en laat het wegrotten! Het is alleen aan de vorst te danken dat het lichaampje nog heel is. Moet u zien, dominee.'

Het dier was met zijn vier pootjes aan de grond genageld, in een morbide parodie op de kruisiging – het buikje naar boven. Aan de diepe wonden in de poten was te zien dat het dier nog niet dood was toen het hier was neergelegd en dat het uit alle macht geworsteld had om vrij te komen.

'Ongedierte doden is natuurlijk prima. Ik maak kraaien en dat soort dieren af en hang ze aan de hekken, maar alleen om hun soortgenoten te waarschuwen en het wild te beschermen. Niet zoals dit…' Hij slikte. 'Een snelle, pijnloze dood. Dat verdienen ze. Zelfs duiven, hoe vervelend ik die ook vind.' Hij wees met zijn geweer naar een groepje houtduiven dat even verderop in een iep zat. Maar hij legde niet aan.

'Ik heb zelf ook wel eens op houtduiven gejaagd,' zei ik hardop, haast zonder het te willen.

'En raakte u wel eens wat? Geen gemakkelijk doelwit, houtduiven.'

Ik kon het niet nalaten om een beetje op te scheppen. 'Ik nam het mezelf zeer kwalijk als we niet minstens eens per week duivenpastei konden eten.'

'Maar u schiet niet in uw eigen bos?'

Ik besloot helemaal eerlijk te zijn. 'Er moet nog veel te veel aan gebeuren voordat dat kan.'

'O ja, ik had gehoord dat u wat mensen in dienst had genomen.' Voor het eerst bemerkte ik enig respect in zijn houding.

Ik knikte. Ik had zo veel mannen ingehuurd als ik maar kon betalen, en zelfs nog meer, in de hoop dat de werkgelegenheid een aantal gezinnen bij elkaar zou houden. Naast hun geringe loon voorzagen de omgehakte bomen de arbeiders van brandhout. 'Het bos is nog helemaal overwoekerd. Geen prettige plek om te wandelen.'

'En de jaagsport?'

'Met al die mannen in de buurt?'

Hij lachte bulderend en overhandigde me zijn geweer. 'Ga uw gang, dominee. Laat maar eens zien wat u kunt. Hou er wel rekening mee dat het pistool een beetje naar links afwijkt.'

Dat deed het inderdaad. Maar tot onze beider verrukking, en mijn grote opluchting, kon ik hem na een paar minuten een koppeltje duiven meegeven voor zijn tante.

Ik keek in stilte toe terwijl hij het konijntje lostrok en met zijn schoen een gat in de bevroren grond probeerde te maken zodat hij het kon begraven. Ik had het idee dat hij behalve deze teraardebestelling nog iets op zijn lever had. Hij slikte twee keer moeizaam. Uiteindelijk kuchte hij en zei: 'Hebt u mijn Lizzie onlangs nog gezien?'

Hem vertellen over de gesprekjes die ik af en toe met haar had zou hem geen goed doen. Ik besloot tot een compromis. 'Soms zit ze erbij als ik Lady Elham een preek voorlees of haar probeer af te leiden met een gesprekje.'

'En hoe vindt u dat ze eruitziet?'

'Dat weet ik niet precies.'

'Nee?' drong hij aan. Ik was even bang dat hij me bij mijn kraag zou pakken en door elkaar zou schudden. 'Vindt u dat ze er goed uitziet?'

Ik dacht even na. 'Ik moet toegeven dat ze wat bleek was, de laatste keer dat ik haar zag. Maar dat weet ik aan een gebrek aan beweging en aan het sombere weer. Denk jij daar anders over?' Ik keek hem onderzoekend aan.

'Ik wou dat ik het wist, dominee. En dat meen ik. Sinds Lady Elham in haar hoofd gehaald heeft dat de kerkgang belangrijk is en alle bedienden haar voorbeeld gehoorzaam volgen – twee aan twee, als dieren op weg naar de ark – zie ik haar haast nooit meer. Het is niet gezond, al die religie. Neemt u me niet kwalijk dat ik het zo zeg, dominee.'

Ik had een comfortabele boomstronk gevonden en ging zitten. Ik gebaarde dat hij naast me moest komen zitten. 'Je verwijst, neem ik aan, naar de buitengewoon zware rouw die Lady Elham zichzelf heeft opgelegd?'

'Ze verandert het huis in een klooster, heb ik gehoord. Al dat Bijbellezen en bidden. Dat kan toch niet goed zijn, of wel soms, dominee?'

'Ik geef toe dat het wat buitensporig is. Maar wie zou die beste dame de troost van religie willen ontzeggen?'

'Ik, zonder twijfel, vooral als ze daarmee andere mensen hun eigen leven ontzegt!'

Ik knikte bedachtzaam. Dokter Hansard had min of meer hetzelfde gezegd, met zelfs nog meer nadruk. Misschien was ik nalatig geweest door niet met Lady Elham in discussie te gaan. Haar devotie was inderdaad bijzonder intens. Paaps, haast – iets wat ik zeker niet wilde aanmoedigen in mijn parochie.

Na een paar minuten van vriendschappelijke stilte wees hij naar een groepje eekhoorns, hun vacht koperkleurig in het felle licht van de zon.

'Ik dacht dat zij een winterslaap deden,' protesteerde ik.

Hij legde zijn vinger tegen zijn lippen om me het zwijgen op te leggen; zijn eigen stem was niet meer dan een fluistering. 'Dat doen ze ook, als het slecht weer is. Maar waarom zouden ze op een dag als vandaag niet naar buiten komen? De noten opzoeken die ze juist voor deze gelegenheid bewaard hebben? Zodra de zon verdwijnt trekken ze zich weer terug in hun nest. En kijk daar eens! Een groene specht.'

De vogel scharrelde omlaag langs de stam van een dode boom, een paar meter bij ons vandaan. Het leek erop dat de specht ons zag op hetzelfde moment dat Matthew me op het diertje wees. Ik verwachtte dat hij weg zou vliegen, maar hij trok zich alleen terug naar de achterzijde van de stam. Af en toe keek hij om een hoekje, als een kind dat verstoppertje speelde, alsof hij zeker wilde weten dat wij hem niet zagen. We waren allebei volwassen mannen, maar toch gooiden we onze hoofden achterover en schaterden het uit. De vogel en de eekhoorns gingen er vlug vandoor.

Het was haast harmonieus, zoals we naast elkaar door het bos liepen, keurig in de pas, onze ogen tot spleetjes geknepen in het licht van de laaghangende zon die inmiddels al lange, donkere schaduwen wierp. Plotseling bleef Matthew staan en hij greep mij bij mijn elleboog. Hij kneep zijn ogen nog verder samen en wees naar het ruiterpad een eind verderop.

'Wie kan dat nu zijn?' vroeg hij op barse toon, terwijl hij voorzichtig naar voren stapte.

'Een stroper?' vroeg ik, nog steeds niet zeker of ik ook iets ge-zien had. 'Wie het ook is, hij loopt het gevaar om in een voet-klem te trappen.'

'Daar hoeft u zich geen zorgen over te maken, dominee. Ik heb altijd een hekel aan die dingen gehad. Als meneer Davies het vraagt staan ze keurig op hun plek, maar tussen ons gezegd en gezwegen liggen de meeste ervan op de bodem van het ven-netje van de landheer. En wel in het diepste deel, zodat ze zelfs tijdens de droogste zomer niet aan de oppervlakte komen.' Hij maakte de riem van de hond los. 'Toe maar, Gundy – zoek!'

'Gundy?' vroeg ik.

Hij kreeg een kleur. 'Een afkorting van Salmagundi. Mevrouw Beckles zag dat hij een mix was van van alles en nog wat en vernoemde hem toen naar die salade.'

Gundy ging ervandoor. Hij leek een doel voor ogen te hebben, dus wij renden achter hem aan en hielden hem nauwlettend in de gaten. Maar de persoon, echt of slechts een product van Matthews verbeelding, wist te ontkomen.

'Misschien is hij over die muur geklommen?' opperde ik in reactie op het vinnige geblaf van Gundy, die onder aan de muur stond.

Matthew klom tegen de muur op, met evenveel gemak als de aap die mijn neefje als huisdier hield, maar liet zich, nadat hij naar links en naar rechts gekeken had, weer vallen.

'De zon staat zo laag en de weg loopt pal naar het westen, dus ik kon niets zien,' zei hij, zonder zelfs maar te hijgen na de lichamelijke inspanning die hij had geleverd. 'Maar ik weet zeker dat ik iemand gezien heb. En die indringer mag wel oppassen, anders eindigt hij nog net zo als dat konijn.'

'De Lord zou toch niet –' hakkelde ik geschokt.

'Je hebt moord en moord,' zei hij. 'Een kruisiging is één mogelijkheid en iemand ophangen een andere. En dan is er natuurlijk nog de mogelijkheid van een lange, trage reis naar Australië. Ik weet niet waar mijn voorkeur naar uit zou gaan.'

We namen beleefd afscheid en ik keerde terug in de richting waar ik vandaan gekomen was. Hij riep me echter terug. 'U zou hier in de schemering een been kunnen breken zonder dat iemand het zou weten. Als ik u hier via het hek naar buiten laat, kunt u het laantje volgen. God weet dat de weg niet veel beter is, maar de route is in elk geval veiliger.'

Ik had misschien vijfhonderd meter gelopen, voetje voor voetje tussen de boomwortels door, toen ik achter me iets hoorde ritselen. Ik stapte vlug opzij, met het vaste voornemen om de persoon die me zo onverhoeds naderde eens flink de waarheid te zeggen. In plaats daarvan kreeg ik echter een harde klap tegen mijn nek, en alles werd zwart.

Het was aardedonker toen ik weer bij bewustzijn kwam. Het enige licht was afkomstig van de sterren en ik kwam tot de conclusie dat ik hier minstens een half uur gelegen moest hebben. In mijn halfverdoofde toestand leek het me enorm belangrijk om te weten hoe lang ik precies van de wereld geweest was. Ik weet niet waarom. Ik reikte naar mijn horloge – en ontdekte dat het verdwenen was. En ook de paar muntjes die ik altijd op zak had om mijn jonge parochianen te belonen als ze een hek voor me openhielden of me beleefd groeten. Maar daar was de rover niet tevreden mee, bemerkte ik toen ik met moeite overeind kwam. Mijn laarzen waren meegenomen!

De wandeling terug naar huis was lang en onprettig – maar ik realiseerde me met enige vreugde dat dit de eerste keer was dat ik de pastorie als 'thuis' beschouwde. Daar was warmte, licht en comfort; daar waren mensen die om mij gaven.

Ik strompelde verder, met een enorm verlangen om te gaan liggen maar me tegelijkertijd bewust van het gevaar; op zo'n koude nacht voor die verleiding bezwijken kon mijn dood betekenen.

Uiteindelijk bereikte ik de rand van het dorp. Moest ik halt houden bij een van de hutjes en daar om hulp vragen? Of zou dat de bewoners ervan voor onoplosbare problemen stellen? Hoe bang ik ook was dat dat inderdaad het geval zou zijn, ik wist eenvoudigweg niet hoe ik mijn benen zover moest krijgen dat ze me nog verder zouden dragen.

De zaak werd voor mij beslist. Ik struikelde over een diepe geul en viel op mijn handen en knieën, waarbij ik het uitschreeuwde als een getergd kind.

'Wie is dat? Geen beweging! Blijf staan waar je staat!'

Ik hief mijn hoofd een klein stukje en keek recht in de loop van een pistool. Geen prettig gezicht. 'Ik ben het, dominee Campion,' kraste ik. 'Niet schieten, alstublieft!'

'En wat doet een dominee hier op dit uur van de avond?'

'Een dominee komt misschien bij iemands sterfbed vandaan,' zei ik op geprikkelde toon. 'Of hij is op weg naar huis na een bezoek aan vrienden. Of welke andere rechtmatige bezigheid ook. Wees zo goed om dat pistool op te bergen en me overeind te helpen.'

Hij hield zijn kaars overdreven dicht bij mijn gezicht voordat hij zowel het pistool als de kaars op de grond legde en deed wat ik vroeg. Toen ik eenmaal rechtop stond, overhandigde hij me zonder iets te zeggen mijn hoed en deed een stap naar achteren. Blijkbaar verwachtte hij dat ik mijn weg zou vervolgen.

'Ik ben beroofd, beste man,' zei ik geïrriteerd. 'En de dief heeft mijn laarzen meegenomen.'

Op Eton had ik gebulderd van het lachen als een andere jongen verzeild was geraakt in een situatie die niet onderdeed voor de mijne van dit moment, dus ik neem aan dat ik het mijn redder niet kwalijk kon nemen dat hij mijn verlies uitzonderlijk grappig vond. Hij lachte zo hard dat zijn vrouw naar buiten kwam, haar klompen kletterend op de bevroren grond.

'Joe, zo is het wel weer genoeg. Dominee, als u zo goed zou willen zijn om binnen te komen –' Ze maakte een beleefde buiging. Hem herkende ik niet, maar zij was een trouw lid van mijn gemeente.

'Ik kan haast niet meer lopen,' gromde ik. Mijn hoofd bonkte en deed vreselijk zeer. 'Mevrouw Andrews, zou u uw zoon Henry naar Jem willen sturen, naar de pastorie, om hem te vertellen wat mij is overkomen? Zeg tegen Henry dat ik hem morgen zal belonen voor zijn moeite, maar niet vandaag. Mijn geld heeft hetzelfde lot ondergaan als mijn laarzen.'

'Een aderlating lijkt geen goed idee. Naar mijn mening hebt u al genoeg bloed verloren,' zei Hansard, terwijl hij me schattend aankeek.

Mevrouw Trent knikte goedkeurend en stapte naar voren om de lakens in te stoppen. Uit haar manier van doen zou je kunnen opmaken dat ze helemaal in haar element was. 'Als u mij nu uw instructies geeft, dokter Hansard,' zei ze, 'dan verzeker ik u dat ze tot in het kleinste detail zullen worden opgevolgd.'

'Dat zullen ze zeker,' stemde Jem in. Hij was duidelijk niet van plan zich te laten verdrijven door iemand die relatief nieuw was in mijn kleine huishouden.

Ik sloot mijn ogen, te moe om te luisteren terwijl de anderen over mij kibbelden. Dokter Hansard klonk geamuseerd toen hij vroeg: 'Wie van jullie neemt de eerste wake voor zijn of haar rekening? De ander moet namelijk slapen wanneer dat maar kan. Ik verwacht dat hij morgenochtend hoge koorts zal hebben, en misschien ontwikkelt zich ook nog een longontsteking. Maar in elk geval,' voegde hij toe, 'zal de dominee een dreunende hoofdpijn hebben en mag hij gedurende twee of drie dagen alleen licht verteerbaar voedsel eten. Ik weet zeker dat ik erop kan vertrouwen dat u hem zult voorzien van uw heerlijke bouillon, mevrouw Trent, en dat Jem ongewenste bezoekers buiten de deur zal houden.'

'Ik heb al zo vaak tegen meneer Campion gezegd dat hij een butler in dienst moet nemen,' mopperde mevrouw Trent.

'Ik denk dat dokter Hansard doelt op bezoekers die niet netjes aan de voordeur aanbellen,' zei Jem. 'Ik bewaak hem met mijn leven, dat weet u, meneer.'

'Waarom moet ik bewaakt worden?' vroeg ik. Ik hoorde zelf ook wel dat het kribbig klonk.

'Omdat iemand niet verwacht had dat u de aanval van vanmiddag zou overleven,' zei Hansard grimmig. 'Door uw laarzen mee te nemen maakte hij de kans kleiner dat u, als u al tot bewustzijn zou komen voor de vorst inzette – en vannacht is het kouder dan het in lange tijd geweest is – nog in staat zou zijn om een veilige plaats te bereiken.'

Ik sloeg met mijn vlakke hand tegen mijn voorhoofd. 'Mijn goede vriend – u moet de jonge Henry betalen voor zijn diensten.'

'Dat heb ik al gedaan,' zei Jem vlug.

Ik vloekte inwendig. Jems eergevoel was soms zo enorm dat het haast onmogelijk was om hem een wederdienst te bewijzen. Ik had graag iets slims willen zeggen. In plaats daarvan flapte ik er iets heel anders uit, haast zonder het te willen: 'Ik voel me hondsberoerd.' En meteen daarna keerde mijn maag zich om en gaf ik over.

'Ja, hij is echt ziek,' stelde Jem vast. 'Laat u de goede dokter even uit, mevrouw Trent, dan neem ik de eerste wacht.'

Als er nog gekibbeld werd, ging dat aan mij voorbij – en het kon me ook niet meer schelen.

7

Gedurende enkele dagen was ik zo slap als een vaatdoek, maar na verloop van tijd kwam ik in opstand tegen al die goede zorgen die me haast verstikten. Ik hield vol dat ik echt voldoende hersteld was om naar beneden te gaan, zij het in een brokaten kamerjas in plaats van in mijn gewone kleding, waardoor ik het meisje dat in de gang aan het stoffen was de schrik van haar leven bezorgde.

'Neem me niet kwalijk, meneer,' zei ze, terwijl ze een révérence maakte en halsoverkop de hal verliet.

Hoe ik ook peinsde, ik kon maar tot één conclusie komen – dat ik niet eerder met dit meisje kennisgemaakt had. Ik zou ongetwijfeld meer over haar te weten komen als mevrouw Trent de bijzonderheden van de dag met me door zou spreken. Eén van de zaken die zeker aan de orde zouden komen was, zo had ik besloten, dat er vanavond iets anders op het menu zou staan dan kippensoep of schapenbouillon. Het was echter niet mevrouw Trent die even later haar opwachting maakte in mijn studeerkamer, waar een bescheiden vuurtje brandde om de kou uit het vertrek te verdrijven, maar mevrouw Beckles, die onmiddellijk in het vuur begon te porren om het wat op te stoken.

'Mevrouw Trent is een bijzondere vrouw en zeer bedreven in haar taak,' stelde ze zonder verdere inleiding vast, 'maar uw ziekte vergde het uiterste van haar krachten en daarom heb ik besloten om haar een hulpje te sturen. Nee, niet meteen boos worden.'

'Ik zou niet durven,' antwoordde ik nederig. 'Maar is mevrouw Trent het wel eens met het aanstellen van dit nieuwe dienstmeisje?'

'Mevrouw Trent was uitgeput door haar aandeel in uw verzorging, al zou ze dat nooit ronduit toegeven.'

'Maar Jem heeft zijn steentje bijgedragen. En meer dan dat.'

'Zeker. En denkt u niet dat het moeten overdragen van

bepaalde taken aan Jem vermoeiender voor haar was dan het allemaal zelf doen? Kom nu, meneer Campion, u weet toch wel dat trouwe, liefhebbende bedienden elkaar verdringen om het voorrecht om hun meester te dienen als ze bang zijn dat hij zal sterven!'

'Ik lag helemaal niet op sterven.'

'Dat is iets wat u met dokter Hansard moet bespreken – van wie het idee om Susan in de staf op te nemen oorspronkelijk afkomstig was. En natuurlijk ook van mij,' gaf ze toe, met een twinkeling in haar ogen en kuiltjes in haar wangen.

'Maar wie wilde mij dan dood hebben?'

'Ja, wie? De mannen hebben daar zo hun theorieën over, meneer Campion, en ik heb het altijd zonde gevonden om een goede discussie te bederven. Daarom zeg ik alleen maar dat Lady Elham, voordat ze voor ongeveer een week naar Bath vertrok, u de allerhartelijkste groeten heeft laten overbrengen, en niet te vergeten een reusachtige mand vol fruit van haar landerijen heeft laten bezorgen – o, nee, van de landerijen van *de nieuwe Lord,* moet ik natuurlijk zeggen.'

Eigenlijk wilde ik maar één ding weten: of Lizzie met haar meegegaan was of niet. Maar in plaats daarvan vroeg ik zo vriendelijk mogelijk: 'Hoe was het met Lady Elham?'

'Ze bracht het grootste deel van haar tijd in haar kamer door. En ze wandelde veel over het landgoed, tot de temperatuur dat niet langer toeliet. Alsof ze de plaatsen opzocht waar zij en haar overleden man samen gelukkige momenten hadden doorgebracht.' De stem van mevrouw Beckles was volkomen neutraal, en toch proefde ik de ironie. 'Ze heeft geen bezoek ontvangen en legde zelf uiteraard ook geen visites af. Ik vertrouw erop dat deze reis naar Bath haar gezondheid ten goede zal komen,' voegde ze plichtsgetrouw toe.

'Het verbaast me dat ze niet verhuist naar Dower House, als ze een teruggetrokken leven wil leiden,' zei ik, terwijl ik mijn uiterste best deed om niet te laten merken hoe afschuwelijk ik het vond dat we Lizzie kwijt waren.

Ik weet niet wat haar bedoeling precies was, maar mevrouw Beckles pakte een stoel en ging tegenover me zitten. 'Lady Elham heeft de touwtjes op de Priorij nog stevig in handen, vandaar. De nieuwe Lord Elham, die er zoals u zich wellicht herinnert rond het tijdstip van uw ongeluk vandoor gegaan is en van wie sindsdien niemand meer iets vernomen heeft, heeft nooit enige interesse in de huwelijkse staat getoond – ondanks de inspanningen van sommige moeders hier in de omgeving die hem beschouwen als een zeer begerenswaardige partij. En de Priorij heeft een meesteres nodig.'

'En wat vinden de dochters van deze moeders daarvan?'

'Dat hebt u zelf toch wel gezien, meneer Campion, en waarschijnlijk beter dan ik.' Ze trok haar wenkbrauwen op om me tot een antwoord te bewegen.

'Hij is regelmatig te gast in een van de andere huizen in de omgeving,' zei ik lusteloos.

'En maakt dat hem tot een geschikte huwelijkskandidaat?'

'De jongedames lijken hem nauwelijks een blik waardig te keuren.'

'En u, meneer Campion? Bij u is toch zeker sprake van meer dan alleen blikken!'

'Ik zou daarin nooit te ver gaan,' zei ik, waarna ik toevoegde: 'Ik zou niet eens weten hoe, mijn huidige toestand met al zijn beperkingen in aanmerking genomen.'

Ze spreidde haar handen en maakte een gebaar dat de hele pastorie en de landerijen moest omvatten. 'Goede vriend, een dominee heeft een vrouw nodig. Maar u ziet er uitgeput uit – ik vermoei u maar met mijn gekwebbel. Ik zal Susan laten komen om het vuur aan te maken en haar aan u voor te stellen.'

Susan was klein en tenger, met lichtbruin haar. Haar huid was vrij donker, net als haar ogen. Ze was niet onaantrekkelijk, maar de tijd zou uitwijzen of ze tot bloei zou komen of niet.

Mevrouw Beckles legde haar hand op de schouder van het meisje en zei vriendelijk: 'Maak een revérence voor meneer Campion, Susan. Meneer Campion, u kent Susans zuster wel, Lizzie.'

Lizzies zus. Er was echter geen enkele gelijkenis. Ik dwong mezelf tot een luchtige reactie. 'Dat klopt, Susan. Je zus is de persoonlijke bediende van Lady Elham.' Ik stak mijn hand uit.

'Welkom op de pastorie, Susan – zou ik jou ook mogen leren lezen en schrijven, net als ik bij Lizzie gedaan heb?'

Ik ontving diezelfde dag ook nog bezoek van dokter Hansard, rond vijf uur in de middag. Ik drong er bij hem op aan om in te stemmen met mijn verzoek om een meer gevarieerd menu. 'Wat gekookte kip kan geen kwaad, Tobias. Of misschien wat kalfspotengelei, dat is bijzonder voedzaam.'

'Dokter Hansard, ter wille van onze vriendschap, houd daarmee op. Tenzij u die gerechten samen met mij wilt gebruiken? Ik ben er zeker van dat mevrouw Trent er geen bezwaar tegen heeft om voor twee personen te dekken.'

'Touché! Laat me uw pols eens voelen. Prima. Uw hartslag is niet langer onrustig. En de wond aan uw hoofd geneest goed,' gaf hij zich gewonnen terwijl hij het verband verwisselde. 'U moet wel een stevig gestel hebben. Ik was bang, zoals u misschien hebt meegekregen, dat u wellicht een longontsteking opgelopen had, maar u mankeert niets.'

'Natuurlijk niet. Zeg nou maar gewoon wanneer ik deze verdraaide pantoffels uit mag.'

Hij onderzocht mijn voeten. 'Dominee Campion, ik verklaar u gezond naar geest, ziel en lichaam. En ik schrijf voor –'

'Geen pap meer, alstublieft!'

'Een goed glas wijn, dat op ditzelfde moment door mevrouw Trent ingeschonken wordt. Hebt u de heerlijke geuren uit de keuken nog niet geroken? Ze maakt een uitgebreide maaltijd voor u klaar – op doktersvoorschrift,' grinnikte hij.

'En blijft u hier dineren?' Ik vrees dat mijn stem wat al te wanhopig klonk. Het had me verbaasd dat hij tijdens mijn ziekte zo weinig op bezoek geweest was en ik voelde me eerlijk gezegd een beetje in de steek gelaten.

'Niets liever dan dat. U hebt duidelijk te kampen met een aanval van lusteloosheid. Ik was dat eigenlijk toch al van plan,' voegde hij er glimlachend aan toe. 'Dat heeft een man die een tweeling ter wereld geholpen heeft wel verdiend.'

'Een tweeling!' Ik dankte de hemel dat ik niet hardop geklaagd had.

'Een zoon en een dochter voor de oudste zoon van meneer Bulmer en zijn vrouw. Het was een lange, moeizame bevalling.' Zijn grijns verdween en ik besefte nu pas hoe moe hij eruitzag. Zijn gezicht was bleek toen hij verder ging: 'Op zeker moment vreesde ik het ergste – dat ik de baby's uit haar lichaam zou moeten snijden om haar leven en misschien dat van de kinderen te kunnen redden. Maar zelfs dat had helemaal verkeerd kunnen aflopen. Gelukkig bracht ze toen – juist op het moment dat ik wanhopig begon te worden – de eerste ter wereld. Een prachtig meisje.'

'God zij dank!'

'Amen. Het jongetje is zwakker dan ik had gehoopt, maar met een beetje geluk zal hij het overleven.'

'Twijfelt u daaraan?' Mijn verblijf hier – en niet te vergeten mijn eigen ziekbed – had me als nooit tevoren doordrongen van de kwetsbaarheid van het leven.

'Ik kan hopen – en u kunt bidden.' Hij deed duidelijk zijn best om wat opgewekter te klinken. 'Maar naast die bevalling heb ik het ook druk gehad met andere zaken. Ik heb mijn uiterste best gedaan om zo veel mogelijk te weten te komen over uw belager.' Hij ging zitten, een man met het duidelijke voornemen om zijn zegje te doen.

'U weet wie mij heeft aangevallen?'

'Ik ben bang dat uw gehoor onder de klap te lijden gehad heeft. Nee, het is me niet gelukt om daar achter te komen. Matthew beweert dat hij op het terrein van de Priorij een schimmige figuur heeft gezien, die via het bos ontsnapte, en dat u beiden de achtervolging hebt ingezet. Zijn beschrijving stelde niet veel voor.' Hansard knipte met zijn vingers. 'En wat herinnert u zich van die gebeurtenis?'

Ik knipte eveneens met mijn vingers. 'En tot mijn schaamte,' zei ik, 'moet ik bekennen dat ik zelfs nog minder gezien heb dan Matthew. Als ik even later niet zelf door die boef te pakken was genomen had ik waarschijnlijk gedacht dat hij een product van Matthews verbeelding was.'

'Uw verwondingen waren echt genoeg,' merkte Hansard droogjes op. 'En uw bezittingen zijn gestolen.'

'Wat dwaas,' zei ik, 'om zoiets als mijn horloge te stelen. Mijn naam staat erin gegraveerd!' Hansard sperde zijn ogen open. 'Had u liever gehad dat hij iets onherkenbaars had meegenomen?'

'Als de nood zo hoog was dat hij iets moest stelen en hij bereid was om daar zo veel moeite voor te doen, dan zou ik willen dat hij er ook baat bij had – niet dat zijn pogingen om het horloge te verkopen hem een strop om zijn nek zouden opleveren.'

Hansard schudde met kracht zijn hoofd. 'Toe, mijn jonge vriend, wat is dat nu voor dwaas gepraat? En u bent nog wel dominee! U zou normen en waarden moeten uitdragen. *Gij zult niet stelen.* Daar hebt u laatst nog over gepreekt.'

'Het doet me goed dat dokter Hansard niet zat te slapen.'

'Ik gunde mijn ogen misschien wat rust, dominee Campion, maar mijn oren waren al die tijd gespitst.'

Toen ons gelach wegstierf, leunde ik naar voren en keek hem ernstig aan. 'Edmund, als hij erom gevraagd had, zou ik hem dat horloge gegeven hebben – of een vergelijkbaar bedrag in geld. Dat weet u.'

'Dat klopt. Ik wilde wel dat hij dat gedaan had. Dan had u tenminste niet het gevaar gelopen om te verdrinken in bouillon. Maar even terug naar mijn punt. We hebben hier te maken met iemand die eenvoudigweg onzichtbaar is. Niemand in het dorp of op een van de omliggende landerijen – met uitzondering van Matthew en uzelf, misschien – heeft ook maar iets gezien. Maar ik heb een boodschap gestuurd aan mijn collegarechters in Warwick en Leamington en hun gevraagd om het me te laten weten als ze horen van iemand die uw horloge probeert te verkopen of te verpanden. De laarzen en het geld zult u niet terugzien, vrees ik –'

Ik maakte een ongeduldig gebaar. 'Dat interesseert me niet. De muntjes waren al bedoeld om weg te geven en laarzen zijn te vervangen. Het horloge jammer genoeg niet. Het was een geschenk van mijn grootvader dat hij me gaf toen ik meerderjarig werd, zoals ook in het horloge gegraveerd staat. Dus niemand weet iets over bedelaars, landlopers, deserteurs of soldaten die wegens ziekte of verwonding uit het leger ontslagen zijn? Ik bid dat het niemand uit het dorp was.'

'Daar zeg ik amen op, want op een misdaad als deze staat, zoals u al zei, de doodstraf.' Hij sprak met de ernst van een man die niet anders kon dan voldoen aan de eisen der wet.

Ik moest denken aan wat Matthew over dit soort straffen gezegd had, maar hield mijn mond. Wat als Matthews vriendelijkheid alleen maar spel was geweest, een onderdeel van zijn plan om mij in de val te lokken? Wat als mijn belager niemand anders was dan Matthew zelf, die zich wilde ontdoen van iemand die hij als een rivaal beschouwde? Ik was niet bereid om mijn angst te delen met iemand anders, zelfs niet iemand die zo goedhartig en discreet was als Edmund. Daarom vroeg ik om zijn toestemming om voor het eten een glas sherry of madeira te gebruiken.

'Maar natuurlijk. Ik zal het zelfs inschenken, als u mij toestaat.' Hij overhandigde me een half glaasje en vroeg: 'Zijn er misschien mensen in uw omgeving die u kwaad zouden willen doen – of u zelfs graag dood zouden zien?'

'Noem het onnozel, maar dat kan ik me niet voorstellen. Ik weet wel dat mijn kerkmeesters me geen warm hart toedragen en dat betreur ik zeer. Het zijn echter fatsoenlijke, achtenswaardige mannen die zich niet tot moord zouden verlagen. De beheerder van het armenhuis is fatsoenlijk noch achtenswaardig, maar ik kan me niet voorstellen dat hij me werkelijk kwaad zou doen – hoezeer hij mijn pogingen om de kinderen te onderwijzen ook dwarsboomt.'

We nipten in stilte aan onze glazen. Toen zei hij, met een opvallende aarzeling voor iemand die zo onbehouwen was als hij: 'Heeft iemand u bedreigd? Wie dan ook, Tobias? Kom nu, probeer me niet te misleiden.'

'Ik herinner me het struikeldraad dat iemand langs de weg gespannen had... We hebben nooit ontdekt wie daarachter zat.' Ik deed nog wat meer mijn best. 'En zoals u weet kan Lord Elham mij niet uitstaan. En u ook niet,' voegde ik er haastig aan toe.

'Maar het waren niet mijn bezittingen die hij met een zweep

bewerkt heeft. Ik vrees dat hij niet altijd even rationeel en verstandig is.'

'Ik kan niet geloven – zelfs als hij op dat moment in de buurt was, wat we rustig kunnen uitsluiten... Nee, dat is niet iets wat een heer zou doen.'

Dokter Hansard bemerkte mijn ongemak. Hij veranderde van onderwerp en de rest van de avond kwamen we er niet op terug.

Ik begon de volgende dag meteen met Susans leeslessen. Ze was duidelijk een ijverig kind, een meisje dat het graag goed wilde doen en dat gemakkelijk leerde. Het was zelfs zo dat ik haar haar eigen potloden en papier beloofde, zodat ze op de momenten dat mevrouw Trent haar kon missen zou kunnen oefenen met het schrijven van letters. Ik stelde haar ook aan Jem voor, die haar even vaderlijk en resoluut behandelde als hij eerder bij de kinderen van mevrouw Jenkins gedaan had. Hij tilde haar op een paard en leidde haar de tuin rond.

Mevrouw Trent keek toe, een spottend lachje rond haar mond. 'Ik dacht dat dat meisje hier was om te leren stoffen en schoonmaken,' merkte ze op, 'maar blijkbaar is ze hier om te leren lezen en paardrijden.'

Ik lachte om haar grapje. 'Ze is hier allereerst om u bij te staan,' zei ik, nu weer ernstig. 'Mijn ziekte was een bijzonder zware last voor u, mevrouw Trent.'

Ze protesteerde wel wat, maar niet erg overtuigend.

'Ik ben me er nu pas van bewust hoe ontzettend veel verantwoordelijkheid er op uw bekwame schouders rust. Op dit moment is Susan nog te jong en te ondervoed om erg veel voor u te kunnen betekenen, maar als we allebei geduld hebben en haar leren wat we kunnen, weet ik zeker dat dat u tot eer zal strekken.'

Had ze de verandering van voornaamwoord opgemerkt? Ik denk het niet. Maar toen mevrouw Trent Susan even later bij zich riep om haar te leren hoe ze een pastei moest maken, waren haar woorden vriendelijk en bemoedigend.

Jem knipoogde naar mij terwijl de beide vrouwen verdwenen. 'Dominees weten altijd precies wat ze moeten doen om nukkige oude vrouwtjes om hun vinger te winden,' zei hij. Hij draaide zich om en liep terug naar de stal, al neuriënd.

'De vorige dominee, die had het niet op dat soort dingen,' zei Dusty Miller terwijl hij zijn blik door de kale kerk liet glijden. 'Hulst. Mistletoe. Hij zei dat dat heidens was en dat het een schande was om het gebruik ervan zelfs maar te overwegen.'

'En, schaamde u zich?' kaatste ik terug, een twinkeling in mijn ogen.

Het was mijn eerste bezoek aan St Jude's sinds mijn ongeluk. Eerder hadden mijn vrienden me ook zeker niet laten gaan. Ik had God gedankt dat ik nog leefde en gebeden voor de misdadiger. Ik was net begonnen aan een vurig gebed voor mevrouw Bulmer, nog steeds erg zwak na haar bevalling, en voor de pasgeboren baby's toen meneer Miller de grote eikenhouten deur openduwde en op een afstandje was blijven staan, zijn pet respectvol in zijn handen, wachtend tot ik overeind zou komen. Hij stak pas van wal toen ik weer rechtop stond.

'Of ik me schaamde? Nee, we hingen vroeger ook altijd guirlandes en kerstslingers op in de kerk, al zolang ik me kan herinneren – en mijn vader ook, en zijn vader vóór hem.' Zijn borst zwol van trots wegens de lengte van deze traditie.

Ik glimlachte. 'En zijn vader waarschijnlijk ook weer. Laten we de kerk dan versieren met de geschenken die de Almachtige ons in de winter geeft! Hebben we pantomimespelers hier in het dorp?'

Zijn ogen werden rond. 'Vroeger wel. En een klein koortje dat van huis tot huis ging.'

'Zouden we de pantomimespelers kunnen overhalen om hun rol weer op te pakken? En het koortje kunnen vragen om te zingen?'

'Zou Lady Elham dat niet erg vinden? Ze is nog steeds in diepe rouw.'

''Wist u nog niet dat ze op het moment niet op de Priorij is?' Ik leunde tegen een kerkbank. Hoewel alle wonden genezen waren, waren mijn voeten nog gevoelig en was het niet prettig om erg lang te staan. Misschien was dat ook hoe Lady Elham zich na verloop van tijd zou voelen over haar verlies; de uiterlijke tekenen zouden verdwijnen, maar de innerlijke pijn zou nog af en toe de kop opsteken. 'Maar ik zal er met de Lord over praten – of in elk geval met zijn rentmeester.' Als Elham dacht dat het plan van mij afkomstig was, zou hij het onmiddellijk afwijzen.

Volgens mevrouw Trent was Lord Elham een dag of drie geleden teruggekomen. Hij zou ongetwijfeld deelnemen aan de plaatselijke feestjes en de geïmproviseerde bals, hoewel de rouwperiode nog niet afgelopen was en hij dus niet zou kunnen dansen. Dat de titel van zijn vader op hem over was gegaan had hem maar weinig goed gedaan, en overal in het dorp deden geruchten over zijn uitspattingen de ronde. Zijn nieuwverworven onafhankelijkheid stelde hem meer dan eerst in staat om, zoals sommigen het noemden, een losbandig leven te leiden. Zolang hij dat gedrag beperkte tot Londen en de andere landerijen die hij bezat, wilden de dorpelingen nog wel een oogje dichtknijpen – hij was nog maar net meerderjarig en jongemannen waren nu eenmaal jongemannen.

'Ik kan me niet voorstellen dat iemand bezwaar zou maken,' ging ik verder, 'mits u er natuurlijk voor zorgt dat het vermaak binnen de grenzen van het fatsoen blijft. De familie wil misschien niet dat het koortje in de grote hal van de Priorij komt zingen, maar ik ben er zeker van dat een bezoekje aan de bediendenkamer geen enkel probleem is.'

Meneer Miller liet zich verleiden tot een zeldzame grijns, waarbij zijn onregelmatige gebit zichtbaar werd. 'Dan is het weer net als vroeger, dominee.' Tot mijn verrassing pakte hij mijn hand en schudde hartelijk. 'De kerk wordt een plaatje, en u zult versteld staan van de pantomimespelers en het koortje.' Hij liep gehaast de kerk uit, waarschijnlijk om het nieuws aan zijn vrienden te vertellen. Zodra hij het gebouw verlaten had, hoorde ik hem een bekend melodietje fluiten, 'The Holly and the Ivy'.

Zijn plezier was aanstekelijk. Ik had ook wel kunnen fluiten; in plaats daarvan boog ik mijn hoofd om de Almachtige te danken voor deze feestelijke tijd van het jaar en al het onschuldige vermaak dat dat met zich meebracht.

Daarna besloot ik om ondanks de bittere kou – die me deed denken aan de winters van vroeger, thuis in Derbyshire – een wandeling te maken. Ik werd echter al snel ingehaald door dokter Hansard, die in zijn koets voorbij kwam rijden.

'Een van de bedienden op de Priorij heeft oorpijn,' zei hij, terwijl hij zijn paarden tot stilstand bracht. 'Mevrouw Beckles heeft al van alles geprobeerd, van een gebakken ui in het ontstoken oor tot druppels laudanum om de pijn te verlichten, maar ze is niet tevreden over de vooruitgang. Hebt u misschien zin om mee te gaan? Kom op, man, neem een beslissing – ik kan die paarden niet eindeloos inhouden.'

Natuurlijk stapte ik op en ging ik naast hem op de bok zitten, al zag ik er tegenop om de Priorij te bezoeken nu ik wist dat Lizzie ergens anders was.

Het scheelde niet veel of mevrouw Beckles trok me zodra ze me zag letterlijk de warmte in, en ze dwong me om een glas hete punch te drinken, volgens haar speciaal door de kok voor dit soort gelegenheden bereid. De hemel mocht weten wat erin zat, maar bij elke slok voelde ik een heerlijke warmte die zich verspreidde door mijn hele lichaam. Ze wees me een stoel bij het vuur en hield me nauwlettend in de gaten, hoewel ze haar best deed om dat te verbergen.

'Wat weet u van de plannen van Lady Elham?' vroeg ik.

'Ik weet meer van haar vertrek dan van haar terugkomst,' antwoordde ze, terwijl zij ook ging zitten. 'Het enige wat ik u kan vertellen is dat ze op zekere avond rond een uur of zes zonder enige waarschuwing haar koets liet halen, mij wat laatste instructies gaf, instapte en ervandoor ging. Zomaar.'

'Zonder verdere uitleg? Op een donkere winteravond? Hebt u enig idee wat er in haar gevaren was om zo'n besluit te nemen?'

'In het geheel niet, dominee Campion. Als de Lord zoiets gedaan had, had niemand dat vreemd gevonden, natuurlijk. Ah, dokter Hansard.' Het was alsof haar hele gezicht licht gaf.

Dokter Hansard deed de deur achter zich dicht en schonk

voor hemzelf en mevrouw Beckles een glas punch in, hoewel zij dat glas in eerste instantie weigerde. Toen vroeg hij: 'En, is ze nog steeds van huis?'

Mevrouw Beckles knikte.

'Misschien,' dacht ik hardop, 'vond ze het een ondragelijk vooruitzicht om de kerstdagen hier door te brengen, in haar eentje, terwijl het vroeger tijdens feestdagen vast een drukte van belang was. De dood van haar man is vast extra zwaar op dit soort momenten.'

Mevrouw Beckles wierp me een blik toe die meer zei dan duizend woorden. In elk geval maakte ze me duidelijk dat ik Lady Elham gevoelens toeschreef die ze niet had.

'Maar de kapel... al haar plannen om een mooie grafsteen voor haar overleden man te laten maken... haar diepe rouw... Is dat dan allemaal gespeeld?'

Ze schonk me nog een glas punch in. 'Niet alles is het wat het lijkt. In de meeste families niet,' zei ze. 'Als huishoudster krijg ik wel eens te horen wie 's ochtends vroeg door een dienstmeisje in wiens bed is aangetroffen. En wie er nooit bij zijn eigen vrouw ligt.'

Ik knikte; hoe lang had ik zelf niet in dat soort kringen verkeerd, met roddels over ontrouw en overspel die opkwamen en afzakten als eb en vloed?

'Lady Elham heeft nog wel enig gevoel voor fatsoen. Maar zeg eens eerlijk, dokter Hansard, was de overleden Lord Elham geen afschuwelijke ploert?'

Ik had er nooit bij stilgestaan dat bedienden dat soort dingen zagen, dat er achter de deur naar de bediendenvleugel dat soort conclusies getrokken werden. Mijn familie voerde vaak de meest vertrouwelijke gesprekken in bijzijn van de bedienden, alsof hun neutrale gezichtsuitdrukking ook betekende dat ze doof waren.

'Bijna net zo erg als zijn zoon,' stemde Hansard in.

Ze nam nog een slok en boog wat voorover. 'We hebben gehoord dat er een heftige ruzie heeft plaatsgevonden tussen haar en de jonge Lord, meneer Campion. Volgens zijn persoonlijke bediende was de Lord van plan om – excuses voor de uitdrukking – zijn *minnares* hierheen te brengen en haar hier te laten wonen.'

'Lieve hemel! En wat zei Lady Elham daarvan?' wilde Hansard weten.

'Heel veel, en wat ze zei was allemaal even terecht,' antwoordde mevrouw Beckles met voldoening. 'Maar ze zeggen dat de jongeman – ik vind het nog steeds erg moeilijk om hem een "edele heer" te noemen – dol van woede was toen hij vertrok.'

'Ik had al het vermoeden dat hij het niet zo nauw nam met de normen van fatsoen,' gaf ik toe. 'Maar om zo diep te zinken... Dat is werkelijk met geen pen te beschrijven – een prostituee onderbrengen in het huis van je moeder!'

'En bovendien nog suggereren dat het tijd voor haar was om zich terug te trekken op Dower House,' ging ze verder.

Ik vond dat ze nu wel erg uit de school klapte – het kon niet anders of het was de punch die haar tong losgemaakt had – en besloot om het gesprek een andere wending te geven. Ik vertelde hun over het verzoek van meneer Miller en mijn reactie daarop.

'Dus we gaan hier in het dorp een echt, ouderwets kerstfeest vieren!' zei ze toen ik uitgepraat was en ze klapte in haar handen. 'Moge God u zegenen voor uw aandeel hierin. Er is maar weinig blijdschap in het leven van de meeste mensen. Een mooi versierde kerk en de vertrouwde ouderwetse gebruiken zullen ons allemaal goed doen.'

'Ik hoopte dat Lady Elham haar zegen aan onze voornemens zou geven,' zei ik. 'Maar nu –?'

'O, de Lord is alweer vertrokken. Bovendien is hij zo tegendraads dat ik me niet kan voorstellen dat hij waar dan ook mee in zou stemmen. De volgende keer dat ik Lady Elham schrijf om haar om verdere instructies te vragen, zal ik het noemen. Al is ze misschien alweer thuis nog voordat ik aan schrijven toekom – wellicht keert ze even overijld terug als dat ze vertrok!'

Omdat het buiten nog steeds bitter koud was en de kleinkinderen van Bulmer zich nog steeds niet naar behoren ontwikkelden, bood ik aan om ze thuis te dopen.

'Dat is toch net zo goed, is het niet, dominee? Net zo goed als de doopvont in de kerk?' vroeg Bulmer zich bezorgd af, zich warmend bij het laaiende haardvuur in de keuken van zijn boerderij.

Als kerkmeester had hij dat niet hoeven vragen. Maar als een man zich zorgen maakt over zijn gezin, wil hij nog wel eens een theologische steek laten vallen, dus ik verzekerde hem ervan dat dat inderdaad zo was.

'Het is het jochie. Edmund, noemt ze hem, naar de goede dokter. Arme kleine stakker. Zijn armpjes en beentjes zijn slap en zijn hoofdje rolt alle kanten op.' Het scheelde niet veel of de grote man barstte in tranen uit.

Ik wendde mijn gezicht af om hem de gelegenheid te geven om tot zichzelf te komen. 'En uw kleindochter?'

'Heeft een goed stel longen, mag ik wel zeggen,' zei hij onwillig. 'Ze moet Fanny heten, schijnt het.'

'En uw schoondochter?'

Hij draaide zich om en spuugde in het vuur. 'Die dokter Hansard zegt dat er voorlopig even geen baby's meer moeten komen. Wat bedoelt hij daarmee, dominee? Een man heeft een erfgenaam nodig.'

'Uw zoon is nog jong,' zei ik, wanhopig op zoek naar woorden van troost en bemoediging. 'En uw schoondochter zal uiteindelijk vast weer op krachten komen, zo God het wil.'

Hij staarde uit het raam, naar de hemel die langzaam donker werd. 'Misschien. Ze zeggen dat heidenen hun vrouw kunnen verstoten als ze geen jongetjes ter wereld brengt.'

'Mijn vriend, dat soort gedachten moet u niet toestaan,' zei ik op dringende toon. 'U hebt een zoon om trots op te zijn. En het is mogelijk dat het met uw kleinzoon nog helemaal goed komt.'

'Als een dier jongen krijgt is er vaak ook eentje zwakker dan de rest,' zei hij. 'En dan ga je je aan zo'n beestje hechten, maar dan gaat het evengoed dood.'

'Maar die worden dan ook niet behandeld door dokter Hansard.'

Er speelde een glimlachje rond zijn mond. 'Nee, dat is waar.

Hebt u trouwens enig idee wanneer hij en een zekere struise dame die op dit moment werkzaam is op de Priorij u zullen vragen om hun kerkelijk huwelijk af te kondigen…?

8

Het naderende kerstfeest en het nog altijd frisse weer zetten in mijn directe omgeving een serie van wederzijdse bezoekjes in gang. Er waren ongeveer achttien families die elkaar geschikt achtten om gezamenlijk te dineren en te dansen. Andere, minder populaire families en individuen werden uitgenodigd om zich na de maaltijd bij het gezelschap te voegen. Mijn familie had het vreselijk gevonden om genoegen te moeten nemen met deze beperkte groep kennissen en vrienden, maar ik was dankbaar voor de gelegenheid om mijn buren beter te leren kennen. Ik hield mezelf voor dat het niet meer dan gepast was voor een geestelijke om al zijn parochianen te ontmoeten, zelfs degenen die maar zo weinig in de kerk kwamen dat ze de naam eigenlijk niet waardig waren. Maar diep vanbinnen moest ik toegeven dat te lange periodes van eenzaamheid, dagen waarop ik zelfs mijn goede vriend Edmund niet sprak, een negatieve invloed hadden op mijn humeur.

Op de Priorij moest men het opnieuw stellen zonder de aanwezigheid van Lord Elham en er was, net als eerder, een bedroevend tekort aan jongemannen, waardoor ik zeer in trek was als danspartner, zowel in de huizen van gegoede families als op de openbare bals in Leamington en Warwick. Te midden van de zorgvuldig ingestudeerde oppervlakkigheid van de andere jongedames stelde ik het gezelschap van juffrouw Sophia Heath nog het meest op prijs. Ze wist wat ze wilde en telkens wanneer er dansmuziek gespeeld werd, ontmoetten haar diepblauwe ogen de mijne – ook al was ze nog steeds niet officieel voorgesteld. Ik was me bewust van het feit dat alles oefening vergde, zelfs flirten, en ik deed haar graag dat plezier. Ik beantwoordde haar gevatte opmerkingen en verwees af en toe naar een van de boeken van Burke. Hoewel ik daartoe geneigd was, zorgde ik er echter voor dat ik niet te veel aandacht aan haar besteedde. Ik wilde haar positie op de huwelijksmarkt niet in gevaar brengen.

Op zekere avond, toen we applaudisseerden voor de muzikanten van de Leamington Assembly Rooms, zei ze op vertrouwelijke toon: 'In het voorjaar gaan mama en papa op zoek naar een huis in de stad dat geschikt is voor mijn debutantenbal. Het is heel belangrijk dat ik mijn beste beentje voorzet, meneer Campion, vooral omdat ik nog drie jongere zusters heb. Het is mijn plicht om een goed huwelijk te sluiten om de weg voor hen te effenen.'

'Plicht is inderdaad iets belangrijks,' stemde ik in, 'maar u moet de man met wie u trouwt ook aardig vinden. Uw ouders zouden u niet dwingen om met iemand te trouwen, al was hij een markies, als u hem niet zou respecteren.'

'Respect! Meneer Campion, ik wil een man van adellijke afkomst die aan mijn voeten ligt. Met minder neem ik geen genoegen!' riep ze lachend uit.

'In dat geval zou hij u respecteren,' kaatste ik terug.

'Maar die gelegenheid zou ik hem niet geven als ik hem niet aardig vond,' zei ze, haar ogen wijd opengesperd. 'En hij niet minstens tienduizend per jaar verdient,' voegde ze er met een ondeugende grijns aan toe.

Ik bracht haar terug naar haar stoel, in de hoop dat we verder zou kunnen praten. Maar ze werd al snel ten dans gevraagd door de jongere broer van Lord Warley. Ze keek hem aan, dezelfde plagerige uitdrukking op haar gezicht als waar ik zo van gecharmeerd was.

Lady Heath ving mijn blik. Ik boog. 'U hebt een zeer charmante, scherpzinnige dochter,' zei ik met een glimlach.

Ze tikte me vinnig met haar waaier op de arm. 'Niet charmant genoeg, en tè scherpzinnig,' zei ze op een toon die geen tegenspraak duldde. 'Als ze denken dat ze een wijsneus is, doet dat haar positie geen goed. Moedigt u haar alstublieft niet aan, dominee.'

In een ander leven zou ik zo'n aanmatigende opmerking de kop ingedrukt hebben door de persoon die haar uitsprak een vernietigende blik toe te werpen. Maar zo ging een plattelandsdominee niet om met parochianen die trouw bijdroegen aan het werk onder de armen, vooral niet als het eigenlijk om een terechte waarschuwing ging.

Ik boog opnieuw, maar niet onvriendelijk. 'Als ik op zoek was naar een echtgenote,' zei ik, 'zou ik zoeken naar een jonge vrouw die zowel scherpzinnig is als een beetje eigenwijs. Maar ik ben bang dat ik niet beschik over het vereiste salaris van minimaal tienduizend per jaar.'

Ze keek me onderzoekend aan en knikte. We hadden ons standpunt duidelijk gemaakt zonder dat een van ons daarbij gezichtsverlies geleden had. Met een beetje geluk dacht juffrouw Sophia net zo over mij als ik over haar en zou dit haar hart niet breken.

Dat betekende echter niet dat er niets met mijn hart aan de hand was. Het waren andere ogen dan die van juffrouw Sophia die mij uit mijn slaap hielden en mijn gedachten afleidden wanneer ik eigenlijk een preek moest voorbereiden. De ogen die mij achtervolgden waren de nog mooiere ogen van Lizzie.

Het was nu al een paar weken geleden dat ik haar voor het laatst gezien had en ik werd voortdurend gekweld door geruchten over de op handen zijnde terugkeer van Lady Elham, gevolgd door het bericht dat ze haar terugreis toch had uitgesteld. Omdat ik officieel niets met Lizzie had, kon ik haar niet schrijven. Een beleefd briefje aan Lady Elham waarin ik ook naar haar gezondheid informeerde was niet beantwoord.

Voor Matthew was het vast net zo zwaar als voor mij, en het feit dat hij niet kon lezen maakte dat hij haar niet kon schrijven en ook geen briefje van haar te verwachten had. Hun verloving was misschien niet officieel, maar het leed geen twijfel dat hij de overeenkomst als bindend beschouwde. Ik had met hem te doen. Kerstmis was een bitterzoete periode voor alle verliefden die bij een rijke familie in dienst waren, in het bijzonder voor een jonge vrouw die iemands persoonlijke bediende was en die haar meesteres tijdens dit soort dagen net zo goed op haar wenken moest bedienen als anders. Dus misschien had hij haar dan evengoed ook niet gezien.

Op Moreton Priory zou nauwelijks sprake zijn van feestvreugde, maar desondanks wees niets erop dat de bedienden op de Priorij een extra dag vrij zouden krijgen om Kerst te vieren met hun families.

'Ach, meneer Campion,' zuchtte mevrouw Beckles toen ik dit met haar besprak, 'waar zouden ze dan naartoe moeten? Voor de jonge bedienden is thuis over het algemeen geen plaats, niet zolang er elk jaar weer een nieuwe baby bijkomt en gezinnen van negen of tien personen in een huisje met twee slaapkamers wonen. Het hebben van een zoon of dochter die in een van de grote huizen woont en werkt is de redding van veel gezinnen.'

'Natuurlijk. En voor sommigen zou het een verre reis zijn.'

'En ze krijgen hier in elk geval goed te eten. Erg goed zelfs. Ze zeggen,' voegde ze er met een boze ondertoon in haar stem aan toe, 'dat sommige arbeiders dit jaar zo'n honger lijden dat ze stukken brood in thee laten weken om het te laten lijken op vlees. En dat is alles wat ze binnenkrijgen, dag in, dag uit.'

'God zij gedankt voor uw vrijgevigheid,' zei ik.

Ik wist dat ze niet op het compliment in zou gaan. 'Meneer Campion, ik wilde u al een tijdje vragen wat u van Susan vindt. Is mevrouw Trent tevreden over haar werk?'

'Dat is ze zeker. Susan is echt een aanwinst voor ons kleine huishouden.' Ik ging verder: 'Als ze niet bezig is met haar klusjes, is ze te vinden bij Jem en de paarden.'

'Jem.' Ze beet op haar lip en wendde haar gezicht af. 'Meneer Campion, mag ik u misschien nog iets anders vragen?'

'Maar natuurlijk! Wat is uw vraag? Maakt u zich ergens zorgen over?'

'Nee. Waarschijnlijk verbeeld ik het me maar.' Ze schudde resoluut haar hoofd. 'Ik zal er nu niets over zeggen. Goed, zoals u misschien van dokter Hansard gehoord hebt, is meneer Davies getroffen door een aanval van spit.' Bij het uitspreken van Edmunds naam speelde er een lachje rond haar mond. 'Dus hoewel ik gehoord heb dat niemand van de familie ons zal verblijden met zijn of haar aanwezigheid – al heeft dit hen er niet van weerhouden om de pantomimespelers en de zangers naar de bediendenkamer te verbannen – heb ik meer dan genoeg te doen en moet ik mijn tijd niet verbeuzelen met roddels.'

Er brak een epidemie uit, wat betekende dat dokter Hansard van 's ochtends vroeg tot 's avonds laat in touw was, de stakker. Even werd gevreesd voor roodvonk, maar gelukkig stelde hij al snel vast dat het om de mazelen ging. Desondanks kostte deze epidemie een aantal levens; wat voor de bewoners van de grote huizen slechts een kinderziekte was, was in de arbeidershutjes vaak een dodelijke aandoening. Ik had dan ook een constante, treurige stroom van begrafenissen te leiden. Sommige gezinnen gingen afstandelijk met hun verlies om; anderen waren diep verdrietig en het kwam meer dan eens voor dat ik een vrouw letterlijk bij het kistje van haar overleden kind vandaan moest trekken. Veel ouders die eerder niet van de gelegenheid gebruik gemaakt hadden, vroegen me om hun overgebleven kinderen alsnog te dopen.

'Zit het u niet dwars,' wilde dokter Hansard weten, 'dat ze de doop beschouwen als een soort hemelse verzekering? Al lijkt het overigens wel te werken bij de kleinzoon van boer Bulmer.'

'Het gaat nog steeds niet echt goed met hem,' zei ik.

'Maar hij is ook niet dood.' Even later voegde hij er echter aan toe: 'Al kan ik me niet voorstellen dat hij volwassen zal worden.'

Ik schudde bedroefd mijn hoofd. Ik bracht regelmatig een bezoekje aan de boerderij waar ik zachtjes voorlas aan de jonge moeder die, God zij dank, eindelijk tekenen van lichamelijk herstel begon te vertonen, maar geestelijk nog lang niet de oude was.

'En het lijkt ook een uitermate positief effect te hebben op de kinderschaar van mevrouw Jenkins,' zei Hansard, alsof hij weigerde om ons gesprek in mineur te eindigen. 'Ze bloeien helemaal op, ondanks de ontberingen van het armenhuis.'

'Lichamelijk gaat het goed met ze, ja. Maar die schurk die de baas over hen is, werkt mijn plannen om ze regelmatig les te geven nog steeds tegen.'

'Had u echt verwacht dat hij er zijn goedkeuring aan zou verlenen?'

'Begrijpt hij dan niet dat regelmatige lessen noodzakelijk zijn voor de jongens en meisjes, tenminste, als ze ooit verder willen komen dan het braaf herhalen van de dingen die ik voorzeg? Een of twee kunnen eenvoudige woordjes herkennen en opschrijven, maar voor de meesten van hen is het alsof ik ze Chinees probeer te leren!'

'Hij is bang dat ze uiteindelijk zullen opstaan tegen hun meerderen,' stelde Edmund. 'Met andere woorden, dat ze verder zullen komen dan hij.'

Als de beheerder van het armenhuis inderdaad per se wilde dat de kinderen met hun handen werkten, kon hij er geen bezwaar tegen hebben dat ik voor een aantal van hen een baan vond. Het opruimen en onderhouden van mijn landerijen was nog steeds een belangrijke prioriteit. Uiteindelijk zou ik daar profijt van hebben, maar dat niet alleen; toen Ford onwillig instemde met mijn verzoek, wist ik dat het een groot verschil zou maken binnen de gezinnen van de mannen die ik in dienst had. Sommige taken konden net zo goed uitgevoerd worden door jongens uit het armenhuis, zoals het verzamelen van takken en het bundelen ervan, als een moderne variant op het Bijbelse aren lezen. Ik kon ervoor zorgen dat ze genoeg te eten kregen en ik hoopte dat de extra muntjes die ik zo nu en dan uitdeelde niet in de zak van de beheerder terechtkwamen. Ik betaalde hem al meer dan voldoende. Als hij het geld van de kinderen afpakte, moest ik manier verzinnen om ze in natura te betalen.

Na het nuttigen van een stevig ontbijt, op aanraden van Jem, begonnen de jongens met hun werk zodra het licht werd. Tijdens het werk werden ze regelmatig van eten en drinken voorzien en af en toe stopte ik ze wat muntjes toe die dan aan het einde van de dag, als ze fier rechtop – als echte mannen – naar het armenhuis terugliepen, vrolijk in hun zak rinkelden. De volgende dag waren ze er weer, en de dag erna weer. Het zou niet lang duren voor ik een bos had waar ik trots op kon zijn.

'Varkens,' merkte boer Bulmer op, terwijl hij met kracht op de grond spuugde. Het hek bezweek al bijna onder mijn gewicht en dat van Ford, die samen met mij naar de werkende mannen stond te kijken, maar nu kwam Bulmer er ook nog bij.

'Pardon?'

'Varkens. Dat is wat u nodig hebt. Varkens. Al het kreupel-hout dat die jongens van u laten staan wordt door de varkens opgevreten. Bovendien maken ze de grond los en geven ze goede mest, of niet soms, meneer Ford? En goed spek ook, alleen dat duurt wat langer.'

Ford trok een zuur gezicht, een duidelijk voorteken van een negatieve reactie.

'Ze zelf kopen zit er op dit moment niet in,' zei ik, voordat hij zijn bezwaren onder woorden kun brengen, 'maar meneer Bulmer, misschien kunnen er in de tussentijd een paar van uw varkens op ons land lopen?'

'Maar natuurlijk kan dat, dominee. Graag zelfs.' Hij wierp een blik op Ford en voegde eraan toe: 'En dan delen we de winst.'

Fords gezicht klaarde op; ik klaagde niet.

'En uw kleinzoon?' vroeg ik, terwijl we elkaar de hand schudden om de afspraak te bekrachtigen. 'Hoe is het met hem?'

Hij schudde zijn hoofd. 'Nog steeds zwak. Dokter Hansard zegt dat we hem de tijd moeten geven. En mijn schoondochter ook. Maar ik vind niet dat hij er goed uitziet, dominee. Absoluut niet. Hij gaat langzaam maar zeker achteruit. U hebt hem zelf gezien.'

Ik knikte. Ik kon hem niet tegenspreken.

Toen mijn maaltijd die avond onderbroken werd door een dringende klop op de deur, was ik even bang dat het Bulmer was, dat hij slecht nieuws had en me daarom kwam halen. Ik hoorde mevrouw Trent echter praten met een vrouw, wier stem me vaag bekend in de oren klonk.

'Er is hier een zekere persoon die u wenst te spreken,' deelde mevrouw Trent mee. 'Ik heb haar op de hoogte gesteld van het feit dat u aan het dineren bent, maar ze houdt vol dat ze u moet spreken en dat ze niet weg zal gaan voordat dat gebeurd is.'

Een zekere persoon? Over wie zou mevrouw Trent zich zo laatdunkend uitlaten? Lizzie, misschien?

'Waar is ze?' wilde ik weten. Ik veegde mijn mond af aan het servet en maakte aanstalten om op te staan.

'In de hal, meneer.'

'Is ze fatsoenlijk gekleed?'

Haar kleine buiging suggereerde dat de vrouw niet verder dan de voordeur gekomen was als dat niet het geval geweest was.

'Wees zo goed om haar naar mijn studeerkamer te brengen. Ik zal haar onmiddellijk te woord staan.'

Tot mijn verbazing – en, eerlijk is eerlijk, mijn grote teleurstelling – was mijn late bezoekster niemand anders dan mevrouw Jenkins. Ze was gekleed in een jurk die eigenlijk veel te groot voor haar was en ze leek meer op een straatkind dan op iets anders. Ze was ook niet helemaal schoon. Geen wonder dat mevrouw Trent geaarzeld had.

'Ga alstublieft zitten, mevrouw Jenkins,' zei ik terwijl ik haar hand pakte en een buiging maakte.

Tot mijn ontzetting liet ze zich in plaats daarvan aan mijn voeten vallen. 'Vergeef hem alstublieft! Ik weet niet wat hem bezielde! William bedoelde het niet zo, eerwaarde, en ik kan de gedachte dat hij opgehangen zou worden niet verdragen!'

'Genoeg! Genoeg! Alstublieft, mevrouw Jenkins, sta toch op.'

Ze klemde zich aan mijn benen vast. 'In Godsnaam!'

'Alstublieft! U moet hier echt mee ophouden.' Ik maakte me met enige moeite los uit haar greep en luidde de bel. 'Wat wijn, alsjeblieft,' zei ik tegen een geschokte Susan, 'voor mevrouw Jenkins en mijzelf. En ga nu dan alstublieft zitten en vertel me wat de jonge William heeft misdaan.'

Het drong eindelijk tot haar door dat ik wilde dat ze wat zou kalmeren. Dat probeerde ze dan ook, hoewel het haar de grootste moeite kostte. In de wetenschap dat Susan elk moment de kamer binnen kon komen, moedigde ik haar nog niet aan om van wal te steken. Ik had het vermoeden dat het een lang, ingewikkeld verhaal zou worden.

Uiteindelijk – ik zag dat mevrouw Trent de minst mooie glazen had gebruikt – kreeg ik haar zover dat ze een slok wijn nam.

'Ik begrijp dat William in de problemen geraakt is?'

'Het is vreselijk! Erger kan niet! En alleen u kunt hem redden van de galg!'

Ze was te zeer van streek om haar te kunnen uitleggen dat de wet niet elke misstap bestrafte met de galg. 'Ik zal alles doen wat in mijn macht ligt,' zei ik op kalme toon. 'U hebt mijn woord. Mevrouw Jenkins – Maggie! Zeg me toch wat u dwarszit.'

'Ze hebben hem meegenomen – ze slepen hem voor de rechter en dan zullen ze hem ophangen!' snikte ze.

'Wat hij ook gedaan heeft, ik zal het voor hem opnemen. En ik ben er zeker van dat dokter Hansard me daarin zal steunen. Maar alstublieft, mevrouw Jenkins – welke misdaad heeft hij begaan?'

'Een horloge, meneer. Hij heeft een horloge gestolen. De beheerder heeft het vanavond in zijn zak gevonden, toen hij terugkwam van zijn werk hier op uw land. Hij keert de jongens allemaal binnenstebuiten en neemt alles wat u ze gegeven hebt in beslag.'

'Hij steelt van ze! Lieve hemel, daar zullen de rechters zeker van horen!' Maar deze vorm van verontwaardiging ging het bevattingsvermogen van mevrouw Jenkins te boven.

'Mijn jongen – u weet dat hij een goed hart heeft, meneer. En ze zeggen dat er bloed op het horloge zit en dat hij de eigenaar vast en zeker verwond heeft toen hij het heeft gestolen. Alstublieft, meneer Campion, wat moet ik doen?'

Ik kon maar één oplossing bedenken. 'We moeten dokter Hansard laten halen.'

9

De stank was zo afschuwelijk dat ik terugdeinsde, mijn zakdoek tegen mijn mond gedrukt. Zelfs dokter Hansard deed een stap achteruit. De gedachte dat er menselijke wezens onder dergelijke omstandigheden werden vastgehouden – en dan ook nog een kind!

We waren bij het krieken van de dag op weg gegaan naar Warwick om te zien wat we voor William Jenkins konden doen. Zijn moeder had geen andere keus gehad dan terugkeren naar het armenhuis. Tot onze ontzetting hadden we hem aangetroffen in een schemerige cel, opgesloten met een aantal volwassenen, naar ik vreesde doorgewinterde misdadigers die hier hun vonnis afwachtten.

De gevangenbewaarder schudde met zijn sleutels. 'Wilde u de jongen spreken of niet, heren?'

'Zeer zeker,' zei ik. 'Maar niet hier in de cel met al die andere gevangenen erbij! U hebt vast wel een kamer waar –'

'Ik heb wel een spreekkamer. Maar –' Het aanbod bleef in de lucht hangen.

Hansard deed zijn mond open nog voor ik de gelegenheid had om wat muntjes in de hand van de man te stoppen. 'Een lekenrechter hoeft niemand om te kopen, man. Wij trekken ons terug in die kamer. Vlug een beetje.'

Enkele seconden later werd William vanuit de onbeschrijfelijk smerige cel gehaald en naar de relatief schone spreekkamer van de gevangenbewaarder gesleurd, waar in een haard die ooit best mooi moest zijn geweest een vuurtje brandde. Het vuil kleefde aan zijn kleren en aan zijn blote voeten en de warmte van de vlammen maakte de stank die William omgaf zelfs nog doordringender. Om hem terug te brengen tot een enigszins aanvaardbare staat was opnieuw een bezoekje aan de pomp nodig.

Hij viel aan mijn voeten, net zoals zijn moeder eerder had

gedaan, zijn betraande gezicht opgeheven naar het mijne. Het viel niet mee om te begrijpen wat hij nou precies zei, zijn stem schor van het huilen en zijn magere lichaampje schokkend van het snikken. 'Ik wilde niet, het was niet – ik – ik –!'

Ik bukte om hem overeind te helpen. 'Dat geloof ik meteen, William.' Over mijn schouder zei ik: 'Cipier, wat brood en melk alsjeblieft. Toe, man, waar wacht je op?'

'Mag de gevangene niet alleen laten,' zei hij zonder blikken of blozen.

'En jij denkt dat een lekenrechter en een man van God hem even snel mee zullen nemen?' vroeg Hansard verontwaardigd. 'Schiet op – voordat ik je aangeef! En nu jij, William,' zei hij op vriendelijke toon, 'wat wilde jij zeggen? Langzaam aan!'

Deze keer haalde William diep adem en hij rechtte zijn schouders. 'Ik heb het niet gedaan!'

'Wat heb je niet gedaan?' vroeg ik.

'Een horloge gestolen.'

Hansard keek mij aan, over het hoofd van de jongen. Hoe konden wij hem in vredesnaam van de galg redden als de rechter daar anders over dacht?

'Ik heb het *gevonden*. Ik heb het gevonden in uw bos, dominee. Alleen die gemene ouwe Bulstrode, die zocht mijn zakken na op de muntjes die u ons soms geeft, en toen vond hij het. Het horloge. Ik was van plan om het aan u te geven, dominee, echt waar!'

Ik moet tot mijn schande erkennen dat ik hem niet direct op zijn woord geloofde.

William voelde aan dat er nog iets meer nodig was om mij te overtuigen. 'Ik wilde het u geven tijdens de leesles!'

'Waarom heb je het niet aan laten zien aan meneer Ford, de rentmeester? Hij kan lezen en hij zou hebben begrepen hoe belangrijk je vondst was,' zei ik.

Het kind schuifelde wat heen en weer. Wat probeerde hij te verbergen, net nu hij me bijna van zijn onschuld overtuigd had?

'En waar is dat horloge nu?' vroeg Hansard.

'Opgeborgen achter slot en grendel. Als bewijs,' zei de gevangenbewaarder die met een beschadigde mok en een homp brood in zijn handen de kamer binnenkwam en die op een hoekje van zijn smerige bureau neerzette.

'Mag ik het even zien?' vroeg Hansard, eigenlijk alleen voor de vorm. 'Moet ik het nog een keer vragen?' bulderde hij even later.

William, die zo'n honger had dat hij zich niet kon bedwingen, kromp ineen bij deze woede-uitbarsting, hoewel die niet tegen hem gericht was en hij trok zijn hand terug. De gevangenbewaarder bewoog zich met wat hij zelf ongetwijfeld als terechte verontwaardiging en gekwetste trots beschouwde. Hij haalde een grote bos sleutels uit zijn zak, met een ketting aan zijn leren riem bevestigd, en liep met dreunende stappen naar een kast die tot aan het plafond reikte. Ik had in Londen een optreden van de Kemble Brothers bijgewoond, maar zelfs zij hadden geen beter gevoel voor timing dan deze logge man. We keken vol spanning toe terwijl hij de ene na de andere sleutel in het slot stak om even later vast te stellen dat het niet de juiste was.

Toen het uiteindelijk tot hem doordrong dat hij wellicht in de problemen zou raken als hij dit moment van glorie nog verder probeerde te rekken, pakte hij een andere sleutel en maakte de deur open. Hij stak zijn hand in de kast en rommelde net zo lang tot hij een stevige doos te pakken had.

Om een zoveelste theaterstuk te voorkomen zei ik, op de toon die ik zo goed kende van mijn vader: 'Ik ben niet van plan om er de hele dag op te wachten, beste man.' Drie paar ogen schoten mijn kant op. Was het schaamte of – eigenlijk schandalig onder de gegeven omstandigheden – plezier dat ik bij deze imitatie voelde?

Ten slotte was het moment waarop het horloge in Hansards uitgestoken hand gelegd werd eindelijk daar. Het was van goud en glinsterde, niet gehinderd door het schemerige licht in de smerige ruimte of de modder die er nog steeds op zat.

'Staat er iets in gegraveerd?' vroeg ik, mijn toon verveeld om mijn opwinding te verbergen.

'Ik zei toch al dat er letters in stonden? Dezelfde letters die u ons geleerd hebt!' reageerde William vlug. 'Maar wel op andere manier geschreven.'

'En in het Latijn,' vulde Hansard aan, terwijl hij me over de rand van zijn bril aankeek.

'En wat staat er dan? In gewoon Engels, als u het niet erg vindt!' zei de gevangenbewaarder.

'Dat vind ik wel erg,' snauwde ik. 'Dokter Hansard, een vertaling van de tekst zou mij wellicht in verlegenheid brengen en onze vriend hier wordt er niets wijzer van. Het komt erop neer,' zei ik, wat vriendelijker nu, 'dat mijn grootvader mij dit horloge gegeven heeft ter gelegenheid van mijn eenentwintigste verjaardag.' Ik noemde de datum.

Hansard opende het horloge en veegde voorzichtig wat vuil weg. Uiteindelijk knikte hij, een uitdrukking die het midden hield tussen nieuwsgierigheid en plezier op zijn gerimpelde gezicht. 'Klopt helemaal.' Hij wees de datum aan zodat de gevangenbewaarder het ook kon zien.

De man reageerde door William bij zijn oor te pakken. 'Stelen van een man van God, hè, stuk ongedierte! Nou, ik hoop dat ze je opknopen aan de hoogste boom, als je dat maar weet.'

'Integendeel,' zei ik en ik trok William dichter naar me toe zodat hij bij het brood kon dat hij, ondanks zijn smerige handen, in stukken brak en in zijn mond propte. Het kauwen was wat lastig omdat hij hier en daar een tand miste; zijn melktanden waren al uitgevallen maar de nieuwe tanden waren nog niet doorgekomen. 'William zal helemaal niet gestraft worden. Hij krijgt juist een beloning. Dat horloge is een paar weken geleden door een struikrover gestolen. Die schurk besefte waarschijnlijk dat de inscriptie het horloge onverkoopbaar en zelfs gevaarlijk maakte, en heeft het toen op mijn land tussen het kreupelhout gegooid. De afgelopen dagen heeft een groepje jongens uit het armenhuis het kreupelhout opgeruimd, en William was een van hen. Als hij zegt dat hij het gevonden heeft, vertelt hij niets anders dan de waarheid.'

'En waarom heeft hij het dan niet vrijwillig aan de beheerder van het armenhuis gegeven?'

'U hebt hem blijkbaar niet horen zeggen dat hij het aan mij

wilde laten zien zodat ik de inscriptie kon ontcijferen. Mooi zo, ik denk dat we hier wel klaar zijn.' William greep mijn hand en klampte zich daar angstig aan vast. 'Dokter Hansard, u weet ongetwijfeld welke procedure gevolgd moet worden om Williams onmiddellijke vrijlating te waarborgen. Cipier, wees zo goed om deze jongen zijn bezittingen terug te geven.'

'Bezittingen! Hij! Het enige wat hij bij zich had zijn de kleren die hij aanheeft, is het niet, knul?'

'De laatste keer dat ik hem zag droeg hij laarzen,' zei ik. Toen besloot ik dat het geen ruzie waard was. De jongen was waarschijnlijk flink gegroeid sinds hij die laarzen gekregen had. 'Haal dan een paar klompen voor hem, alsjeblieft. William, een deel van je beloning bestaat uit nieuwe laarzen.'

Jem, die tijdens ons bezoek aan de gevangenis wat met de paarden heen en weer gelopen had, begroette William als een oude vriend. Hij wikkelde hem in een paardendeken en tilde hem op de bok, zodat hij naast hem kon zitten. 'Goeiedag, knul, je stinkt,' zei hij.

Het kind rilde hevig, misschien een reactie op de beproeving die hij had ondergaan, of anders angst bij het vooruitzicht van een wasbeurt met koud water.

Jem wreef liefdevol over zijn smerige hoofd. 'We zullen eens zien of mevrouw Trent of mevrouw Beckles iets kan vinden dat een beetje warmer is dan water uit de pomp. En als je geluk hebt is er in die armenkist van Lady Elham nog wel een schone broek voor je te vinden.'

Dokter Hansard keek me aan. 'Dat is nog niet eens zo'n slecht idee,' zei hij zogenaamd achteloos. 'Mevrouw Beckles is erg goed met kinderen, dat lijdt geen twijfel.'

'En ze heeft vast wel stevige kom soep voor ons,' voegde ik er met een serene glimlach aan toe, alsof mevrouw Trent nog nooit zoiets had klaargemaakt. 'Maar ik zie daar een schoenmaker…'

'Ze komt niet terug, meneer Campion! Niet tot het lente is, en dan misschien nog niet!' riep mevrouw Beckles uit, druk bezig om kleren uit de armenkist te halen die William zou passen.

We stonden met z'n allen in de bijkeuken van de Priorij, waar Jem William afspoelde met water dat in de wasketel verwarmd was.

Ik kon mijn oren niet geloven en staarde haar schaapachtig aan. 'Wat een langdurige afwezigheid,' wist ik uit te brengen.

Ze knikte alsof ze het zelf ook niet kon bevatten. 'Twee dagen geleden liet Lady Elham me weten dat ze van gedachten veranderd was en dat ze de feestdagen toch hier zou doorbrengen! Het koortje, de pantomimespelers – dankzij u was iedereen er klaar voor!' ging ze verder. 'De kok, het keukenpersoneel – niemand weet meer hoe hij het heeft. Eerst zou er niets georganiseerd worden en toen moesten we opeens een uitgebreid feestmaal voorbereiden. En nu moeten we al het meubilair met linnen kleden bedekken en de gordijnen in de mottenballen leggen.' In haar stem klonk ergernis maar ook teleurstelling door. 'Dus de hemel weet wanneer we haar of Lizzie weer zullen zien.'

'Het is toch wat!' mompelde ik.

'Ik ben er zeker van dat de jonge William nu wel schoon genoeg is, Jem,' stelde Hansard vast. 'Help jij hem even met het aantrekken van zijn nieuwe kleren?'

Jem deed wat hem gevraagd werd.

Er viel een beladen stilte. Hansard, zijn stem overdreven opgewekt, zei: 'Grote jongen. Dan moesten we nu maar eens opstappen. Zijn moeder zit vast en zeker met smart op ons te wachten.'

Dat kon natuurlijk niet anders. Waarom hadden wij, drie volwassen mannen, dan tot nu toe niet eens aan die arme vrouw gedacht?

Op weg naar huis hadden we een vreemd gesprek waar we alle drie aan deelnamen. William was zo verstandig om te zwijgen – en hij had het bovendien veel te druk met de koude pastei die mevrouw Beckles hem als afscheidscadeautje had meegegeven. Maar het was niet meer dan terecht dat we Jem erbij betrokken, die vast zo zijn eigen gedachten had over de beste manier om de jongen te belonen.

'U moet hem geen overdreven grote cadeaus geven, of valse

verwachtingen wekken,' zei hij. Ik vroeg me af of hij misschien uit bittere ervaring sprak. 'Wat ik zou doen is het volgende…'

'Een eigen huis!' Als dokter Hansard niet in de buurt geweest was, was mevrouw Jenkins vast en zeker flauwgevallen. Hij leidde haar voorzichtig naar een van de weinige stoelen in het kantoortje in het armenhuis en hield een reukflesje onder haar neus.

Ik knikte. Jem had ons herinnerd aan een huisje dat mijn voorganger een tijdje als stal voor de koeien had gebruikt. 'Het is niet bepaald een paleis, mevrouw Jenkins, en ik ben bang dat er nog heel wat werk verzet moet worden voordat u en uw gezin erin kunnen trekken,' zei ik tegen haar. 'Ik doe gedurende een jaar en een dag afstand van mijn recht op huur, maar daarna verwacht ik, als u zich dat kunt veroorloven, een vaste maandelijkse bijdrage – hoewel die niet hoog zal zijn. Er hoort wat grond bij het huisje, en als u hard werkt kunt u daarop genoeg voedsel verbouwen om uw gezin te onderhouden. Ik zal u voorzien van zaden en wat kippen.' Dat was wat Jem had voorgesteld in plaats van een financiële beloning waar mevrouw Jenkins, zo beweerde hij, geen raad mee zou weten. Hij twijfelde er nog wel aan of ze in staat zou zijn om haar kleine lapje grond te bewerken, maar was het met me eens dat we het echt zware werk konden overlaten aan een paar van de mannen die mijn rentmeester namens mij zou inhuren totdat William er zelf sterk genoeg voor was.

'Als je bedenkt hoe weinig ze te eten hebben gehad, is het verbazingwekkend dat de kleine William zijn hand ver genoeg kan optillen om in zijn neus te peuteren,' had hij opgemerkt.

'Alstublieft, eerwaarde, kunnen we er niet meteen intrekken, zoals het nu is?' smeekte ze.

Ik spreidde mijn handen. 'Het dak lekt, de deur ontbreekt en in de ramen zit geen glas. Bovendien zit het huisje van onder tot boven onder de koeienpoep. Hoe zou u daar in vredesnaam kunnen wonen?'

Ze schudde zwijgend haar hoofd. Even later fluisterde ze: 'We zouden weer samen zijn, meneer.'

'Op dit moment is het niets meer dan een smerige schuur,' zei ik, met enige irritatie. 'Hoe haalt ze het in haar hoofd dat ze daar zou kunnen wonen?' We reden bij het armenhuis vandaan en ik had mende de paarden zelf. Het leek haast niet te lukken om de teleurstelling van mevrouw Jenkins van me af te schudden.

'Onmogelijk – in deze kou!' grauwde Hansard.

'Lastig, maar niet onmogelijk, als ik zo vrij mag zijn,' wierp Jem tegen. 'Als u de mannen die in het bos aan het werk zijn vandaag nog opdracht geeft om aan het huisje te beginnen, kunnen ze het in elk geval waterdicht maken.'

'Maar een vloer van aangestampte aarde!'

Hansard wreef over zijn kin. 'Weet u nog onder welke omstandigheden u ze voor het eerst ontmoette, Tobias? Men zou kunnen zeggen dat die plek niet eens geschikt was om dieren in onder te brengen. Maar zij heeft daar haar kindertjes ter wereld gebracht.'

'Stelt u zich eens voor wat de mensen zouden zeggen als ik iemand uit het armenhuis haal – waar het in elk geval droog is – om hem vervolgens onder te brengen in een stal!'

'Als u Jems advies opvolgt, is het geen stal meer. Praat vandaag met Ford, dan kunnen ze vrijdag verhuizen. Ik weet zeker dat mevrouw Beckles wel het een en ander aan meubilair kan krijgen, en misschien wat potten en pannen. Ik rij straks meteen wel even terug om het haar te vragen.'

Jem bracht de koets vlak voor de stallen tot stilstand. Dokter Hansard voegde de daad bij het woord en besteeg zijn paard zodra Jem het had gezadeld. Hij galoppeerde ervandoor als een verliefde jongeman, iemand die half zo oud was als hij. Jem en ik wisselden een betekenisvolle grijns uit.

Terwijl hij de paarden droogwreef, bracht ik hem een grote kroes bier. 'Een vreemde toestand, op de Priorij,' merkte ik op.

'Ze zeggen dat Lady Elham wel vaker dat soort grillen heeft,' zei hij, zijn aandacht gevestigd op het achterbeen het verst bij mij vandaan. 'En Moreton Priory is ook niet het enige huis waar ze zou kunnen wonen, of wel soms?'

'Nee, dat klopt.' Wat we allebei hoopten maar geen van beiden hardop zeiden, was dat dokter Hansard nu hij alleen was misschien wat meer informatie zou kunnen lospeuteren – hetzij bij mevrouw Beckles, hetzij bij een van de andere bedienden. 'Ik moet het een en ander regelen met betrekking tot dat huisje,' zei ik toen er opnieuw een stilte viel.

'Ja,' zei hij, alsof hij net zo weinig behoefte aan mijn gezelschap had als ik aan het zijne – of dat van wie dan ook. Diep in mijn hart wilde ik het liefst een poosje alleen zijn en rustig nadenken, of anders in elk geval iets doen om lucht te geven aan mijn gevoelens. Misschien als ik ook een stel paarden droog had kunnen wrijven… maar in plaats daarvan moest ik een gesprek voeren met mijn rentmeester, die ik uiteindelijk aantrof in de *Silent Woman*, een rokerig hol dat niet veel groter was dan de keuken van mevrouw Trent.

'Dus dit is de manier waarop u mijn landerijen beheert, meneer Ford! Dit is hoe u toezicht houdt op de ploeg mannen en jongens die ik in dienst genomen heb om groot onderhoud te plegen. Dat verklaart ook hoe het mogelijk is dat een kind een waardevol voorwerp vindt en niet weet aan wie hij het moet laten zien – wat bijzonder ernstige consequenties had kunnen hebben!'

Hij kwam wankelend overeind. 'Meneer Campion – ik –'

'Naar buiten, nu! Tenzij u liever hebt dat ik u eigenhandig naar buiten sleep? En u daarna met mijn rijzweep bewerk?'

Ik stond met mijn rug naar de zon, waardoor hij nog verder in het nadeel was en zijn ogen moest samenknijpen tegen het licht. Ik zag de diepe lijnen in zijn gezicht, en de stoppels op zijn kaken. Hij zag er niet uit als een rentmeester – de man die al mijn bezittingen beheerde – maar meer als een van de arbeiders op wie hij toezicht had moeten houden. Hij trilde hevig en hoewel hij met één bevende hand zijn mond probeerde te bedekken, rook ik de misselijkmakende lucht van goedkope jenever.

Als mijn vader zijn rentmeester, die vele malen capabeler was dan de mijne, in deze toestand had aangetroffen, had hij hem zonder twijfel op staande voet ontslagen. Ik was zo boos dat ik op het punt stond om hetzelfde te doen. Maar ergens diep van-binnen wist ik dat het wangedrag van Ford niet de enige oor-zaak van mijn woede was, en misschien zelfs niet eens de belangrijkste. De rentmeester van mijn vader had ook nog een assistent die zonder meer in staat was om het beheer over het landgoed over te nemen en aan de buitensporige eisen te vol-doen. Hij was tenslotte een leerling van meneer Coke uit Holkham. Ik had nagelaten om meteen na onze eerste ruzie een vervanger te zoeken, wat achteraf natuurlijk niet verstandig was. Op dit moment had ik geen flauw idee wie ik in plaats van deze stumper zou moeten aannemen. Was hij beter dan niets – wat precies was wat zou overblijven wanneer ik hem, hoewel ik daar alle recht toe had, op staande voet zou ontslaan en vandaag nog uit huis zou zetten? Bovendien was het bijna kerstfeest en hoe kon een man in dienst van God een gezin op zo'n moment op straat zetten?

Ik bekeek hem van top tot teen. 'Ga naar huis en steek uw hoofd onder de pomp. Ik zie u om vier uur vanmiddag.'

Tegen die tijd had ik wellicht een beslissing genomen. Ik wilde wel dat dit een kwestie was waarin ik Jem of Hansard om raad zou kunnen vragen. Pas op dat moment herinnerde ik me dat ik nog iets belangrijkers te doen had. 'Zodra u nuchter bent, wil ik dat u de mannen die op West Copse aan het werk zijn ophaalt en meeneemt naar de oude stal. Ik wil dat dat huis-je uiterlijk vrijdagmiddag bewoonbaar is – voor mensen. Jij, en alle andere mannen, zullen bij het licht van lantaarns doorwer-ken als dat nodig is. En de jongens uit het armenhuis kunnen ook helpen. Het moet een paleis worden. Ik weet het goed gemaakt,' zei ik met een glimlach, maar een koude blik in mijn ogen, 'we stellen ons gesprek uit tot vrijdagmiddag vier uur. En nu wegwezen.'

Mijn woede bleef smeulen en ik wist uit ervaring dat er maar één manier was om wat te kalmeren; een stevige wandeling. Dus ging ik op weg, zonder te weten waarheen. Ik realiseerde me echter al snel dat ik op weg was naar het bos waar ik Matthew voor het laatst gezien had. Als ik het al zo verschrikkelijk had gevonden om uit de eerste hand te horen dat Lizzie nog langer weg zou blijven, hoe zou hij zich dan wel niet voelen als het nieuws hem zonder waarschuwing zou bereiken – in de herberg of in de bediendenvleugel? Ik liep het bos in, waarbij ik van tijd tot tijd zijn naam riep.

Ik trof hem aan op een van de bospaadjes, blijkbaar op weg naar huis, zijn pistool onder zijn arm en een koppeltje duiven in zijn rechterhand.

Hij begroette me met de beleefdheid van iemand die eigenlijk liever met rust gelaten wilde worden.

Ik besloot om maar meteen te zeggen waar het op stond. 'Matthew, ik heb twee nieuwtjes voor je. De eerste zal je bevallen, maar de tweede betekent een grote teleurstelling voor je, vrees ik.'

'Wat houdt die tweede in?' vroeg hij agressief.

'Het gaat over Lizzie. Mevrouw Beckles vertelde me dat zij en Lady Elham toch niet naar huis komen voor de Kerst.'

Ik zag dat hij onder zijn gebruinde huid bleek werd, maar zijn stem klonk nonchalant: 'Ik dacht dat Lady Elham van plan was om terug te keren?'

'Inderdaad. Maar blijkbaar is Lady Elham plotseling van gedachten veranderd en wil ze de kerstdagen toch in een van haar andere huizen doorbrengen. Het spijt me vreselijk.'

'Zomaar opeens?'

'Zomaar opeens. Ik had haar gevraagd of haar bedienden wat langer vrij konden krijgen omdat het feest minder uitbundig gevierd zou worden, maar blijkbaar heeft ze daar geen instructies over achtergelaten. Matthew, ik denk niet dat Lizzie hier wat in te kiezen had.'

Hij spuugde op de grond. 'Wie wel? John Coachman ook niet. U weet dat hij om zes uur 's avonds op stel en sprong weg moest, terwijl hij met zijn reumatiek thuis bij zijn vrouw had moeten zijn, zittend bij een vuurtje. Maar nee, in plaats daarvan moest hij bij maanlicht op weg, God mag weten waarheen, en heeft zijn vrouw sindsdien niets meer van hem gehoord. Helemaal niets.'

Hoe kon ik Lady Elham verdedigen? Maar hoe vaak hadden

mijn familie en ik van het ene op het andere moment een beroep gedaan op de diensten van een koetsier, een kleedster of een dienstmeisje? Hoe vaak was er bij ons een maaltijd uitgesteld omdat een van ons niet de moeite had genomen om op tijd te zijn, of vooruit geschoven vanwege het plotselinge verlangen om het theater te bezoeken? En hoe vaak had ik orders geblaft tegen mensen zoals ik vanmiddag ook bij Ford gedaan had, maar dan zonder goede reden?

Ik zei nederig: 'Maar er is ook goed nieuws. De struikrover die je achternagezeten hebt heeft bij nader inzien besloten dat het stelen van mijn horloge toch niet zo'n goed idee was.'

Hij keek me ongelovig aan. 'Is het teruggevonden?'

'Inderdaad. En door niemand anders dan de jonge William Jenkins. Hij maakt deel uit van de groep mannen die het bos op mijn landgoed snoeit en opruimt,' voegde ik eraan toe toen Matthew niet reageerde. Om de stilte die volgde te vullen, vertelde ik hem over Williams arrestatie en de omstandigheden in de gevangenis waaruit wij hem gered hadden.

'Maar in elk geval heeft hij in ruil voor zijn ontberingen een paar nieuwe laarzen gekregen, en kleding uit de armenkist van Lady Elham,' besloot ik mijn verhaal.

'Waarom uit de armenkist?'

Als ik hem het eerlijke antwoord gegeven had, zou hij daar niet blij mee geweest zijn. Hij hoefde niet te weten dat ik naar het huis was gegaan in de hoop dat ik iets zou horen over zijn verloofde.

'Ik wist zeker dat daar iets in zou zitten wat zou passen. Ergens tijdens zijn verblijf in de gevangenis hebben ze hem tot op zijn ondergoed uitgekleed. En hoewel ik in Warwick een kledingwinkel had kunnen bezoeken, wilde ik dat zijn moeder niet aandoen. Die zat natuurlijk te wachten op nieuws over haar zoon.' Moge God me mijn leugen vergeven.

Matthew knikte afwezig. Hij begon terug naar de weg te lopen, alsof hij mijn aanwezigheid simpelweg was vergeten.

Ik haalde hem in. 'En binnenkort,' ging ik verder, 'heeft hij een nieuw thuis.'

Hij bleef abrupt staan. 'Hoezo?'

'Dit gezin kan zo niet leven, van elkaar gescheiden, ondervoed en ongelukkig. Wellicht herinner je je het oude huisje achter op mijn land –'

'Dat is nauwelijks geschikt voor dieren, laat staan voor mensen!'

'Dat weet ik. Maar het dak wordt nog voor het einde van de week vervangen en ik zal alles doen wat in mijn macht ligt om het bewoonbaar te maken. Dus uiteindelijk is er toch iets goeds uit voortgekomen.' Waarom verlangde ik zo naar de goedkeuring van deze man? Zelfs ik hoorde de smekende ondertoon in mijn eigen stem.

'En zo is het,' was zijn kalme reactie. 'Ik wens u nog een prettige middag, dominee.'

10

Er arriveerde een brief van mijn moeder, overduidelijk bedoeld om de vrede tussen ons te herstellen. Ze smeekte me haast om met Kerst terug te komen naar Derbyshire en ik was hevig in de verleiding om haar uitnodiging aan te nemen. Maar hoe kon een herder zijn kudde in deze tijd van het jaar achterlaten? Misschien had men in Moreton st Jude niet te kampen met op de loer liggende wolven, maar wel met armoede en ziekte. Maar bovendien, zelfs als ik gelegenheid had gehad om op zoek te gaan naar een tijdelijke vervanger – en ik wist uit mijn tijd aan Cambridge dat er meer dan genoeg armlastige studenten waren die dolgraag een extra centje hadden willen verdienen – wilde ik de pantomimespelers en de zangers niet in de steek laten. Ze waren toch al zo teleurgesteld over de langdurige afwezigheid van mijn nicht.

Maar het allerbelangrijkste was wel dat dit het eerste kerstfeest was dat ik in mijn eigen kerk kon vieren, als voorganger van een gemeente die groeiende was en hopelijk in de toekomst nog groter zou worden. Voor de mensen die aan de tafel van de Heer wilden aangaan werd er op kerstavond om middernacht eucharistie gevierd. Ik had ook een dienst voorbereid voor Eerste Kerstdag, vroeg in de middag, en ik had iedereen gevraagd om daar aanwezig te zijn zodat ze God konden danken voor alles wat er die avond stond te gebeuren.

Omdat Lady Elham zelf afwezig zou zijn, hadden Gaston en de kok in opdracht van mevrouw Beckles een feestmaaltijd voorbereid voor alle mensen die in het grote huis en op het landgoed werkten. De maaltijd zou, in weerwil van de eerdere instructies van Lady Elham, in de grote zaal gehouden zou worden. We waren het er allemaal over eens dat dat geen kwaad kon; wat niet weet, wat niet deert. Toen ik besefte dat er op deze manier een klein aantal dorpelingen overbleef aan wie deze maaltijd voorbij zou gaan, verzocht ik mijn goede vriend – die in werkelijkheid nauwelijks aanmoediging nodig had – om hen ook uit te nodigen. Boer Bulmer droeg twee grote stukken rundvlees bij en meneer Miller voorzag de keuken van genoeg meel om voor alle aanwezigen fijn wit brood te kunnen bakken – een heel verschil met wat er anders bij hen op tafel stond. Ook andere gezinnen droegen iets te eten of te drinken bij, iedereen naar vermogen. Dokter Hansard en ik besloten om voor alle kinderen een klein cadeautje te kopen.

'Ik wilde maar,' zei Edmund, 'dat deze vrijgevigheid het hele jaar zou duren en verder zou gaan dan alleen eten en drinken, dat mensen een fatsoenlijk loon zouden krijgen en in een huis konden wonen dat niet lekt. Kijk nou toch eens naar ze, eerbiedig knikkend en buigend alsof de koning zelf hier aanwezig is.'

'Wat mij betreft is mevrouw Beckles tien keer meer waard dan de gastvrouw die hier anders de scepter zwaait,' zei ik, moedig geworden door de genuttigde drank, 'en zelfs meneer Davies is een betere gastheer dan onze nieuwe Lord.'

Hansard keek me aan over de rand van zijn glas. 'Zeg dat wel. Ik vraag me af waar Elham dit jaar de kerstdagen doorbrengt.'

Ik haalde slechts mijn schouders op; ik kon hem toch moeilijk vertellen dat ik toen ik mijn ouders had geschreven om hun uitnodiging af te slaan, ook had geïnformeerd naar zijn verblijfplaats. Er was tenslotte sprake van een familieband, hoe dun dat lijntje ook was, en over het algemeen konden afzonderlijke leden van de elite niets doen zonder dat het uiteindelijk ook bij de rest bekend werd.

Dankbaar voor hun grootmoedigheid en hun vredeoffer had ik gereageerd met een brief vol nieuwtjes van mijn kant, waar mijn moeder waarschijnlijk wel twee of drie florijnen aan portokosten voor had moeten betalen. Tot mijn grote verrassing reageerde zij ook weer onmiddellijk en waren we begonnen aan een briefwisseling die mij – ik kon natuurlijk alleen voor mezelf spreken – enorm veel voldoening gaf.

'En Lady Elham?' drong hij aan.

'Het zou mij niet verbazen als mevrouw Beckles op de hoogte is van haar verblijfplaats,' antwoordde ik. Het deed me plezier om hem te kunnen voorzien van een excuus om haar nog eens aan te spreken.

Ik toverde een glimlach tevoorschijn en verplaatste mijn aandacht naar de andere mensen in zaal, vastbesloten dat ik geen van hen – en dan vooral Jem en Matthew niet – gelegenheid zou geven om ook maar iets te vermoeden van het verdriet, de wanhoop zelfs, dat mijn hart in zijn greep hield. Ik had geen enkel recht om hun opgewekte, feestelijke stemming te bederven met mijn eigen droefenis, ook al kon ik mijn ernstige vermoeden dat ik mijn geliefde Lizzie nooit zou terugzien niet langer ontkennen. Ik begreep wel waarom ze me niet had geschreven – daar had ik eerlijk gezegd ook niet werkelijk op durven hopen – maar ze had wel contact op moeten nemen met mevrouw Beckles, aan wie ze zo veel te danken had. Lady Elham, die om een of andere vage reden besloten had om een huis te huren in Bath, had mevrouw Beckles in een brief laten weten dat ze beiden erg genoten van de bezienswaardigheden in de stad en dat ze aan mij zouden denken, wanneer ze in de grote kathedraal een dienst bijwoonden. Bath! Terwijl een dame van haar stand overal kon logeren waar ze maar wilde! Ooit was zo'n soort uitstapje misschien modern geweest, maar nu was Bath helemaal 'uit' en had de beau monde de stad de rug toegekeerd omdat het er te boers en te vochtig was, ondanks de geneeskrachtige werking die aan het water werd toegeschreven.

Als mevrouw Beckles zich al zorgen maakte, liet ze er nu in elk geval niets van merken. De pantomimespelers hadden hun stuk opgevoerd, het kerstkoor had uit volle borst gezongen en nu stonden er een paar vioolspelers op een geïmproviseerd podium. Ze glimlachte als iemand die wist dat ze haar uiterste best had gedaan en die de klus geklaard had zonder dat anderen beseften hoeveel moeite dat moest hebben gekost. Nu Lady Elham en haar zoon niet aanwezig waren, was ik van mening dat zij degene was die de dans moest openen, samen met dokter Hansard. Ik stak mijn hand uit naar mevrouw Jenkins, die alles wat er gebeurde met wijd open ogen gadesloeg en er net zo van onder de indruk was als haar kinderen. De omstandigheden in het hutje dat ze nu vol trots hun thuis noemden waren naar mijn mening nog steeds vrij primitief, maar ze voelden zich zichtbaar gelukkiger en ik had zelfs het idee dat ze al ietsje steviger begonnen te worden. Mevrouw Jenkins had nog nooit eerder gedanst, maar ik hield haar stevig vast en draaide met haar in het rond, net zoals de andere mannen met hun danspartners deden. Het was niet erg elegant en niet erg sierlijk, maar wel ontzettend leuk.

Te midden van alle drukte zag ik dokter Hansard de zaal uitglippen, zijn gezicht niet langer opgewekt. Hij keek zelfs zo ernstig dat ik mevrouw Jenkins met een beleefde buiging naar haar zitplaats terugbracht en hem achternaliep.

Het vertrek dat ik als klaslokaal gebruikte was tijdelijk veranderd in een kindercrèche, zodat de moeders met baby'tjes die nog niet konden lopen en kinderen die te jong waren om het hele feest mee te vieren om de beurt op de hele groep konden passen. De vrouw die op dit moment toezicht hield, een van de dochters van boer Gates, nam deze verantwoordelijkheid serieuzer dan de meeste anderen en was geregeld langs de bedjes van haar kinderen en die van haar vriendinnen gelopen om te zien of ze lekker lagen te slapen. Een van de kinderen was echter te rustig.

Edmund Hansard hield hem nu in zijn armen, zijn nietige naamgenootje, en de tranen rolden over zijn oude wangen en drupten op de wangetjes van het kind. Maar het baby'tje protesteerde niet. Van alle nachten van het jaar had de Almachtige juist deze uitgekozen om de kleine Edmund thuis te halen.

En niet alleen de dood van het baby'tje hulde het dorpje in verdriet. Even later kwam er een bericht van Lady Elham waarin stond dat John Coachman een koutje had opgelopen dat op zijn longen was geslagen, met fatale gevolgen. Mevrouw Sanderson – sommigen waren verbaasd toen ze ontdekten dat John ook nog een gewone achternaam had – was helemaal overstuur toen mevrouw Beckles en ik haar bezochten om haar het nieuws te vertellen.

'Maar hij was zo gezond! Hij had wel eens last van zijn reumatiek, maar dat kun je verwachten bij een man van bijna zestig die altijd maar buiten is. Een koutje!' herhaalde ze al snikkend.

In een buitengewoon betoon van vriendelijkheid bood Lady Elham aan om haar eigen reiskoets te sturen om de weduwe te laten ophalen – en haar naar Bath te brengen om de begrafenis bij te wonen.

'Hoe zou ik ooit zo'n eind kunnen reizen?' wilde mevrouw Sanderson weten. 'Met de koets van Lady Elham, in deze kleren? En dan nu onmiddellijk vertrekken! Honderdvijftig kilometer!'

We probeerden haar tevergeefs te overtuigen. Ze kon waarschijnlijk niet eens bevatten dat het mogelijk was om zo ver te reizen, wat nauwelijks een verrassing was. Zelfs de belofte van de luxe koets was niet voldoende om haar van gedachten te doen veranderen.

Er was één troost. Lady Elham had namelijk beloofd dat ze niet uit huis gezet zou worden – het hutje waar ze al dertig jaar woonde – ondanks het feit dat het bij het landgoed hoorde. Mevrouw Sanderson kon de brief niet zelf lezen, maar drukte hem mij in de hand zodat ik kon bevestigen wat mevrouw Beckles al had voorgelezen. Waar we haar op dit moment geen van beiden op wilden wijzen, was dat dit waarschijnlijk slechts een tijdelijke regeling was. Het nakomen van deze belofte hing uiteindelijk immers af van de instemming van Lord Elham, die op dit moment in het buitenland op reis was.

De ogen van mevrouw Beckles boorden zich in de mijne: we hoopten allebei van harte dat de landheer zijn terugkeer nog heel lang zou uitstellen. Maar ondertussen hoefde mevrouw Sanderson zich geen zorgen te maken over deze beperking, in elk geval niet totdat ze over de ergste schok heen was.

En zo duurde de winter voort, de wegen nog steeds weinig meer dan bevroren karrensporen. Het was onmogelijk om de grond te bewerken of om wortels of knollen te oogsten. Zonder de liefdadigheid en het harde werk van mijn iets welvarender gemeenteleden zouden er mensen van de honger omgekomen zijn. Ik moedigde mijn toehoorders dan ook wekelijks aan om hun voorraden, hoe karig ook, te delen met wie nog minder had. Vrije boeren, grootgrondbezitters en zelfs leden van de lagere adel boden de armen vrijwillig brood en soep aan, of voelden zich daar moreel toe verplicht. Mevrouw Beckles deed elke dag opnieuw haar best om zo veel mogelijk monden te voeden, al had Lady Elham, die nog steeds in Bath verbleef, haar de opdracht gegeven om alleen de 'fatsoenlijke' armen te eten te geven. Meneer Woodvine, de nieuwe butler, spande met haar samen en stuurde flesjes goede port naar de vele gezinnen die met ziekte te kampen hadden en waar mensen hun best deden om weer op de been te komen. Als een van beiden mij vroeg of ik van mening was dat iemand het verdiende om geholpen te worden, was mijn antwoord altijd hetzelfde: 'Vertel mij maar wie van mijn gemeenteleden het verdient om van de honger te sterven.'

Al snel namen ze niet meer de moeite om het te vragen. En ze vroegen ook niet waar de extra stapels warme kleding vandaan kwamen. Dan zou ik gezegd hebben dat de ontberingen van de dorpelingen een bijzonder ruimhartige dame uit mijn kennissenkring ter ore gekomen waren; ik zou ze niet verteld hebben dat de dame in kwestie mijn moeder was, die, jammer genoeg, tot nu toe geen nieuwe informatie over de Elhams had kunnen bemachtigen – niet over de moeder en niet over de zoon. Ondanks al deze hulpgoederen had geen van de dorpelingen het echt ruim, maar maar weinigen waren genoodzaakt hun toevlucht te zoeken in het armenhuis en niemand kwam om van de honger.

Verderop in het land, hoorden we tot onze schrik, werd er opnieuw gevochten om graan.

'Hebt u ooit zoiets gehoord?' blafte dokter Hansard mij toe, terwijl hij zijn bril afzette en ermee tegen de krantenkop tikte. 'Ze sturen er het leger op af en geven de soldaten opdracht om op hun eigen mensen te schieten!'

Ik wendde mijn hoofd af, niet in staat tot spreken.

'Waarom begrijpen ze niet dat deze mensen vredelievende burgers zouden zijn als ze niet dood gingen van de honger?

Misschien is het goed voor de ziel van de rijken om aan liefdadigheid te doen, maar is het ook goed voor de ziel van de armen die het aannemen? En hoe zit het met de dorpen die het zonder rijke beschermheer moeten stellen? Hoe moeten zij het overleven? De armenhuizen zullen onderhand wel uit hun voegen barsten!' ging hij verder en hij bleef door mopperen totdat ik mijn evenwicht hervonden had. 'En u hoeft mij niet te vertellen dat de mensen liever hard zouden werken voor een karig loon dan dat ze zich neerleggen bij hun armoede! Kijk maar naar uw mevrouw Jenkins. Ze ploetert van zonsopgang tot zonsondergang. Ik durf rustig te stellen dat niemand anders zijn kippen zo vertroetelt als zij, maar ze doet het met plezier omdat de eieren haar in staat stellen om haar kinderen te eten te geven en haar voorzien van een vast – zij het minimaal – inkomen.'

'Ik wilde wel dat ik meer aandacht aan haar huisje besteed had,' piekerde ik hardop. 'Ik heb mijn vader ooit veroordeeld wegens zijn beslissing om een heel dorp met de grond gelijk te maken zodat hij er een of ander modern gebouw kon neerzetten. Ik vond het ronduit afschuwelijk. Maar in elk geval verving hij de krotten die door moesten gaan voor huisjes – haast net zo erg als die in Marsh Bottom – door stevige, waterdichte arbeiderswoningen. Elk huis had zijn eigen pomp, er waren degelijke askuilen en elk gezin had voldoende land om groenten voor het hele jaar te verbouwen en een varken te houden. O ja, en hij bouwde ook nog een kerk, een school en een herberg.'

'Met andere woorden, een dorp in het klein?'

Ik knikte. 'In eerste instantie vond ik het maar saai en lelijk. Maar nu weet ik wat er schuilgaat achter een pittoreske buitenkant. Wat een dwaasheid van onze kunstenaars, om half ingestorte, wanordelijke krotten op te hemelen als het toppunt van romantiek!'

Hij keek me van onder zijn wenkbrauwen aan en stond op om me nog een glas wijn in te schenken. 'Kom, Tobias, het is al heel wat weken geleden dat ik me door u heb laten verslaan tijdens een potje biljart. Ik heb het vuur in de biljartkamer vanmorgen al aangestoken in de hoop dat het u deze keer wellicht lukt om van mij te winnen zonder mijn hulp.'

Maar een dagelijks potje biljart was niet voldoende om me op te beuren, niet toen er een brief van Lady Elham arriveerde, zonder adres of datum, met een boodschap waar we allemaal totaal van ondersteboven waren. Lizzie zou nooit meer terugkomen!

'Het wicht heeft het zomaar in haar hoofd gehaald om uit dienst te treden en mijn gezelschap in te ruilen voor dat van een dame die een minder teruggetrokken leven leidt,' schreef ze verontwaardigd aan mevrouw Beckles. 'Ze moet en ze zal naar Londen, waar mijn nicht woont, Lady Templemead. Ik heb tevergeefs geprotesteerd, haar herinnerd aan wat ze mij en mijn familie verschuldigd is, en niet in het minst mijn neef Tobias, die haar heeft leren lezen en schrijven. Ze zal u ongetwijfeld schrijven wanneer ze daar tijd voor heeft. Maar ik moet u waarschuwen; ze is niet langer de Lizzie Woodman van wie we eerder zulke hoge verwachtingen hadden.'

'En u, arme meneer Campion,' zei mevrouw Beckles, 'zult ongetwijfeld de ondankbare taak op u nemen om dit nieuws mee te delen aan uw mededingers, Matthew en Jem.'

'Jem?' herhaalde ik, terwijl ik met een plof ging zitten.

'Mijn beste Tobias,' zei ze op vriendelijke toon terwijl ze de brief uit mijn gevoelloze vingers trok en me in plaats daarvan een glas wijn aangaf, 'u en Matthew waren niet de enigen die speciale gevoelens voor haar koesterden. Herinnert u zich niet hoe vaak Jem u met klem geadviseerd heeft om per koets naar het grote huis te komen, zoals het een echte heer betaamt, zodat u de eetkamer niet in rijkleding zou hoeven betreden? Waarom denkt u dat hij zijn avonden hier in de bediendenvleugel door wilde brengen als hij het zich in plaats daarvan ook gemakkelijk had kunnen maken in zijn eigen kamer? Ach, jullie mannen – jullie zijn zo blind!'

Ik bloosde hevig. Ik had gedacht dat hij zoals altijd alleen geïnteresseerd was in mijn welzijn en ik had hem een keer of wat ronduit verboden om met mij mee te gaan. En in andere situaties – in de overtuiging dat hij net zo gesteld was op het gezelschap van Turner, Hansards persoonlijke bediende, als ik op dat van zijn meester – had ik hem haast gedwongen. Toen herinnerde ik me de dag waarop Jenkins was overleden. 'Het was me wel opgevallen dat ze op een bepaalde manier naar elkaar keken… Maar Matthew! Had ze zich niet al aan Matthew verbonden?'

'In elk geval dacht hij van wel. Maar ik geloof dat Jem en zij verliefd op elkaar waren vanaf het moment dat ze elkaar voor het eerst zagen.' Ze zuchtte bij de gedachte aan een romance tussen hen twee.

'Maar hij is zelfs nog ouder dan ik!'

'Wanneer heeft liefde ooit rekening gehouden met iemands geboortejaar?' vroeg ze. Maar ze keek vlug een andere kant op.

Ik had niet het gevoel dat het mijn plaats was om iets te zeggen over haar en dokter Hansard. Ik pakte mijn hoed en mijn rijmantel – deze keer had Jem er niet op gestaan om me te vergezellen – en drukte haar de hand ten afscheid.

'Ik hoef u niet te vragen om wat consideratie met de jongens te hebben,' zei ze terwijl ze mijn ferme handdruk beantwoordde. 'En ik weet zeker dat ze wel een manier vinden om hun emoties af te reageren. Matthew zal waarschijnlijk zijn bijl pakken en een heel bos met de grond gelijk maken – wat betekent dat zijn tante zich de komende maanden geen zorgen hoeft te maken over haar houtvoorraad. En Jem zal uw paarden laten glanzen als nooit tevoren, dus zorg ervoor dat Titus vuil genoeg is om hem reden te geven voor een flinke inspanning. En u – u, Tobias – wat moet u nu toch doen?' Tot mijn verrassing trok ze me in haar armen, zoals vroeger mijn kindermeisje deed. Toen ze me uiteindelijk zachtjes in de richting van de deur duwde, na nog een laatste kneepje in mijn schouders, zei ze: 'U zult het dragen als een man, stoïcijns, zoals dokter Hansard altijd zegt dat u bent. U zult overlopen van medeleven en bemoediging, en zelf nergens om vragen.'

'Er is nog één andere persoon die dit bericht zou moeten horen,' herinnerde ik me. 'Mevrouw Woodman. Ik ken haar nauwelijks. Ze is methodist, meen ik, en moet niets van mij hebben.'

'Maar u hebt er evengoed voor gezorgd dat ze extra brandhout kreeg toen het begon te vriezen.'

Ik glimlachte beschaamd. 'Misschien had dat niet zo veel te maken met christelijke vergevingsgezindheid als met het feit dat ze Lizzies moeder is.'

'Hebt u liever dat ik het haar vertel?'

'Dat zou heel fijn zijn.'

Matthew slingerde zijn bijl met zo veel kracht omlaag dat het blad ervan centimeters diep in de boomstam doordrong. Toen voer hij uit tegen mij. 'Ik wist wel wat er van al dat leren zou komen, dat ze niet langer tevreden zou zijn met wat het lot haar had toebedeeld. Ik wist het! En dat komt allemaal door dat bemoeizuchtige gedoe van u, dominee, door uw onderwijs!'

'Denk je niet dat het te maken heeft met haar kennismaking met de stad, dat ze het bestaan op het platteland daardoor met andere ogen is gaan bekijken? Of misschien hoopt ze dat ze meer zal gaan verdienen, zodat ze meer geld naar haar moeder kan sturen en een betere betrekking voor Susan kan vinden dan een baantje in een dorpspastorie. Maar als het mijn schuld is, Matthew, smeek ik je om me dat te vergeven. En neem alsjeblieft van me aan dat dit nooit mijn bedoeling geweest is.' Ik had nog nooit iets zo oprecht gemeend.

Als antwoord draaide hij zich om en ramde met zijn vuist tegen de dichtstbijzijnde boom.

'Ik heb het adres van haar nieuwe werkgeefster niet,' zei ik. 'Maar ik zou namens jou aan Lady Elham kunnen schrijven en haar vragen om een bericht door te sturen. Dan kan zij Lizzie vragen om jou te schrijven.'

'Dat is nog eens zinvol, als je bedenkt dat ik niet kan schrijven,' beet hij me toe.

'Je verdient het om in haar eigen woorden te horen waarom ze deze beslissing genomen heeft,' drong ik aan.

'En wie leest me die brief dan voor? U? U, met die geweldige letters van u!'

'Ik zou denken dat mevrouw Beckles de aangewezen persoon is om haar boodschap aan u door te geven, niet de man die u – overigens ten onrechte – beschouwt als de veroorzaker van uw ellende.'

Zijn gezicht nog steeds afgewend en met tranen in zijn stem zei hij: 'In dat geval, dominee, zou ik het zeer waarderen als u haar zou willen schrijven.'

Omdat ik geen verdere inbreuk wilde doen op zijn verdriet, liep ik in stilte bij hem vandaan.

Het nieuws aan Jem meedelen was iets heel anders. Matthew had Lizzie officieel om haar hand gevraagd terwijl Jem en zij slechts een vluchtige, stille romance hadden gehad – als het dat al was. Toen we nog jongens waren, waren Jem en ik vrienden geweest, toen er nog geen sprake was van een sociale kloof die scheiding bracht en we cricketbats en vishengels hadden die ons verenigden. We hadden elkaar regelmatig uit lastige situaties gered. Onze vriendschap was zelfs in stand gebleven tijdens mijn studie aan Eton. Toen ik naar Cambridge ging, begonnen onze wegen echter uiteen te wijken en toen hij mijn stalknecht werd, was de afstand onoverbrugbaar geworden. Zou het me lukken om iets van onze vroegere onschuld te herstellen, al was het maar voor even?

Op dit moment van de dag zou hij waarschijnlijk bezig zijn met het uitmesten van de stallen, dus ik verwisselde mijn nette pak voor werkkleding en trok laarzen aan om hem te helpen.

Hij trok een wenkbrauw op en grijnsde, maar wierp me zonder iets te zeggen een schep toe. Ik schepte de kruiwagen vol; hij reed hem weg en gooide hem leeg. Samen hadden we de klus al snel geklaard, iets wat ik besloot te vieren door twee grote glazen uit de keuken te halen en die te vullen met door mevrouw Trent gebrouwen bier.

We zochten een luw plekje tussen de stallen op, in het licht van het waterige zonnetje.

'U zit in de nesten, of niet?' vroeg hij, terwijl hij zijn glas tegen het mijne stootte. Het was een uitdrukking die hij vaak gebruikte toen we nog jongens waren.

'Ik niet. Ik maak me alleen een beetje bezorgd. Over Lizzie Woodman.'

'Wat is er met haar aan de hand?' vroeg hij onmiddellijk.

'Nog niets, voor zover ik weet. Maar ik maak me altijd zorgen als een meisje van het platteland besluit om haar geluk te beproeven in een grote stad als Londen, en volgens Lady Elham is dat precies wat Lizzie van plan is.'

'Heeft ze haar verstand verloren?'

Bedoelde hij Lizzie, of Lady Elham? Ik wachtte in stilte.

'Heeft ze simpelweg haar ontslag aangeboden aan Lady Elham, of heeft ze een andere betrekking gevonden?'

'Lady Elham zegt dat Lizzie van plan is om in dienst te treden bij haar nicht, Lady Templemead. Maar dan nog...'

'Dan nog, inderdaad.' Hij spuwde op de grond. 'Dit is een slechte zaak, maar het had nog erger gekund. Ze heeft jou niet rechtstreeks geschreven, Toby?'

'Nee, dat heeft ze niet. Ze heeft zelfs niet eens aan mevrouw Beckles geschreven. Lady Elham heeft het nieuws bekendgemaakt.'

'Hoe haalt ze het in haar hoofd?' vroeg hij zich nors af. 'Haar vrienden hebben iets beters verdiend. Dit had ik niet van haar verwacht.'

Ik had niet verwacht dat hij zo afwijzend zou reageren, hoewel hij ook altijd de eerste was die mij erop aansprak als mijn gedrag te wensen overliet. Maar toen ik opstond om de bierglazen naar de keuken terug te brengen, zag ik zijn gezicht. Zijn boze woorden waren bedoeld om zijn tranen terug te dringen.

Ik kon Lizzie dan misschien niet rechtstreeks schrijven, ik vond dat ik wel alle recht had om mijn nicht om verdere details te vragen – een plan waar mevrouw Beckles onmiddellijk mee instemde. We hoopten dat Lady Elham per ommegaande zou reageren. Dat deed ze niet. Dagen werden weken en de weken werden een maand. Maar nog steeds geen nieuws.

'Ze is vast en zeker naar Londen gegaan om het nieuwe seizoen in te luiden,' zei ik toen mevrouw Beckles mij haar medeleven betuigde.

'Maar dan zal ze haar personeel in Bath toch wel instructies hebben gegeven met betrekking tot het doorsturen van haar post?'

'Dat zou je wel denken.' Ik werd steeds ongeduriger en overwoog serieus om zelf een bezoekje aan de hoofdstad te brengen.

Dat deed ik echter niet, omdat het werk in mijn gemeente toenam. Door het ijskoude weer besloten zelfs de meest onwillige ouders om hun kinderen naar mijn school te sturen, al was het maar om ze even van de vloer te hebben. Ze wisten natuurlijk ook dat het hier warm was en dat ik mijn kleine leerlingen van een stevige maaltijd voorzag. Ik verdeelde mijn tijd tussen lezen, schrijven en rekenen, en eindigde de ochtend altijd met een verhaal uit de Bijbel.

'En vraagt u hun om een bijdrage?' wilde mevrouw Beckles weten, die aan kwam lopen op het moment dat ik de laatste kinderen uitzwaaide.

'Een halve penny per maand,' gaf ik toe. 'En nog een extra halve penny als het kind zijn eigen naam kan lezen en schrijven. Mevrouw Beckles, ik zou nog zo veel meer kunnen doen! Als er genoeg ruimte was zou mevrouw Trent de meisjes naailes kunnen geven, of kookles of iets dergelijks.'

Ze glimlachte. 'Ik denk dat uw meester trots op u is,' zei ze vol genegenheid.

'De bisschop?' vroeg ik, terwijl ik een scherp antwoord onderdrukte. Voor zover ik wist was hij niet erg geïnteresseerd in de voorgangers die hij had aangesteld, en al helemaal niet in een dominee wiens salaris te vergelijken was met dat van een boerenknecht.

'Nee, uw Meester! Degene die tegen zijn discipelen zei dat ze de kleine kinderen tot Hem moesten laten komen. Tobias, ik wil graag dat u eens achter mij kijkt. Wat ziet u?'

Ik knipperde met mijn ogen. 'De lucht?'

'Precies. En welke kleur heeft de lucht?'

'Blauw.'

Ze lachte. 'Dus weet u wat u moet doen? Naar buiten gaan en genieten van wat de natuur u geeft. Trek warme kleding aan, want de wind is nog koud, en maak een wandeling.'

'Maar –'

'Doe nu alstublieft een keer wat u gezegd wordt, mijn jongen.'

Het was de eerste van vele eenzame wandelingen. Naarmate het weer aangenamer werd – zo langzaam dat het haast ongemerkt ging – en de temperatuur boven het vriespunt kwam, liep ik steeds verder en genoot ik van de veranderingen die ik om me heen zag. De lente hier in Warwickshire was heel anders dan het voorjaar in Derbyshire – wat ook pas veel later inzette. Ondanks de kou verschenen er knoppen aan de bomen en het gras begon alweer groen te worden nog voordat – dat dacht ik tenminste – de sneeuw op de bergtoppen gesmolten was. Ik hield vooral erg van de vogels, die elkaar vol overgave het hof maakten, paartjes vormden en nesten bouwden, al bleef mijn eigen hart leeg en donker.

'U zou daar eens verdere studie naar moeten doen, Tobias,' zei Edmund op zekere avond toen ik vol vuur vertelde over de ingewikkelde structuur van het roodborstjesnest waar ik toevallig op gestuit was.

'Dat zou echt iets voor een heer zijn, of niet?'

'En zelfs nog meer dan dat. Het zou een wetenschappelijk onderzoek zijn en toevoegen aan uw algemene kennis.'

Ik knikte. Als zowel dokter Hansard als mevrouw Beckles van mening waren dat ik frisse lucht en een nieuwe bezigheid nodig had, wie was ik dan om daar tegenin te gaan?

En zo begon een van de meest fascinerende periodes van mijn leven. Gevolgd door, hoewel ik op dat moment nog in zalige onwetendheid verkeerde, de meest afschuwelijke.

Uiteindelijk ontving ik een brief van Lady Elham, opnieuw zonder datum of adres. Het speet haar om me te moeten meedelen, zo schreef ze, dat Lizzie slechts heel even deel had uitgemaakt van de staf van mevrouw Templemead. Ze had tegen haar nieuwe werkgeefster gezegd dat ze heimwee had en was per postkoets vertrokken naar Warwick, waar ze iemand hoopte te ontmoeten die haar een lift naar Moreton St Jude kon geven. Al voegde Lady Elham eraan toe dat Lady Templemead niet wist of ze dat wel moest geloven, omdat er op de dag dat Lizzie vertrok ook een andere bediende verdwenen was. Het zou haar niet verbazen dat Lizzie helemaal niet in Warwickshire was, maar dat ze verwikkeld was in een ongeoorloofde verhouding.

Lady Elham zelf hield echter vast aan de overtuiging dat Lizzie haar familie en vrienden miste. Ze hoopte dat ik Lizzie zou herinneren aan het enorme voorrecht dat haar als persoonlijke bediende van een dame van adel ten deel gevallen was en dat ze zou inzien hoe dwaas het was om zomaar afstand te doen van die positie.

Lizzie op weg naar huis! Mijn hart sprong op, al hield mijn hoofd vol dat deze mogelijkheid zeer onwaarschijnlijk was,

'Maar deze keer laat ik het aan u over, mijn beste mevrouw Beckles, om mijn liefdesrivalen op de hoogte te stellen,' verklaarde ik. 'Want ik zou ze niet in alle oprechtheid het beste kunnen wensen.'

Het duurde even voordat ik de onrust in haar ogen zag. Uiteindelijk zei ze: 'Ik vraag me af wanneer ze vertrokken is. En ik vraag me af waarom ze nog niet veilig teruggekeerd is.'

'Ze is een geboren plattelandsmeisje. Als er niemand is met wie ze mee kan rijden, zal ze vast niet aarzelen om de afstand te voet af te leggen.'

'Natuurlijk niet.' Maar de bezorgde blik verdween niet uit haar ogen.

'Waar bent u bang voor?'

Ze keerde me de rug toe en begon heen en weer te lopen door haar kamer. 'Lady Elham vertelt ons niet wanneer Lizzie vertrokken is, maar blijkbaar was het op het moment dat ze de brief schreef al een voldongen feit. Waarom hebben wij dan nog niets van het arme kind gehoord?'

Ik reed naar Leamington en toen, door wanhoop gedreven, naar Warwick – voor het geval dat Lady Elham zich vergist had in de bestemming. Maar er was niets wat erop wees dat Lizzie ooit per koets naar een van beide stadjes was afgereisd of zelfs maar een lift gehad had. Ze was domweg verdwenen.

Lady Elham, aan wie ik in alle haast een brief schreef, liet opnieuw op zich wachten. Toen ze mijn brief uiteindelijk beantwoordde, schreef ze dat Lady Templemead zich had teruggetrokken op een van haar landerijen op het platteland. Ze wist niet precies welke, maar ze zou haar onmiddellijk schrijven. Maar wist ik dan niet, zo vroeg ze zich af, wat over het algemeen de reden was dat meisjes een plek waar ze het goed voor elkaar hadden achterlieten? Hoe betrouwbaar Lizzie eerder ook geweest was, Lady Elham vreesde nu dat de vermoedens van Lady Templemead terecht geweest waren, dat Lizzie inderdaad verliefd geworden was op een van de andere bedienden en – om het maar even plat te zeggen – ontdekt had dat ze in een bepaalde toestand verkeerde. Misschien had ze de man zover gekregen dat hij met haar getrouwd was; misschien ook niet. In beide gevallen was het echter waarschijnlijk dat ze zich te zeer geschaamd had om haar uitglijder aan Lady Templemead op te biechten. Als dat de waarheid was zou ze haar handen van het meisje aftrekken, en dat moesten wij dan ook doen.

'Van ieder ander meisje zou ik het misschien geloofd hebben,' zei mevrouw Beckles met een zucht. 'Maar niet van Lizzie. Ze is te gewetensvol en te loyaal om zich op die manier in zo'n verliefdheid te storten.'

'Maar misschien was het helemaal geen verliefdheid,' zei ik en ik herinnerde haar aan de keer dat Lord Chartham haar belaagd had. 'Wellicht is er iets veel ergers aan de hand.'

'Dat zou inderdaad kunnen. Ze zou niet de eerste jonge vrouw zijn die door een man overweldigd en daarna aan de kant gezet is.' Ze kwam vlak voor me staan en pakte mijn handen. 'Mijn beste, arme Tobias, wat moet u de anderen vertellen?'

'God sta me bij, ik zou het niet weten,' gaf ik toe en ik liet me snikkend in haar armen vallen.

II

Ik besteedde meer en meer aandacht aan de vogelkunde in een poging om mijn gewonde hart te troosten. De onschuld van mijn nieuwe gevederde vrienden verlichtte iets van het verdriet dat mijn menselijke vrienden me hadden aangedaan. Ik wist niet hoe Matthew en Jem met hun pijn omgingen, maar ik respecteerde hen te zeer om daarnaar te vragen. Ik wist wel dat mevrouw Beckles hen zo voorzichtig mogelijk van het nieuws op de hoogte gesteld had.

Maar vreemd genoeg was het informeren van mevrouw Woodman, die een hartgrondige hekel aan mij leek te hebben, mij toegevallen. Ik was er zeker van dat mevrouw Beckles het liever anders gezien zou hebben, maar dit was ook het moment waarop de nieuwe Lord Elham zonder verdere inleiding aankondigde dat hij van plan was om op korte termijn naar huis terug te keren. Het was aan mevrouw Beckles om al het huishoudelijk personeel in te schakelen en door het moeras van chaos te loodsen, zich maar al te zeer bewust van de mogelijkheid dat hij tegen de tijd dat alle voorbereidingen getroffen waren alweer van gedachten veranderd was.

Mevrouw Woodman begroette me met de nodige terughoudendheid, misschien zelfs met achterdocht. In elk geval was er geen sprake van warmte. Ik probeerde mijn stem onder controle te houden terwijl ik de brief van Lady Elham hardop aan haar voorlas.

Ik verwachtte tranen, een tirade over het onrecht in de wereld of zelfs een vuist die naar de hemel werd opgeheven en ik had wat vlugzout in mijn tas gestopt.

Ze keek eerst naar de brief en liet haar blik toen naar mij glijden. Vervolgens, van top tot teen trillend, vervloekte ze Lizzie. Ik had erg mijn best gedaan om de boodschap mooi te verpakken, maar desondanks was mevrouw Woodman ervan overtuigd dat de schuld bij Lizzie lag. Ze schokte van het huilen, maar tussen de snikken door klonken afschuwelijke woorden. 'Dat is mijn dochter niet,' meende ik te horen.

Ik wilde haar tegenspreken, maar ze wees met een kromme vinger naar de deur. 'Laat me met rust!'

En ik deed wat me gezegd werd, bang dat ik anders iets zou zeggen wat ik later zou betreuren.

Lord Elham had nog maar nauwelijks laten weten dat hij toch niet kwam, of zijn moeder keerde terug naar huis. Een van de eerste dingen die ze deed was mij bij zich roepen. Nooit eerder had Lady Elham, die, zoals Lizzie eens zei, met haar charmes zelfs een bevroren vijver kon ontdooien, er zo koninklijk uitgezien, zo ontzagwekkend, met haar scherpe gelaatstrekken en haar doordringende blik.

'U moet weten dat we die meid gevonden hebben en dat haar zaakjes geregeld zijn,' deelde ze mee, met rode blosjes op haar anders zo bleke wangen. Hoe had haar nieuwe dienstmeisje kunnen toestaan dat ze zo in het openbaar verscheen?

'Zit ze in het armenhuis?'

'Verre van dat. En,' zei ze, met een glimlach waar noch plezier noch genegenheid uit sprak, 'ik kan u verzekeren dat het kind niet zal worden achtergelaten in een of ander weeshuis. Lady Templemead kent haar plicht. Er is echter één voorwaarde aan haar goedheid verbonden, meneer Campion. U, noch een van haar andere aanbidders onderneemt pogingen om haar te vinden. Of de regeling wordt beëindigd.'

'Maar –'

'Is de boodschap niet duidelijk genoeg? Als u me dan nu wilt excuseren, ik heb erg veel te doen.'

Ik wist een cynisch lachje te onderdrukken. Ooit zou ik er misschien mee hebben ingestemd dat vrouwen in haar positie veel aan hun hoofd hadden. Nu wist ik wel beter. Ik vond het onverdraaglijk dat het bedrag dat ik eerder zonder nadenken aan een gewoon, doordeweeks kostuum had besteed voldoende zou zijn geweest om een gezin – of misschien wel twee of drie gezinnen – een jaar lang van voedsel te voorzien.

Ik besloot in een opwelling om een bezoekje te brengen aan

wat ik als *mijn* gezinnetje was gaan beschouwen, om te zien hoe het hen verging in wat nu al veel minder op een stal en veel meer op een huisje leek. Het dak was waterdicht en uit de pasgebouwde schoorsteen kringelde rook omhoog. Het huisje had een degelijke voordeur en mevrouw Beckles had ergens fleurige gordijnen opgeduikeld die nu voor de blinkende ramen hingen.

Meestal propte ik mijn zakken vol met snoepgoed of, op uitdrukkelijk advies van dokter Hansard, fruit voor de kinderen; soms gaf mevrouw Beckles me een voorraadje thee mee als cadeau voor mevrouw Jenkins. Af en toe waren ze in de gelegenheid om mij iets terug te geven, een ei, bijvoorbeeld, dat ze nauwelijks konden missen, maar dat ik moest aannemen als ik hen niet wilde beledigen. En eigenlijk vond ik dat ik ze dat genoegen ook niet kon weigeren. Ik zorgde er wel voor dat ik kort daarna weer een ander geschenk voor hen had. Meneer Ford had eindelijk een stel varkens gevonden dat hij geschikt achtte en binnenkort zou mijn landgoed bevolkt worden door mijn eigen varkens, niet die van boer Bulmer. Zodra de eerste biggetjes geboren waren, zou ik er een paar aan de familie Jenkins geven.

Toen ik aankwam was William hout aan het hakken, met zijn tien jaar ontegenzeggelijk de man in huis – toen ik bij onze kennismaking zijn leeftijd probeerde in te schatten had ik er flink naast gezeten. In tegenstelling tot zijn zusjes stelde hij zich jegens mij nog altijd wat terughoudend op, alsof hij zich ervoor schaamde dat hij zich ooit als een bang kind aan mij had vastgeklampt – terwijl hij dat ook gewoon nog was. Er was in elk geval iets met hem gebeurd, misschien tijdens zijn verblijf in die afgrijselijke gevangenis, waardoor de glinstering in zijn ogen verdwenen was.

Zijn moeder haalde kledingstukken van de waslijn. Op zekere dag was ik erachter gekomen dat ze haar wasgoed over de struiken te drogen hing omdat ze geen andere plek had om het op te hangen en had ik haar een stevig stuk touw cadeau gedaan, waarvan ik had gezegd dat het om een postpakket had gezeten. Dat moest wel, want anders had ze het niet willen aannemen. Ze leek te denken dat het aannemen van een geschenk van mij op een of andere manier ongepast was. Ik respecteerde haar gereserveerdheid en hoopte dat ze me op een dag verlegen zou vertellen dat er een andere man was met wie ze omging. Ze was tenslotte nog niet eens dertig, iets wat ik nooit beseft had totdat ik haar zag nadat ze zich gewassen had, haar haar had gekamd en gekleed was in een jurk die passend was voor een jonge weduwe. De pondjes die ze was aangekomen sinds ze aan de schrale rantsoenen van het armenhuis ontsnapt was, stonden haar goed. Ze zou nu zelfs aantrekkelijk genoemd kunnen worden. Wellicht zou Jem, of nog waarschijnlijker Matthew, op een dag zijn oog op haar laten vallen. Zolang ze dat in elk geval maar niet allebei tegelijk deden!

'William werkt erg hard,' zei ik. Ik wist dat ze het fijn vond om dat te horen. 'De hemel zij dank dat er hier zo veel bomen groeien, mevrouw Jenkins. In het gebied waar ik ben opgegroeid waaide het altijd, waardoor de bomen bij ons helemaal scheef groeiden. In plaats van heggen gebruiken de mensen daar muurtjes van opgestapelde stenen als omheining.'

Ze keek me ongelovig aan, alsof ze zich geen andere omgeving dan dit dorp kon voorstellen.

'Hoe gaat het met uw kinderen?'

'Best goed, dominee, dank u. Ik zie dat de jonge mevrouw Bulmer weer wat meer buiten de deur komt.' Ze streek een haarlok uit haar ogen, door de wind aan haar hoofddoekje ontsnapt.

'Ja, God zij geloofd. En Fanny, haar dochtertje, groeit als kool.'

'Misschien was het een zegen, dat die andere overleed.'

Ik was zo overdonderd dat ik haar aan stond te staren. 'Noemt u de dood een zegen?'

'Het arme ding zou toch zijn gestorven, zeggen ze. Dus dan maar liever zo jong mogelijk, vindt u niet? En als Jenkins nog geleefd had, hadden we nog steeds daar gezeten.' Ze wees met haar duim in de richting van Marsh Bottom terwijl ik deze schokkende maar pragmatische redenering probeerde te volgen. 'Of waarschijnlijk in het armenhuis,' voegde ze eraan toe. 'Maar nu zijn we hier.' Ze glimlachte. 'En de kinderen groeien als kool.' Zoals wel vaker herhaalde ze de woorden die ik gebruikt had, alsof ze zich ervan wilde verzekeren dat ze het goed zei. Ik denk niet dat ze het, als ze die kans al gekregen had, makkelijk zou hebben gevonden om te leren lezen, maar ze was ongetwijfeld een ijverige leerling geweest.

'Weet u zeker dat het ook goed gaat met William?' drong ik aan. 'Hij lijkt soms zo stil. Ongelukkig, bijna.'

Ze streek nog een losse pluk haar weg. 'Soms schreeuwt hij wel eens, 's nachts.'

'Een nachtmerrie? Een nare droom?'

'Misschien. En hij huilt ook. Maar 's ochtends wil hij me niet vertellen waarom. Hij is al te groot.'

Ik knikte. Ik zou dokter Hansard vragen om de volgende keer dat hij in de buurt was even bij hen langs te gaan. Misschien kon hij William een mild slaapmiddeltje geven – hoewel dit soort gezinnen zich niet al te veel medicijnen konden veroorloven.

Als ik me nog zorgen maakte over mogelijke rivaliteit tussen de aanbidders van Lizzie, dan kon ik deze angsten nu van me afschudden – zoals ik tot mijn grote schaamte ontdekte. Ik wandelde op zekere avond langs de rivier toen ik een lage, maar indringende kreet hoorde. Er in mijn onschuld van overtuigd dat er iemand in nood was, haastte ik me in de richting van het geluid, hoewel ik zelfs op dat moment besefte dat dit niet klonk als een kreet van pijn. Ik hoorde het nog een keer, en toen nog een keer, gevolgd door gegrom. Twee paar voeten, het ene met de tenen omhoog en het andere met de tenen naar beneden, maakten me duidelijk dat ik me onmiddellijk moest omdraaien en moest maken dat ik wegkwam. Mijn instinct spoorde me aan om vooral net te doen alsof ik niets gezien had; mijn geweten zorgde ervoor dat ik even overwoog om mijn eerstvolgende preek aan dergelijk onzedelijk gedrag te wijden. Toen ik uiteindelijk besloot dat de afstand tussen mij en de geliefden groot genoeg was, bleef ik even staan om op adem te komen. Ik leunde op een bruggetje dat precies leek op de brug waar de vorige Lord Elham aan zijn einde gekomen was, en was zelfs zo helder om te testen of het mijn gewicht zou houden. Toen dwong ik mezelf om mijn gevoelens te onderzoeken. Waren het werkelijk gevoelens van afkeer, of van jaloezie? Verlangde ik er diep in mijn hart niet ook naar om mijn verlangen naar Lizzie te begraven tussen de dijen van een andere vrouw?

Was er maar een jonge vrouw voor wie ik warme gevoelens kon koesteren. Ik dacht even aan de charmante juffrouw Heath, met haar diepblauwe ogen en haar opmerkelijke liefde voor de boeken van Burke. Had zij haar graaf met zijn tienduizend guinea inmiddels al gevonden? En had hij zich aan haar voeten geworpen? Dacht ze ooit nog wel eens aan de plattelandsdominee die haar begeleid had tijdens haar eerste echte dans – nog voor ze officieel was voorgesteld?

Achter me hoorde ik zorgeloos lachen. De vrouw kende ik niet, maar haar minnaar wel. Het was Matthew. Ter voorkoming van een ongemakkelijke situatie, hoewel ik niet wist wie zich meer geschaamd zou hebben, Matthew of ik, liep ik met grote passen de andere kant op, in de hoop dat het stelletje zo in elkaar opging dat ze mij niet zouden zien.

Ik gebruikte mijn preek die zondag echter niet om stelletjes die zich terugtrokken in de bosjes langs de rivier te veroordelen, maar om mijn luisteraars aan te sporen om na te denken over de betekenis van werkelijke naastenliefde. Een preek die net zozeer bedoeld was voor mezelf als voor mijn gemeenteleden.

Hoe ik het ook probeerde, het lukte me niet om een gelijkenis te vinden tussen Susan en haar verdwenen zus. Niets in haar stem, in haar gezicht of in haar gedrag wees op een relatie tussen beide jonge vrouwen. Susan zou altijd klein en gedrongen blijven, met een stevige, vastbesloten tred – heel anders dan Lizzies elegante, damesachtige manier van bewegen. Haar stem, die onder begeleiding van mevrouw Trent zijn sterke accent begon te verliezen, was helder, terwijl Lizzies stem diep was. Susans ogen waren zo donkerbruin dat ze haast zwart leken, en haar huid had ook een bruine teint. Mijn Lizzie – maar het was dwaas om zelfs nog maar aan haar te denken, behalve dan in mijn gebeden.

Op een dag betrapte Hansard me toen ik naar Susan stond

te staren. 'Denk maar aan mijn blauwe hyacinten die langzaam maar zeker roze worden,' zei hij, terwijl hij me volgde naar mijn studeerkamer en het zich gemakkelijk maakte in zijn favoriete stoel.

'Ik kan wel een logischer verklaring bedenken,' zei ik effen. 'Dat mevrouw Woodman twee echtgenoten gehad heeft – of in elk geval,' voegde ik eraan toe, denkend aan de geliefden langs de kant van de rivier, 'twee verschillende mannen in haar bed.'

'Wat wereldwijs, Tobias! Ik ben onder de indruk. Maar dan nog is deze jongedame te jong om uw hart te genezen. Of dat van Jem.'

'Hij behandelt haar als zijn zusje, wat ze ook zou zijn geworden als de zaken waren gelopen zoals hij hoopte,' zei ik. 'Misschien moet ik hem aanraden om ergens anders een baan te zoeken, Edmund. Hij kan hier in het dorp toch onmogelijk een ander meisje vinden om van te houden?'

'U dan wel? Toch zie ik u uw koffers nog niet pakken. Maar wat ik zeggen wilde; ik hoop binnenkort mijn salon in te kunnen richten. Hoe zal ik dat vieren?'

'Door een vrouw uit te nodigen om uw huis met u te delen? Kom nou toch, Edmund, al dat gepraat over liefde terwijl u en mevrouw Beckles al zolang ik u beiden ken als veulentjes om elkaar heen dartelen! Niets zou mij een groter plezier doen dan u in de echt verbinden.'

Had ik onze vriendschap te zeer onder druk gezet?

'U hebt gelijk. Ik beschouw het als een voorrecht dat Maria en ik zo'n goede verstandhouding hebben,' gaf hij toe.

'Waarom zou u niet met haar trouwen? Een respectabeler weduwe heb ik nooit ontmoet. En geen dame die deze titel meer waardig was,' vulde ik naar waarheid aan.

In reactie op mijn woorden stond hij op uit zijn stoel, beende naar het raam en staarde naar buiten. 'En u bent ook geen slechte partij! U hebt uw tanden nog; uw tred is even kwiek als die van mannen die half zo oud zijn als u. Goed, het is niet realistisch om te verwachten dat u nog een kinderkamer nodig zult hebben, maar –' Hij draaide zich razendsnel om, ik zag zijn gezicht en deed er abrupt het zwijgen toe.

'Mijn vriend, u gaat te ver!'

'Dat spijt me. Alstublieft, Edmund, neem me niet kwalijk.' Ik bleef berouwvol staan, mijn hoofd gebogen.

Na een minutenlange stilte, of in elk geval leek dat zo, klopte hij me op mijn arm en duwde me voorzichtig terug in mijn stoel. Zelf ging hij echter niet zitten. Hij keerde terug naar het raam waar hij de invallende schemering aan een nauwkeurig onderzoek onderwierp. Het was haast alsof hij tegen het raam zelf sprak, zo zacht en monotoon klonk zijn stem. 'Niets ter wereld zou mij meer genoegen doen dan met haar in het huwelijk treden. Maar ik ben helemaal geen goede partij, Tobias. Hoe zou ik ooit aan haar kunnen uitleggen waarom de helft van mijn vertrekken niet gestoffeerd is? Waarom ik me slechts het absolute minimum aan personeel kan veroorloven – en denk maar niet dat ik zou toestaan dat de vrouw met wie ik trouw het huishoudelijke werk zelf opknapt.'

'Sommigen beschouwen trots als een dodelijke zonde,' merkte ik op. 'Maar of het dat nu is of niet, mijn vriend, sta niet toe dat uw trots uw leven en dat van iemand anders verwoest.' In de wetenschap dat ik genoeg of misschien zelfs te veel gezegd had, besloot ik van onderwerp te veranderen. 'Maar had ik u al verteld dat de holle boom achter in mijn tuin de laatste tijd regelmatig bezocht wordt door pimpelmeesjes…?'

12

Het was maart, en een prachtige voorjaarsochtend. Niemand had de moeite genomen om mij op de hoogte te stellen, maar mijn jonge leerlingen hadden allemaal opdracht gekregen om mee te helpen op het land, waardoor mijn les noodzakelijkerwijs kwam te vervallen. Het gevoel dat ikzelf ook zo vrij als een vogel was, was heerlijk. Ik trok mijn laarzen aan, zette mijn hoed op en begon aan een van de lange wandelingen waar ik zo van was gaan houden. Mijn weg voerde door de velden en de weilanden, waar van alles tot leven kwam, onder een helderblauwe hemel die de nachtvorst van afgelopen nacht verklaarde en voor komende nacht weinig verandering voorspelde. Toen ik het wat al te warm kreeg, liep ik het bos in en zwierf ik langzaam maar zeker in de richting van de Priorij, met als enige reden dat dat de plek was waar mijn voeten me heen brachten. Al speelde op de achtergrond misschien ook de gedachte mee dat mevrouw Beckles me vast en zeker gastvrij zou onthalen, wat prettig was nu mevrouw Trent en Susan thuis tot de conclusie gekomen waren dat het hoog tijd was om het stof in mijn studeerkamer tot op het laatste vlokje te verwijderen.

Zittend op een omgevallen boomstronk aan de rand van het bos, werd mijn blik getrokken door een vogeltje dat tussen de bomen door fladderde, op weg naar haar onzichtbare nestplaats. Ik dacht dat het een zangvogeltje was. In het schemerige licht dat tussen de majestueuze bomen door naar beneden sijpelde kon ik niet zien of het een rietzanger of een braamsluiper was. Ik besloot zo voorzichtig mogelijk in haar richting te sluipen, in de hoop dat ik haar van dichterbij zou kunnen bekijken – en misschien zelfs haar nest vinden.

Daar! Ik was er bijna! Een braamsluiper, inderdaad, met het materiaal om haar nest mee te bouwen in haar snavel – zachte, ragdunne draadjes, zwevend op de wind terwijl ze doelbewust op een lijsterbes afvloog. De draad was rood.

Durfde ik nog dichterbij te sluipen?

Alles in de omgeving was volmaakt vredig, afgezien van een scherpe, zoetige geur die mijn neus vulde – ongetwijfeld het overblijfsel van een dier dat tijdens het korte bezoekje van Lord Elham ten prooi gevallen was aan zijn geniepige praktijken en nu ergens lag te rotten en de frisse lucht bedierf. Als ik het tegenkwam, zou ik Matthew vragen om het te begraven. Ik liep verder.

Nu, terwijl de vogel op weg ging om nog meer nestmateriaal te verzamelen, bereikte ik mijn beoogde doel – haar nest. Een wonder van vakmanschap, zelfs bekleed om eerst de eitjes en straks de jongen te kunnen beschermen. Zoveel had ik wel verwacht. Maar nu zag ik wat ik al vreesde, dat de bekleding niet bestond uit grijsgroen gras, maar iets wat zacht en rood was. Ik stak mijn hand uit om het aan te raken. Ach, nee – het was zacht en fijn als haar. Het wás haar.

Waar was het vandaan gekomen? Ik nam één enkel draadje tussen mijn vingers. Die glans, die schittering, hoe zou ik die niet herkennen? Betekende dat –?

Het kon, het mócht het haar van Lizzie niet zijn.

Mijn eigen morbide gedachten en op hol geslagen fantasie vervloekend, strompelde ik als een blinde bij het nest vandaan, alleen om geconfronteerd te worden met een grote groep koortsachtig zoemende vliegen, een donkere, onheilspellende wolk, krioelend boven iets wat even verderop op de grond lag – de bron van de smerige, doordringende, misselijkmakende stank. Het lange, golvende haar bevestigde wat ik diep in mijn hart al wist –

Terwijl ik in elkaar zakte, hoopte ik dat ik nooit meer bij bewustzijn zou komen.

'Ze is het inderdaad, mijn arme vriend,' fluisterde dokter Hansard, terwijl hij een flesje bittere vloeistof tegen mijn lippen drukte. Toen ik samen met hem naar deze afschuwelijke plaats was teruggekeerd, was ik opnieuw flauwgevallen. Dokter Hansard knielde naast me neer, een grimmige uitdrukking op zijn gezicht. Ik was vast en zeker naar hem toe gerend om hem te halen, maar ik kon me niets herinneren van mijn tocht naar Langley House, of van onze gezamenlijke terugkeer te paard. Ik had waarschijnlijk zijn tweede paard geleend. Ja, daar stonden de dieren, aan een boom gebonden en stilletjes grazend.

Gezeten op onze knieën staarden hij en ik naar het stoffelijk overschot, in staat van ontbinding verkerend, waarna hij oneindig teder de aarde wegstreek die haar lichaam bedekte. De ondiepe kuil waarin ze was achtergelaten was nauwelijks een graf te noemen.

Verstandelijk gezien, geestelijk gezien zelfs, begreep ik dat het leven eindig was en had ik de bijbehorende feiten geaccepteerd. We hadden ons aardse lichaam na onze dood niet meer nodig, dus waarom zou het niet terugkeren tot zijn oorspronkelijke staat, as tot as en stof tot stof? Ik herinnerde me de tombe van een bisschop, ik wist niet meer in welke kathedraal, waarop de goede man was afgebeeld in verregaande staat van ontbinding. Ik had zelfs gelachen om de wrede grappen van Hamlet over het lijk van Polonius, dat aan de wormen werd opgevoerd.

Maar niets had me voorbereid, zelfs niet een klein beetje, op het zien van het weggeteerde, oogloze gezicht van mijn Lizzie, of op de stank van het lichaam dat ik zo liefhad. Ik draaide me om om opnieuw te braken. Dokter Hansard greep deze gelegenheid aan om haar te bedekken met een laken dat hij vast en zeker voor dit doel had meegenomen.

'Het arme kind. Ik zal erop toezien dat ze een keurige begrafenis krijgt. Wilt u haar nog een keer zien voordat u tijdens de plechtigheid voorgaat? Wilt u weten hoe ze gestorven is?' Hij keek me aan van onder zijn zware wenkbrauwen en ging verder met het verwijderen van de aarde uit het ondiepe graf.

'Natuurlijk,' fluisterde ik, terwijl ik me probeerde te wapenen tegen de beproeving die voor me lag. 'En welke plek is daarvoor beter geschikt dan deze omgeving?'

De ene na de andere golf van misselijkheid overspoelde me, tot ik haast geen kracht meer overhad, maar ik dwong mezelf om getuige te zijn van het onderzoek van de goede dokter en te kijken naar de dingen die hij aanwees – de diepe snee die het hoofd van mijn lieve Lizzie haast van haar romp had gescheiden. Er was echter nog een wond.

'De moordenaar heeft haar baarmoeder verwijderd,' fluisterde Hansard, nu net zo bleek als ikzelf.

Als lekenrechter had Hansard nog een andere taak – het vaststellen van de identiteit van de moordenaar. Om die reden stond hij erop dat we niemand anders op de hoogte zouden stellen van de details rond Lizzies overlijden. Hij stuurde me terug om zijn sjees te halen en een voorwerp dat hij al eerder gebruikt had om overledenen in deze staat mee te vervoeren, wat hij, zo zei hij, in de stal bewaarde. George zou wel weten waar hij het kon vinden, maar George mocht onder geen beding met mij meekomen. Ik wist dat hij me graag bezig wilde houden en vermoedde dat hij me bovendien bij Lizzie vandaan wilde houden terwijl hij verder onderzoek deed – onderzoek dat te gruwelijk was om onder woorden te brengen. Eerder, toen ik hem had geholpen bij het onderzoeken van de plaats waar de oude Lord Elham overleden was, had ik er een potje van gemaakt en had hij zich vreselijk aan mij geërgerd. Deze keer nam ik me voor om zo kalm en efficiënt te werk te gaan als maar mogelijk was.

'Zoals u kunt zien,' zei Hansard zonder verdere inleiding, 'is dit een oud tafelblad, plat en dun.' Terwijl hij sprak schoof hij de plank in één beweging onder de deerniswekkende overblijfselen. 'En deze lederen riemen zijn bedoeld om het arme kind op haar plaats te houden.' Hij deed zijn werk zonder haar tijdelijke lijkwade te verschuiven. 'Dan moeten we de plank nu samen optillen, zoals doodgravers doen. En haar nu voorzichtig, heel voorzichtig, achterop de sjees zetten. Zo, ja. U doet het heel goed, Tobias. Ik ben trots op u.'

De tranen brandden in mijn ogen, maar ik probeerde toch te glimlachen. 'Ik begrijp dat u dit doet in de hoop dat het u zal helpen om haar moordenaar te vinden, hoewel ik niet inzie hoe dit bij zal dragen.'

Hij lachte grimmig. 'Ik ook niet, om eerlijk te zijn. Nog niet. Maar ik beloof u plechtig, mijn dierbare jonge vriend, dat ik de persoon die dit gedaan heeft zal vinden en dat het recht zijn loop zal hebben.' Zijn woorden leken voor mij bestemd, maar waren misschien nog wel meer voor Lizzie bedoeld.

Zijn belofte was zo plechtig dat ik er hardop 'Amen' op zei.

Toen het geteisterde lichaam was overgebracht naar zijn kelder, waar het koel was, drong dokter Hansard erop aan dat ik de maaltijd bij hem thuis zou gebruiken zodat ik hem, zoals hij zelf zei, kon bijstaan in zijn overpeinzingen. We mochten het huis echter niet eerder binnengaan dan dat we al onze kleren hadden uitgetrokken en onszelf onder de pomp hadden gewassen. Hij leende me een stel kleren dat al zeker tien jaar uit de mode was, als vervanging voor mijn eigen kleding die hij zonder verdere plichtplegingen in brand stak.

Terwijl we uit het raam van zijn kleedkamer naar het vuur stonden te kijken, zei hij: 'Op een dag zullen we weten waar ziekten vandaan komen en hoe we ze voor kunnen zijn. Ik weet dat er veel betere artsen zijn dan ik die bij hoog en bij laag zullen volhouden dat dit soort maatregelen overbodig zijn, mannen die hun handen nooit wassen, zelfs niet als ze een dode hebben aangeraakt. Maar voor mij is het ook een kwestie van beleefdheid, ten opzichte van mezelf en anderen. Als ik in de tuin wat lavendel tussen mijn vingers kapot wrijf, dan vind ik het prettig om later op de dag nog eens aan mijn vingertoppen te ruiken en mezelf aan die bloem te herinneren. Als ik het niet fijn vind om iets aan te raken of te ruiken, waarom zou ik mijn zintuigen dan belasten met herinneringen aan die ervaring? En zo moeten we ook met andere mensen omgaan – mijn patiënten, in mijn geval. Waarom zou ik iets puurs als een pasgeboren baby aanraken met handen waarmee ik even daarvoor nog aan etterende zweren op het been van een oude man gezeten heb?' Hij keek me schertsend aan. 'Ja, ik weet best dat u mij op dit moment maar een praatjesmaker vindt, maar waar moeten we het anders over hebben? En eerlijk is eerlijk, er is slechts zelden een jonge moeder onder mijn hoede aan kraamvrouwenkoorts overleden, dus misschien heb ik toch het gelijk aan mijn kant. Dan denk ik dat we nu wel toe zijn aan de warmte van het haardvuur en een glas van mijn beste sherry. Deze kant op.

Over reukvermogen gesproken; moet u nu toch eens ruiken. Is mijn kok niet geweldig?'

We dronken eerst een groot glas sherry, tijdens de maaltijd gevolgd door een flinke hoeveelheid bordeaux. Ik durf te stellen dat ik anders nog geen kruimel van de gerechten die ons werden voorgezet door mijn keel had gekregen; een uitzonderlijk goed bereid lendenstuk met een fricassee van knolraap en een lamspastei, gevolgd door zelfs nog smakelijkere kaas. Maar toen hij me port en cognac aanbood, sloeg ik dat af. We moesten alert en scherpzinnig zijn, zei ik, en niet beneveld door drank.

'Dat is zo. Laten we naar mijn studeerkamer gaan zodat ik alle nuttige opmerkingen die ons misschien te binnen schieten kan opschrijven.' Maar terwijl hij naar de deur wees, pakte hij evengoed de karaffen op en nam ze mee.

Hij nam plaats achter zijn bureau, trok in een opwelling zijn pruik van zijn hoofd en hing die, met een gebaar dat mij ontroerde, over de leuning van zijn stoel, waarna hij met kracht over zijn hoofd krabde.

'Wie wilde Lizzie dood hebben?' blafte hij, zonder er doekjes om te winden. Hij zette zijn bril op, scherpte zijn pen en reikte naar een onbeschreven vel papier, alsof hij aantekeningen wilde maken. Voor zover ik zag zette hij zijn pen echter niet op het papier. 'Haar dood was geen ongeluk,' zei hij sarcastisch.

Ik wilde niet voor hem onderdoen en stootte een holle lach uit. 'Ik zou denken dat haar aanbidders de voorkeur zouden geven aan de dood van hun rivalen dan aan de dood van hun geliefde.'

'Dus als u of Jem of Matthew in deze toestand waren aangetroffen zou u de overlevende aanbidder als moordenaar aanwijzen?'

'Gesteld dat ik nog in staat was om iemand aan te wijzen,' zei ik. Ik zweeg abrupt – hoeveel wijn had ik eigenlijk gedronken? Ik was slechts een paar meter verwijderd van het geschonden, dode lichaam van de mooiste vrouw die ik ooit in mijn leven ontmoet had, en hier zat ik, grapjes te maken.

Het was alsof Edmund mijn gedachten gelezen had. 'In mijn

ervaring,' zei hij, 'is humor – en dan vooral cynische, duistere humor – één manier om te erkennen dat we, hoewel we rouwen, toch ook door moeten gaan met leven. Denk maar eens aan de machteloze woede van Dean Swift bij het zien van de afschuwelijke hongersnood op het Ierse platteland, en het verhaal dat hij in reactie daarop schreef, *A Modest Proposal.*' Hij had hier nog wel even over door kunnen gaan, maar rechtte in plaats daarvan zijn schouders. 'Goed, daaruit maak ik op dat u zowel Matthew als Jem voor onschuldig houdt.'

'Inderdaad. Daar ben ik zeker van. Jem is meer dan slechts een vriend, Edmund, hij is mijn voorbeeld. Hij heeft me alles geleerd wat een oudere broer me geleerd zou hebben – het in mijn dagelijks leven in praktijk brengen van alle belangrijke normen en waarden. Mijn intellectuele ontwikkeling heb ik te danken aan mijn gouvernante, de school en de universiteit, maar hij heeft mijn morele opvoeding voor zijn rekening genomen. En toch is hij nu mijn bediende, van mij afhankelijk voor zijn kleding en zijn dagelijks brood. Ik denk vaak dat hij de geestelijke zou moeten zijn, en ik de stalknecht.'

'Uw edelmoedigheid –'

'Mijn eerlijkheid!'

'– strekt u tot eer, Tobias. Maar, zoals mijn vriendin mevrouw Beckles u naar ik meen heeft geprobeerd duidelijk te maken – was u er niet eens van op de hoogte dat Jem en die arme Lizzie gevoelens van genegenheid voor elkaar koesterden. Hoe goed kent de ene man de andere wanneer er liefde of passie in het spel is?'

'Dan kunt u net zo goed zeggen dat ik haar vermoord heb!' riep ik uit.

'Prima. Hebt u dat? U had een motief, en misschien ook de gelegenheid.'

'Motief? Ik?'

'U hield van een vrouw die al aan een ander beloofd was. U kon haar niet krijgen – misschien hebt u haar geprobeerd te overtuigen en heeft ze u afgewezen – en daarom besloot u dat ze dan aan niemand zou toebehoren.'

Ik verborg mijn gezicht in mijn handen. Hoewel ik wist dat

ik zelf niet zo'n felle woede gekoesterd had, betekende dat nog niet dat dat bij iemand anders – misschien iemand die ik kende – ook uitgesloten was. 'Ik durf u met mijn hand op mijn hart te verzekeren dat ik haar huwelijk zou hebben ingezegend en haar kinderen gedoopt zou hebben, met zo veel geestelijke liefde dat niemand me ook maar van een ander soort liefde zou hebben verdacht.'

Hij stond op en legde zijn handen op mijn schouders. 'Ik geloof u, mijn jonge vriend. Anders,' ging hij verder, 'zouden we nu dit gesprek niet voeren.' Hij liep terug naar zijn bureau. 'U wilt niet dat Jem als een verdachte beschouwd wordt, hoewel ik denk dat we hem op zijn minst zouden moeten ondervragen, en ik geloof in uw onschuld. En hoe denkt u over de derde jongeman, Matthew?'

Ik staarde in het vuur. Matthews gevoelens voor mij waren zeker niet alleen maar positief. Hij nam het mij kwalijk dat hij Lizzies liefde was kwijtgeraakt en nadat ze met Lady Elham vertrokken was, had hij haar erg gemist. Maar nu had hij een ander meisje gevonden. Was dat in deze situatie van betekenis?

'Kan ik uit uw zwijgen opmaken dat u hem schuldig acht?'

Ik schudde mijn hoofd. 'Ik kwam hem onlangs tegen… in een bijzonder ongemakkelijke situatie. Ik denk dat we kunnen aannemen dat hij troost gevonden heeft bij iemand anders.'

'Ja, de jonge Annie Barton. Ik vroeg me af of u er al over gehoord had.'

'O, gehoord heb ik het zeker! En ik vrees dat ik het ook gezien heb. Ik wist overigens niet dat het deze jongedame betrof.'

'U hebt uw blik discreet afgewend.'

'Laten we zeggen dat ik haar niet herkende aan haar voeten. Al moet ik haar misschien geen jongedame meer noemen. Het is –'

Hij schudde zijn hoofd om mij ervan te weerhouden dat ik haar zou veroordelen zonder haar ooit ontmoet te hebben. 'Het is een jonge vrouw met sterke driften. Ik ben blij dat ze mijn dochter niet is en ik zou haar niet in dienst nemen, maar ik zou haar ook niet veroordelen – net zomin als ik een jong dier zou veroordelen.'

Ik slikte moeizaam. 'Ze komt niet in de kerk en ik heb haar nog nooit gesproken.'

'Al hebt u haar wel betrapt op een misdrijf!' lachte hij. 'Hoewel er in deze situatie sprake is van ontucht, neem ik aan, niet van overspel. Goed, ik denk dat we Matthew ook moeten ondervragen. Het zou kunnen dat hij met Annie Barton uit wandelen ging zonder dat hij Lizzie van de stand van zaken op de hoogte gesteld had. Laten we zeggen dat zij daar achter kwam en hem ter verantwoording riep, waarop hij geïrriteerd raakte en haar wurgde in een poging om haar de mond te snoeren. Wat denkt u van die theorie?'

'U vergeet één ding,' zei ik. 'Iemand heeft Lizzies keel doorgesneden. En de persoon die dat gedaan heeft, haatte haar zo erg dat hij haar baarmoeder uit haar lichaam gesneden heeft. Matthew verafschuwt wreedheid – ik heb hem meer dan eens tekeer horen gaan over de gemene trekken van de nieuwe Lord Elham.' Ik zweeg en probeerde een angstaanjagende gedachte te onderdrukken.

Edmund keek me doordringend aan. 'Ik vraag me af of de wreedheid van onze landheer zich uitstrekt tot het martelen van onschuldige dienstmeisjes.'

13

'We moeten hem ondervragen!' zei ik, klaar om mijn hoed te pakken en onmiddellijk de deur uit te stormen.

'Dat moeten we inderdaad. Maar we moeten ook de andere jongemannen ondervragen. Tenzij er een uitzonderlijk goede reden is om Elham te verdenken, zou zelfs ik aarzelen om me de woede van de familie op de hals te halen. En we moeten een reden bedenken waarom hij haar dood zou willen hebben.'

Ik wees beschuldigend in de richting van de Priorij. 'Hij beschouwde haar als een stuk speelgoed! Hij en zijn vrienden!' Ik vertelde hem over mijn eerste avond in het dorp.

'Een stuk speelgoed zou je willen bewaren om het later nog eens te gebruiken,' zei hij.

'De dienstbode van zijn eigen moeder! Dat zou Lady Elham toch zeker niet toestaan – nee, zij heeft Lizzie juist onder haar hoede genomen om haar beter te kunnen beschermen. Maar hoe dan ook,' zei ik, in een poging tot helder denken, 'als hij de dader is, waarom zou hij dan met de moord gewacht hebben tot ze teruggekeerd was naar de Priorij? Het is veel gemakkelijker om je ergens in Londen van een afgedankte geliefde te ontdoen, in een van die afgrijselijke achterbuurten. De hemel mag weten hoeveel lijken er uiteindelijk in de Thames gesmeten worden.'

'Maar in Londen hebben ze speciale politieagenten om dat soort zaken te onderzoeken. Hier in Moreton St Jude hebben we niet eens een dorpsagent bij wie we terecht kunnen – wat een kwestie is die ik tijdens het onderzoek zeker ter discussie wil stellen.'

'Maar wat kunnen wij doen? We kunnen zo'n wrede dood niet zomaar ongestraft langs ons heen laten gaan. Dus laten we nu meteen met Jem en Matthew gaan praten. Dan kan Elham daarna ook niet meer weigeren,' zei ik, waarmee ik hem uitdaagde mij tegen te spreken.

'Natuurlijk. Alhoewel ik zou willen voorstellen dat we tot morgen wachten. En er is nog een probleem; alleen de moordenaar weet dat Lizzie gestorven is. Wij zullen het de anderen moeten vertellen.'

Ik huiverde bij de gedachte. 'Zou het... zou het mogelijk zijn... om dit karwei samen te klaren? Matthew... Jem...'

'Ik heb nooit iets anders in mijn hoofd gehad, mijn beste vriend. Als dominee is het brengen van dit nieuws uiteraard uw taak, maar ik zal ook aanwezig zijn. Niet alleen om u te steunen, maar ook om de situatie te observeren. Ik vertrouw erop dat we niets anders dan verdriet zullen zien, maar mocht er ook sprake zijn van schuld, dan zal ik er zijn om dat op te merken.'

'En als – wat ik hoop en bid – we niets vinden dat argwaan wekt?'

'Dan moeten we met Lord Elham spreken. En we moeten onze gedachten hoe dan ook met mevrouw Beckles delen. Als huishoudster is ze vrij goed op de hoogte van het wel en wee van haar ondergeschikten. En we moeten ook beseffen dat het nieuws als een lopend vuurtje door het dorp gaat, wanneer wij die jongemannen eenmaal gesproken hebben. Daar valt niet aan te ontkomen, denkt u wel?'

'*Al* het nieuws?' blafte ik.

'Zo veel als wij onthullen. Als er ook maar iemand is die iets weet, krijgen we dat vast en zeker te horen zodra ik bekendmaak wat er gebeurd is. Zulke dingen verspreiden zich onmiddellijk over de hele parochie. Misschien hoeven we niet meer te doen dan hier blijven zitten en afwachten tot de informatie naar ons toekomt.'

Ik sloeg uit pure frustratie met mijn vuist in mijn handpalm.

'Uiteindelijk is dat misschien nog sneller ook,' waarschuwde hij me. 'Eén van de gevolgen van een kruisverhoor aan huis is dat roddelaars hun mond niet meer open durven te doen. Hoewel ik bij geboortes en begrafenissen meestal gebruik maak van de hulp van de oude mevrouw Smith zal ik Lizzie zelf afleggen. Die afschuwelijke snee in haar nek is een goed excuus. Ik kan me niet voorstellen dat zelfs haar eigen moeder meer zou willen doen dan haar ten afscheid een kus op haar voorhoofd geven.'

Er liep een rilling over mijn rug bij de gedachte aan die lege oogkassen. 'Als ze dat al doet.' Ik voelde gal omhoogkomen en ik slikte moeizaam. 'De laatste keer dat ik haar sprak wilde mevrouw Woodman haar verstoten omdat ze zo dom geweest was om de bescherming van Lady Templemead de rug toe te keren. Ik had woede verwacht, wrok zelfs, want ik ben er zeker van dat Lizzie zo veel mogelijk geld naar huis stuurde, maar niet *deze* diepgewortelde bitterheid.'

'Dus dat is het eerste bezoek dat we morgen moeten afleggen,' dacht hij hardop. 'Ik was zo bezig met de jongemannen dat ik de zus en zelfs de moeder vergeten was.' Hij keek naar de klok. 'Rijdt u vanavond nog naar huis, of wenst u gebruik te maken van mijn gastvrijheid?'

Ik glimlachte zielig. 'Als ik zou doen wat ik wenste en uw uitnodiging aannam, zou ik uw stalknecht de kou in moeten sturen om dat aan mijn huisgenoten te berichten. Anders zouden Jem en mevrouw Trent vast en zeker denken dat ik ergens in een val terechtgekomen was. Tien tegen één dat Jem naar de Priorij zou stormen en de hele boel daar overhoop zou halen door een opsporingsexpeditie te eisen.'

'U onderschat Jem. Hij zou vast en zeker hier komen zoeken. Maar u hebt gelijk. En onder de beschutting van de duisternis kunt u in elk geval naar huis rijden zonder dat iemand vragen stelt over uw geleende kostuum!'

We spraken af dat ik me de volgende ochtend zodra de zon opkwam bij hem zou voegen en we samen een bezoek zouden brengen aan mevrouw Woodman. Hij en ik legden wel vaker samen bezoekjes af, dus niemand zou hier vreemd van opkijken.

'U moet de rol spelen van een dominee die rouwt om de dood van een gemeentelid dat hij onder min of meer normale omstandigheden heeft aangetroffen,' beval dokter Hansard. 'Alsof het arme kind tijdens haar reis overvallen is door zwaar weer en uitgeput haar toevlucht in de bosjes gezocht heeft.'

'Een gezonde plattelandsvrouw? Onmogelijk!' Het kon niet anders of iedereen zou aanstoot nemen aan zo'n leugen, zeker als de feiten even later algemeen bekend zouden worden.

'Mijn ervaring is dat een misdadiger het best ontmaskerd kan worden als hij in de veronderstelling is dat hij niet betrapt is. Vertrouw me, Tobias. We hebben allebei onze eigen rol.'

Mevrouw Woodman was een kip aan het plukken op het moment dat wij arriveerden. Bij het zien van de sombere, ernstige uitdrukking op ons gezicht had ze ongetwijfeld al een idee van de boodschap die we kwamen brengen, maar haar bezorgdheid weerhield haar er niet van om de stoelen, voor ze ze ons aanbood, met haar schort op te poetsen. Het huisje was iets groter dan de meeste andere, hoewel het nooit onderdak had hoeven bieden aan meer mensen dan meneer en mevrouw Woodman en hun twee dochters. Meneer Woodman stierf kort na de geboorte van Susan – of in elk geval dacht het arme kind dat, want ze kon zich niets van hem herinneren. Volgens boer Bulmer had het gezinnetje een klein geldbedrag geërfd van een ver familielid en had dat hen behoed voor het armenhuis. Blijkbaar was het zelfs genoeg geweest voor het kopen van betere meubels dan ik in de meeste arbeidershuisjes gezien had; sommige ervan zouden niet misstaan hebben in het huis van een vrijboer.

'Het spijt me vreselijk, mevrouw Woodman,' begon ik, 'maar ik kom u het ergst mogelijke nieuws brengen. Lizzie is dood.'

'Voor mij was ze al dood op het moment dat ik hoorde wat ze had gedaan,' zei de vrouw stoïcijns.

'Ik denk dat ze hiernaartoe kwam om u op te zoeken,' ging ik verder, want dat was de theorie die dokter Hansard en ik naar buiten toe zouden uitdragen.

'En nu is ze dood? Wat is er gebeurd?'

Dokter Hansard gaf een vaag en duidelijk niet afdoend antwoord.

Mevrouw Woodman keek hem kil aan. 'Wat had ze dan ook verwacht, haar betrekking opzeggen en als een of andere landloper door de bossen zwerven?'

Dokter Hansard stond op. 'Mevrouw, ik denk dat u het niet begrijpt. Uw dochter is dood.'

En toen herhaalde ze wat ze al eerder tegen mij gezegd had: 'Dat is mijn dochter niet.'

Voor een van ons haar kon tegenspreken, werd er met kracht op de deur gebonkt.

Ik stapte naar voren om open te doen.

Er stond een kind voor me, zijn gezicht krijtwit. 'Ze zeiden in het dorp dat u en dokter Hansard hier waren. Dominee, mijn vader is gevallen!'

'Tom heet je, toch? Tom Broom? Wacht maar, ik zal de dokter roepen.'

Hij sprong onmiddellijk op, verontschuldigde zich bij mevrouw Woodman en beloofde haar later nog eens te bezoeken. 'Laat de doden hun doden begraven,' bromde hij, terwijl we achter Tom aanrenden, die ons al een heel eind vooruit was. 'Want hoewel mevrouw Woodman zelf misschien nog leeft, denk ik dat haar hart allang dood is.'

Toen bleek dat Tom Broom senior zijn been gebroken had en geen onmiddellijke behoefte aan geestelijke bijstand had, ging ik op weg naar huis.

Matthew stond me al op te wachten, zijn gestalte imposanter dan ooit, in het heldere licht van de lentezon.

'Ze zeggen in het dorp dat u haar gevonden hebt, dominee.'

Ik had verwacht dat het nieuws zich snel zou verspreiden, maar dit overtrof alles. Wat kon ik uit zijn houding opmaken? Schuldgevoel? Of alleen verdriet?

'Mag ik misschien afscheid van haar nemen?' vroeg hij.

Zonder iets te zeggen en wanhopig wensend dat ik dit gesprek, wat vast en zeker erg onplezierig zou worden, kon uitstellen tot dokter Hansard er ook bij was, ging ik hem voor door de achtertuin, buiten Jems gezichtsveld, en leidde ik hem naar mijn favoriete bankje. Hoewel hij zijn tabakszakje tevoorschijn haalde, maakte hij geen aanstalten om een pijp te vullen.

'Waarom wil je afscheid van haar nemen, Matthew?'

Zijn gezicht vertrok, maar uiteindelijk rechtte hij zijn schouders en sprak als een man. 'Omdat ik nu omgang heb met een ander meisje, dominee Campion. En ik wil iedereen met respect behandelen.'

Was er een betere reden denkbaar? Ik werd verscheurd tussen

twee verlangens – hem het toegetakelde lichaam laten zien in de hoop dat dat een bekentenis zou afdwingen, of hem gelegenheid geven zich het meisje te herinneren zoals ze ooit was, zodat hij met zijn nieuwe vriendin een onbezorgde toekomst tegemoet kon gaan. Ik klopte hem op de schouder en trok me even terug om in stilte te bidden.

Ik keerde terug met een bijbel in mijn handen.

'Ik wil dat je hierop zweert, en dat je die eed net zo serieus neemt als wanneer je hem in de rechtszaal zou uitspreken, dat je niets met haar dood te maken hebt.'

Hij legde zijn ruwe hand zonder aarzelen op het boek. 'God is mijn getuige dat ik met mijn hele hart van mijn lieve Lizzie Woodman gehouden heb en dat ik geen haar op haar hoofd gekrenkt heb. En ik heb haar ook niet op een andere manier gekrenkt,' voegde hij eraan toe, alsof hij het zekere voor het onzekere wilde nemen. 'En ik zweer dat ik, als ik haar nu aan mijn zijde gehad had, niet eens aan een ander meisje gedacht zou hebben, omdat niemand zo mooi is als zij was.' Zijn stem trilde.

Het klonk mij in de oren als een goede eed. Zou dokter Hansard er ook tevreden over zijn?

'Ik geloof je, Matthew. Maar op je vraag om afscheid van Lizzie te mogen nemen kan ik nu geen antwoord geven. Daar moet ik nog even over denken.'

Hij staarde zwijgend in de verte, zijn ademhaling zwaar en moeizaam. 'Waarom aarzelt u, dominee? Is ze… hoe lang… bedoelt u dat ze…?'

'Ik weet niet hoe lang ze daar gelegen heeft, Matthew. Haar gezicht is… beschadigd.' Ik dacht aan het rottende konijntje dat ik hem had zien begraven, die dag dat ik zelf ook was aangevallen.

Hij misschien ook wel. 'Dat is vreselijk! Waarom kan God ons niet tot zich nemen zoals we zijn?'

'Ik denk, mijn vriend, dat dat precies is wat Hij doet,' zei ik, terwijl ik mijn hand op zijn schouder legde. 'Hij neemt onze wonderschone ziel tot zich en bekleedt die met een gewaad dat mooier is dan wij ons zelfs maar kunnen voorstellen.'

'Als iemand het verdient om in de hemel te zijn, dan is het mijn Lizzie,' stemde hij in, waarna hij mijn hand afschudde en de tuin uit rende.

14

Het was onvermijdelijk dat mijn huisgenoten iets zouden horen van de commotie rond Matthews vertrek en ik bereidde me zo goed mogelijk voor op de spoedige komst van Susan of Jem. Deze keer was het echter mevrouw Trent die uit het huis tevoorschijn kwam, één wenkbrauw opgetrokken terwijl ze met haar lippen het woord 'Lizzie?' vormde.

Ik knikte ernstig, waaruit ze opmaakte dat dat inderdaad het geval was, en ze verdween. Even later kwam ze terug met Susan, haar ogen wijd open van angst.

Ik liep haar tegemoet en nam haar mee terug naar het bankje waar Matthew net gezeten had, mijn arm om haar schouders.

'Mijn arme kind,' zei ik met alle tederheid die in mij was. Ik liet haar plaatsnemen op het bankje en ging zelf naast haar zitten. 'Ik moet je vertellen dat je lieve zus niet meer in leven is. Ik heb haar gistermiddag gevonden in het bos van de Priorij. Haar lichaam is overgebracht naar het huis van dokter Hansard.'

Susan knikte en ik was onder de indruk van de snelheid waarmee ze haar kalmte had hervonden. Haar volgende vraag verbaasde me. 'Is ze al lang dood?'

'Waarom vraag je dat?' En waarom had ik die vraag zelf nooit aan dokter Hansard gesteld?

'Ik vind het geen prettige gedachte dat ze gevallen is en toen met sneeuw overdekt geraakt. En het was een ontzettend strenge winter.'

'Ik denk dat ze heel vlug gestorven is.' Ik hield bewust wat achter omdat ik niet dacht dat ze al klaar was voor het horen van alle feiten. Gezien de snelheid waarmee het gerucht zich door het dorp verspreidde had ik echter weinig reden om optimistisch te zijn.

'Weet mijn moeder het al?'

'Dokter Hansard en ik hebben haar vanochtend van het

nieuws op de hoogte gesteld, voordat we het aan iemand anders vertelden.'

'En Matthew weet het. En Jem?'

'Nog niet. En mevrouw Beckles ook niet. Dus ik zou het liefst willen dat je er met niemand over sprak,' zei ik. 'Ik kan me voorstellen dat je er behoefte aan hebt om een paar dagen bij je moeder te zijn, zodat jullie elkaar kunnen troosten.'

'Moet ik gaan?' vroeg ze, haar tegenzin duidelijk merkbaar.

'Je moeder heeft haar oudste dochter verloren. Het is je plicht – omdat je van je moeder houdt – om haar in deze moeilijke tijd te steunen,' zei ik beslist, niet voorbereid op een reactie die mij zo diep zou schokken.

'Het is onze plicht om onze familie lief te hebben,' zei Susan bedachtzaam, 'maar ik denk niet dat we ze ook altijd aardig moeten vinden. Moeder vond Lizzie niet aardig.' Ze hief haar kin en nam een haast opstandige houding aan.

Verbijsterd zei ik: 'Ik ben er zeker van dat ze van haar hield, zoals een moeder hoort te doen. En ik weet ook zeker dat jij, als haar zusje, van haar hield.'

Ze knikte. 'Maar mama heeft Lizzie nooit aardig gevonden, dominee Campion. Tenminste, dat idee had ik.'

'Een dochter die mooi en vriendelijk was en een goed hart had!'

'Ik denk dat ze haar aardiger had gevonden als ze gedrongen en donker was, zoals ik,' zei Susan met een ondertoon in haar stem die ik niet kon thuisbrengen.

'Hoe kom je erbij om zoiets te denken?'

'Ik weet het niet. Misschien de manier waarop ze altijd naar haar keek. Iedereen maakte altijd zo veel ophef over Lizzie, weet u. Zelfs vreemden wierpen haar muntjes toe om haar te zien lachen.'

'Maar zou je moeder dan niet juist meer van haar gehouden hebben?'

Ze schudde haar hoofd.

'En jij, hield jij van haar zonder haar aardig te vinden?'

Ze haalde haar schouders op. 'Ik moest het altijd doen met haar afdankertjes,' zei ze, waarmee ze in feite erkende dat de beschuldiging terecht was. 'Tot ze dienstbode werd, in elk geval. Soms smokkelde ze wel eens een appel of een stuk taart voor me mee naar de kerk.'

'Dus ze was wel lief voor je?'

'Er was altijd wel iemand die het haar zag doen en die dan glimlachte. En daarna lieten ze hun blik van haar naar mij glijden, alsof ze hun ogen niet konden geloven. Hebt u een oudere broer, meneer Campion?'

De vraag bracht me van mijn stuk, maar ik gaf onmiddellijk antwoord. 'Ja, die heb ik. En twee oudere zussen en een zusje dat jonger is dan ik.'

'Is uw oudere broer knap om te zien?'

Dat zou je wel zeggen als je het portret zag dat Lawrence van hem gemaakt had. 'Ja.'

'En erg rijk?'

'Rijker dan ik.'

'En wilde u dan wel eens zijn zoals hij?'

En drie titels erven, en meer land dan dit kind zich zelfs maar kon voorstellen en niet te vergeten zo veel geld dat het totale bedrag ook mijn eigen bevattingsvermogen te boven ging, vooral na alles wat ik hier in Moreton St Jude gezien had? Ik schudde glimlachend mijn hoofd. 'Had jij je oudere zus willen zijn?'

'Ik had wel net zo mooi willen zijn. Maar als ik haar was geweest, was ik nu dood, of niet soms?'

Een ijzige hand sloot zich om mijn hart. Dit gevoel had niets te maken met Lizzies dood, maar met de pijn van haar zusje dat nog leefde – een pijn waarvan ik nu wist dat die slechts voor een klein gedeelte veroorzaakt was door haar verlies. 'Susan, je bent nog niet uitgegroeid. Je zult vast en zeker net zo mooi worden als Lizzie. En tot het zover is, ben je precies even lief en vriendelijk als zij.' Ze keerde mij haar gezicht toe en ik streek het haar dat aan haar hoofddoekje ontsnapt was glad.

Ze schudde resoluut haar hoofd. 'Ze hebben mij altijd verteld dat Lizzie al mooi was toen ze nog een baby was. Zegt u nou zelf, meneer Campion, hebt u ooit ogen gezien met dezelfde kleur als die van haar? Behalve dan bij engelen in kerkramen? En kijk dan eens naar mijn ogen. Denkt u echt dat mannen ooit naar mij zullen kijken zoals ze naar haar keken?'

Ik was met stomheid geslagen. Enerzijds wilde ik haar terechtwijzen wegens een gebrek aan damesachtige bescheidenheid, anderzijds wilde ik tegen haar zeggen dat mannen op een andere, betere manier naar haar zouden kijken – dat zou de waarheid zijn. Was Hansard maar hier. Hij had me advies kunnen geven. Of nee, hij zou gewoon uit zichzelf precies het juiste gezegd hebben.

'En u hoeft niet tegen me te zeggen dat God van me houdt zoals ik ben!' Ze snikte onbeheerst.

'Je weet dat dat zo is.' Ik pakte haar hand en trok haar naar me toe zodat ze op mijn schouder kon uithuilen. Een toevallige toeschouwer zou gedacht hebben dat ik bezig was om een verdrietig kind te troosten. Misschien was dat ook wel zo. Maar ondertussen dacht ik ook na over wat ze gezegd had over Lizzies relatie met de andere leden van haar kleine gezinnetje. Bovendien vroeg ik me af naar wiens aandacht en liefde die arme Susan verlangde. Ze was op een leeftijd waarop het voor jonge meisjes gebruikelijk was om te denken dat ze verliefd waren. Mijn zus Harriet, bijvoorbeeld, was ooit zo verliefd geweest op een van de koks dat mijn ouders hem naar ons huis in Londen gestuurd hadden totdat zij over hem heen was.

Susan begon weer te praten. 'Ik hoef toch niet echt terug naar het huisje van mijn moeder? Alstublieft, meneer Campion, zeg dat dat niet hoeft.' Ik zag haar zoeken naar een argument. 'Mevrouw Trent heeft me veel te hard nodig. U weet dat ze bezig is met de voorjaarsschoonmaak en ik zie niet in hoe ze dat zonder mij voor elkaar zou moeten krijgen,' voegde ze er triomfantelijk aan toe.

'Als je moeder je nodig heeft, vrees ik dat de voorjaarsschoonmaak zonder jou gedaan moet worden – of misschien uitgesteld moet worden totdat je terug bent. Ik zal er met je moeder over spreken, en met mevrouw Trent.'

Ze stond op, verslagen. Toen draaide ze zich om en keek me met haar grote bruine ogen aan. 'U zei dat ze vlug gestorven was. Heeft ze haar nek gebroken na een val, of heeft iemand haar vermoord?'

'Hoe kom je daar nou toch bij?'

'Omdat het klinkt alsof u iets probeert te verbergen.'

Ik denk dat ik bloosde. 'Ik heb je niets dan de waarheid verteld.' Niet, zo vulde ik in gedachten aan, de héle waarheid, natuurlijk. Toen zei ik, wellicht als boetedoening: 'Susan, ik ben van plan om naar de kerk te gaan voor het opzeggen van een ochtendgebed. Ik zou het een eer vinden als je me zou willen vergezellen. Haal je jas en je hoed, dan gaan we meteen.'

Het was droevig, en tegelijk amusant, om te merken dat Susans aandacht in plaats van naar de eeuwige woorden die ik mompelde vooral uitging naar de staat van het meubilair in de kerk.

'Al dat prachtige houtsnijwerk, meneer Campion, op die aparte banken achter de preekstoel,' zei ze terwijl ze terug dribbelde naar de pastorie.

'De koorbanken?'

'Ja, die – maar wel zonde dat alles zo onder het stof zit. Ik begrijp niet dat mevrouw Clark ze zo smerig laat worden.'

Het was niet nodig om haar te vertellen dat mevrouw Clark zo ziek was dat ze haar handen nauwelijks kon bewegen en al helemaal geen stofdoek vast kon houden, en dat geen van de middeltjes die dokter Hansard had voorgeschreven haar ziekte tot staan konden brengen.

'Mag ik ze niet met een natte doek afnemen en daarna opwrijven met een beetje bijenwas?'

'Natuurlijk mag dat,' zei ik, ontroerd dat van alle mensen die regelmatig een dienst bijwoonden juist zij de verantwoordelijkheid voor dat prachtige oude houtwerk op zich wilde nemen. Aan de andere kant kon het natuurlijk ook een subtiele poging zijn om mij ervan te overtuigen dat ze toch echt te belangrijk was om het zonder te kunnen stellen. 'Maar we moeten eerst een bezoek aan je moeder brengen. Vraag mevrouw Trent om het een en ander in te pakken dat naar haar mening wellicht van pas komt.'

Ze liep naar binnen, haar bewegingen een stuk minder levendig.

Datzelfde gold overigens voor die van mij. Ik had de bijzonder onplezierige taak om Jem op de hoogte te stellen van wat er gebeurd was met de vrouw met wie hij officieel geen enkele relatie had, maar voor wie hij volgens vrijwel alle mensen om mij heen een diepe genegenheid koesterde. Mijn stille maar verachtelijke hoop was dat hij het al van iemand gehoord had, dat hij beseft zou hebben dat er tussen hem en mij een ongemakkelijk gesprek moest plaatsvinden en dat hij zich daarop had voorbereid.

Mijn eigen lafheid en incompetentie vielen me zwaar en ik sjokte moedeloos in de richting van de stal.

Jem stond me al op te wachten, zijn handen in zijn zakken. 'Ze zeggen dat u haar gevonden hebt.'

'En jij was de eerstvolgende aan wie ik dat zou vertellen,' zei ik.

'Ik wil haar graag zien.'

'Ze is –' Ik keek over mijn schouder om me ervan te verzekeren dat Susan het niet kon horen. '– ze is niet… haar lichaam heeft –'

'Als ik straks dienst neem zal ik wel ergere dingen zien.'

'"Dienst nemen"?'

Hij spuugde op de grond, geheel tegen zijn gewoonte in. 'U hebt hier uw plek gevonden; zij is er niet meer – wat houdt me nog tegen?'

Waar de woorden die over mijn lippen rolden vandaan kwamen zal ik nooit weten, maar ik dankte de Almachtige ervoor. 'Dat ik jouw hulp nodig heb om haar moordenaar te vinden!'

Mevrouw Trent had een mand vol eten en drinken voor mevrouw Woodman ingepakt; hij stond achter de bank, naast een kleiner mandje waar wat kledingstukken inzaten die Susan op mijn bevel had ingepakt ter voorbereiding op een kort verblijf. Na veel gesoebat had ik ermee ingestemd dat we daar niets over hoefden te zeggen, tenzij mevrouw Woodman expliciet aangaf dat ze behoefte had aan het gezelschap van haar enig overgebleven dochter.

We gingen op weg in mijn sjees en Jem maakte van de gelegenheid gebruik om haar te leren de koets, zo zei hij, tot op de centimeter nauwkeurig te besturen. We reden langs de Priorij om het nieuws persoonlijk aan mevrouw Beckles mee te delen. Ik had er echter de staatsschuld onder durven verwedden dat dokter Hansard ons voor geweest was en inderdaad kwam mevrouw Beckles het huis uit rennen zodra ze ons hoorde aankomen.

'Het is vreselijk,' zei ze, tegen ons allemaal tegelijk. 'En ik voel van harte mee met dit verlies.' Het was onmogelijk te zeggen voor wie deze opmerking bedoeld was – ongetwijfeld voor ons allemaal. 'Susan, ik heb gehoord dat er in de tuin achter de keuken kuikentjes zijn uitgekomen. Denk je dat je moeder er misschien een paar zou willen hebben? Ga maar gauw even kijken. Grote meid.' Ze keek weer naar ons en zei: 'Ik hoorde dat het geen natuurlijke dood was.'

'Dat klopt. Ik neem Jem mee om hem gelegenheid te geven afscheid van haar te nemen.'

'En Susan ook?'

'We brengen haar naar haar moeder zodat ze daar een paar dagen kan logeren – om haar te troosten.'

'Natuurlijk. Maar maak er geen al te lang bezoek van, Tobias. Mevrouw Woodman is niet echt een hartelijke vrouw en hoewel ik zonder meer aanneem dat Susans gezelschap haar moeder goed zal doen, kan ik me niet voorstellen dat de dochter daar zelf ook baat bij zal hebben. Hoe dan ook, ik denk dat ik wel wat rouwkleding voor beide vrouwen te pakken kan krijgen – wilt u misschien even binnenkomen voor een glas wijn terwijl ik zoek? Nee? Ik ben zo terug.'

Haar conclusie, dat Jem en ik geen behoefte hadden aan gezelschap, was terecht. We spraken niet met elkaar totdat Susan terug kwam rennen. Ik wist hoe graag ze een volwassen vrouw wilde zijn, maar op dit moment zag ik haar zoals ze werkelijk was; een lief, enthousiast kind. In het oude melkemmertje dat ze in haar handen had zaten drie kippen, en bovenop het emmertje lag iets wat eruitzag als de hoed van een vogelverschrikker. Op het moment dat we onze nieuwe passagiers van een geschikt plekje voorzagen kwam ook mevrouw Beckles terug, tevreden knikkend toen ze zag dat Susan het randje van de hoed optilde om een van de donzige beestjes te aaien.

'Een sterfgeval moet je altijd in balans brengen met een nieuwe geboorte,' fluisterde mevrouw Beckles terwijl ze me een bundeltje kleren toestak.

Susan ging zo op in haar beschermelingetjes dat ze zich alleen door een rijles liet afleiden, waarbij Jems eindeloze geduld me deed denken aan dat van zijn vader toen die mij had leren rijden.

'Kijk eens aan,' zei hij terwijl hij haar van de bok tilde. 'Nog even en je bent een echte koetsier. Als ze bij de *Four Horse Club* vrouwen toe zouden laten, weet ik zeker dat jij als eerste gekozen zou worden.'

Ze keek een andere kant op, een beetje verontwaardigd over zijn goedbedoelde grapje.

Hij wist de harmonie echter al snel te herstellen door haar te vragen om hem te helpen bij het repareren van een lelijk, ruwhouten kippenhok dat al lang geleden in verval geraakt was – waardoor haar verplichte ontmoeting met haar moeder even uitgesteld werd.

'Ik heb Susan meegenomen om u gezelschap te houden,' zei ik tegen mevrouw Woodman, die haar voordeur met een ruk had opengetrokken bij het horen van plotseling gelach.

'Dat zie ik. En u gaat me ook vertellen hoe ik haar te eten moet geven?'

Ik hield de mand met voedsel omhoog. Haar reactie bij het zien van de kleding was wat positiever en ze vroeg me geheel uit eigen beweging om mevrouw Beckles namens haar te bedanken. Dat was ook het moment waarop Susan, zich bewust van haar plicht, of, waarschijnlijker, aan haar plicht herinnerd door Jem, opstond om haar moeder te begroeten.

Met de zachte, gele bolletjes in haar handen en de glimlach die ze haar weldoener toewierp, straalde ze een en al leven en opwinding uit, geen verdriet of rouw. In elk geval zou het meisje tijdens haar verblijf hier iets hebben om van te houden. Ik stelde voor dat Susan kort na de begrafenis weer zou vertrekken, waar haar moeder onmiddellijk mee instemde.

Jem en ik stonden te staren naar het laken dat het lichaam bedekte toen dokter Hansard mij riep.

Ik liep de kelder uit, waarbij ik de deur voorzichtig achter me dichtdeed. Ik had het vermoeden dat er niet echt wat aan de hand was. Jem had er recht op om even met haar alleen te zijn.

'Ik kan niet geloven dat een van die jongemannen verantwoordelijk is voor de dood van dat arme meisje. Desondanks heb ik Matthew met klem aangeraden om niet meer te doen dan alleen een hand op de lijkwade leggen en haar gedag zeggen.'

'Waarom dat?'

'Wat staat er sinds uw droevige ontdekking op uw netvlies gebrand? Welke geur vult uw neus en welke gedachten malen er door uw hoofd?' vroeg Hansard terwijl hij me doordringend aankeek. 'Kunt u zich, nu u die kennis hebt, voorstellen dat u uw relatie met een ander meisje zou voortzetten? Laat die jongen de baar dragen. Laat hem – als hij dat kan – een Schriftgedeelte lezen tijdens haar uitvaart, hoezeer dat Jem misschien ook zal kwetsen. Maar laten we hem behoeden voor de aanblik van haar dode lichaam, zodat hij aan haar kan denken zoals ze was toen ze nog leefde en ze zijn geliefde was…'

'En Jem?'

'Zoals u gehoord hebt, heb ik hem gevraagd de lijkwade niet aan te raken. Als hij mijn verzoek negeert, dan –' Hansard haalde zijn schouders op.

Op dat moment kwam Jem de kamer binnen. Zijn gezicht was even wit als het laken waarmee dokter Hansard Lizzie bedekt had. Hij keek me recht aan en herhaalde de woorden die ik even eerder had uitgesproken: 'Wanneer beginnen we aan onze jacht op haar moordenaar?'

15

We trokken ons terug in de studeerkamer van dokter Hansard om de situatie in kaart te brengen; deze keer hield hij zijn pruik op. Hij schonk ons allemaal een glas wijn in, ook Jem, die lijkbleek was maar zichzelf volkomen in de hand had.

'De rechter – wederom Sir Willard Comfrey, Tobias – zal morgen het resultaat van zijn onderzoek bekend maken,' zei Hansard zonder verdere inleiding. 'Er bestaat geen twijfel over dat Sir Willard de jury zal proberen te overtuigen van het feit dat in deze zaak sprake is van moord. Matthew zal vrijwel zeker ondervraagd worden en Tobias zal als getuige opgeroepen worden om verslag te doen van het moment waarop hij haar vond. Ik heb echter geen reden om aan te nemen dat jij ook opgeroepen zult worden, Jem, daar jouw liefde voor haar niet algemeen bekend was.'

'Ik zou Jem mijn leven toevertrouwen – letterlijk,' riep ik uit. 'En niet alleen het mijne, maar dat van iedereen.'

Jem knikte maar zei niets. Hij nam een slok wijn. 'Waar vindt de ondervraging plaats?' vroeg hij, zijn stem opvallend kalm.

Hansard antwoordde: 'Ik twijfel er niet aan dat er veel belangstelling voor deze zaak zal zijn. Ik heb een briefje achtergelaten voor Lord Elham met de vraag of we een van zijn vertrekken mogen gebruiken.'

'En u denkt dat Lord Elham bereid is om het gepeupel toe te laten op zijn terrein?' snoof ik. 'Terwijl hij misschien zelf de moordenaar is?'

Jem hapte naar adem.

'We kunnen geen enkele jongeman in de omgeving uitsluiten,' zei Hansard effen, met een waarschuwende blik in mijn richting. 'We moeten de normale wettelijke procedures volgen. Er zijn uiterlijke, zichtbare tekenen aan de hand waarvan vastgesteld is dat Lizzies dood onmogelijk een natuurlijke oorzaak kan hebben.'

'Wie stelt de jury samen?' vroeg ik. 'En wordt er dieper op de zaak ingegaan dan tijdens het onderzoek naar de dood van de voormalige Lord Elham het geval was?'

'Dat kan niet anders,' antwoordde Hansard. 'Maar uit voorzorg heb ik naast mijzelf ook nog een andere arts gevraagd om het lichaam te onderzoeken. Ik verwacht hem ieder moment. En daarna moeten we voorbereidingen treffen voor de begrafenis.'

'Een andere arts?' herhaalde Jem, eerder boos dan weifelend. 'Het is duidelijk hoe ze gestorven is! Dat hebt u zojuist zelf gezegd.' Hij zweeg even en zei toen: 'Neem me niet kwalijk.'

'Maar al te duidelijk. Maar we weten niet hoeveel tijd er tussen haar terugkomst uit Londen en het moment van haar overlijden verstreken is. Als we op zoek zijn naar een moordenaar moeten we dat wel weten, of niet soms? Tobias? Bent u onwel?'

Ik knipperde een paar keer. 'Toen ik vanochtend aan Susan vertelde wat er gebeurd was, vroeg ze me wanneer Lizzie overleden was. Ze vond het een afschuwelijke gedachte dat ze misschien van de kou gestorven was.'

'Ik neem aan dat u de werkelijke doodsoorzaak niet onthult hebt?'

'Hoe had ik dat kunnen doen? Of... de andere verwonding...'

We werden onderbroken door het geluid van een koets die aan kwam rijden. Enkele seconden later liet mevrouw Page een man binnen die nauwelijks ouder was dan Jem. Zijn knappe gezicht kwam me bekend voor, en zijn kapsel was al even modern als zijn jas.

'Dokter Toone. Wat fijn dat u op deze korte termijn kon komen. Ik wil u graag voorstellen aan mijn twee goede vrienden, dominee Campion en Jem –' Zijn stem stokte: ik had nooit de moeite genomen om hem Jems achternaam te vertellen.

'Turbeville,' vulde ik aan, zo onopvallend mogelijk. Het was duidelijk dat Toone mij in mijn domineesgewaad niet herkende. Ik was echter niet van plan om hem nu al aan onze eerdere kennismaking te herinneren; ik koesterde niet enkel positieve herinneringen aan die periode.

Dokter Toone wierp me een stralende glimlach toe, goot een glas wijn naar binnen alsof hij een maand in de woestijn had rondgetrokken en begon – nog voor hij was gaan zitten – druk te praten over de situatie in Europa. Toen hem een stoel aangeboden werd, wees hij die af met de plotselinge mededeling dat hij hier was om een klus te klaren en dat hij daar dan ook meteen aan wilde beginnen.

Jem en ik hadden niet verwacht dat we uitgenodigd zouden worden om aanwezig te zijn terwijl de artsen hun werk deden. Als ze ons die gelegenheid wel gegeven hadden, weet ik haast zeker dat we bedankt zouden hebben.

'Je meende het toch niet, dat je dienst wilt nemen bij het leger?' vroeg ik, om de plotselinge, ongemakkelijke stilte te verbreken.

'Ik kan hier niet verder doorgroeien, Toby. Dat is nu eenmaal zo. Ik kan eenvoudigweg geen kant op.'

'Dat begrijp ik. Je had inmiddels het beheer moeten voeren over de stallen van een groot huis, met alle verantwoordelijkheden en beloningen die zo'n positie met zich meebrengt. In plaats daarvan ben je mij trouw gebleven en heb je genoegen genomen met deze omgeving; een min of meer uitzichtloze situatie en eindeloze uren van verveling. Dankzij jou hebben de stallen die Hetherington had achtergelaten een enorme metamorfose ondergaan en zijn de paarden in topconditie, maar je hebt vast en zeker een hekel aan de uren waarin ik niets voor je te doen heb.' Ik zou niet ingaan op het aanzienlijke verschil in onze levensstandaard, zelfs nu ik veel minder verdiende dan eerst. Mijn pogingen tot vrijgevigheid werden altijd vriendelijk doch beslist afgewezen, soms zelfs met de vermaning dat het niet gepast was om hem dergelijke geschenken aan te bieden.

'Dat is wat een bediende doet; wachten tot zijn meester hem nodig heeft,' zei hij, zonder ook maar de minste kritiek. 'En dankzij u kan ik lezen, waardoor ik altijd wel wat te doen heb. Hier op Langley Park kijk ik niet naar boeken om omdat de verhalen die Turner me in de keuken vertelt, over India, ook een geweldig tijdverdrijf zijn. En op de Priorij is ook voldoende gezelschap, zelfs als Lizzie wordt – als Lizzie *werd* – weggeroepen om de zoom van een jurk van Lady Elham te herstellen. Maar het verliezen van Lizzie – ook al hebben zij en ik elkaar nauwelijks… – dat heeft me uit evenwicht gebracht. Als het oogsttijd was geweest had u nog nooit iemand zo snel zien maaien.' Hij maakte een gebaar, alsof extreme lichamelijke inspanning zijn pijn zou verdoven.

Ik knikte begripvol. 'Ik heb tenminste mijn werk in de parochie nog,' zei ik, waarmee ik eigenlijk zei dat ik zijn verdriet begreep omdat ik het deelde.

'Maar ik betwijfel of u hier nog veel langer zult willen blijven.'

'Ik kan mijn positie hier niet afstaan voordat we Lizzie naar haar laatste rustplaats gebracht hebben en het recht zijn loop heeft gehad.'

Hij sloeg me op mijn schouder, zoals hij ook deed toen we nog jongens waren en ik een of ander foefje dat hij me probeerde te leren onder de knie had gekregen. 'Ja, Toby, we zullen eerst onze taak vervullen, en ons daarna pas met al die dingen bezighouden.' Meer zei hij niet.

Hij trok zich terug in zichzelf en staarde in de verte. Misschien keek hij naar de tuin, of misschien was hij in gedachten verzonken.

Ik wilde ons samenzijn niet verstoren door te bellen om een bediende, dus ik stak zelf het vuur aan en probeerde de rust te vinden om er gewoon bij te blijven zitten. Uiteindelijk zei ik: 'Ik zag de blik die jij en Lizzie uitwisselden op de dag dat jullie elkaar voor het eerst ontmoetten. Ik ben er zeker van dat haar gevoelens voor Matthew vanaf die dag begonnen te verflauwen. En Lizzie heeft me – vlak voordat Lady Elham besloot om te vertrekken – gevraagd of ze me een keer "als dominee" kon spreken. Ik denk dat ze het over jou wilde hebben.'

'Niet over u?'

'Ik ben nooit meer voor haar geweest dan een vrome schoolmeester. Ik geef toe dat een meisje dat kon lezen beter geschikt was geweest als domineesvrouw dan een meisje dat dat niet kon, maar ze heeft niet één keer naar mij gekeken zoals ze naar jou keek.'

Hij knikte twee of drie keer, nog steeds in de verte starend. Toen rechtte hij zijn schouders. 'Dank je, Toby.'

Er gingen heel wat minuten voorbij, zwaar en eindeloos traag, voordat de twee artsen de kamer weer binnenkwamen, hartelijk lachend om het een of het ander. Ik zag dat Jem zijn kaken op elkaar klemde; en het was inderdaad moeilijk voor te stellen hoe iemand onder deze omstandigheden nog vrolijke gedachten kon koesteren. Ze roken allebei sterk naar lavendelwater, iets waar dokter Toone zijn handen blijkbaar graag mee inwreef nadat hij ze gewassen had.

'En?' vroeg Jem uiteindelijk, alsof hij de gezaghebbende was in plaats van de bediende.

Hansard had Toone vast en zeker uitgelegd hoe het kon dat iemand die eruitzag als een stalknecht toch aan ons gelijk was, want het was de jongere arts die antwoord gaf: 'We hebben een probleempje.'

Jem deed zijn mond open, een spottende uitdrukking op zijn gezicht.

Hansard begon gehaast uit te leggen wat er aan de hand was. 'Het heeft te maken met wat Tobias eerder al zei, met het moment, niet de oorzaak, van het overlijden.'

'Maar dat vroeg Susan zich alleen maar af!' protesteerde ik.

Hij schudde zijn hoofd. 'Soms zijn het dat soort vragen die tot grootse ontdekkingen leiden. In dit geval heeft mijn gewaardeerde collega hier wat beschadigingen aan het weefsel – aan Lizzies lichaam – opgemerkt die hij niet kan verklaren. We vragen ons allebei af… Maar daar hoeven we ons nu niet mee bezig te houden. Ik geloof dat er in de salon een lunch voor ons klaarstaat, dus ik stel voor dat we ons gesprek daar voortzetten, heren.'

Jem bleef achter. 'Dat maakt het voor iedereen ongemakkelijk, Tobias. Laat mij maar hier. Ik zal in de keuken mijn oren openhouden, zoals u in het gezelschap van de artsen ongetwijfeld ook zult doen.'

De artsen waren ontegenzeggelijk meer op hun gemak zonder hem. Ik wist dat Edmund geen kaartspellen meer speelde, maar Toone bleek wel een gokker te zijn. Hoewel hij zich blijkbaar al op het platteland had teruggetrokken, had hij een passie voor de paardenrennen waardoor hij voortdurend op het randje van armoede leefde en dat was weer de reden waarom hij zijn energie – en naar ik vermoedde zijn bovengemiddelde intelligentie – aan de geneeskunst gewijd had. Ze hielden het gesprek bewust oppervlakkig totdat ik klaar was met eten en opstond om hen alleen te laten. Er was nu geen twijfel meer dat de rechter van instructie het geschonden lichaam zou vrijgeven voor de begrafenis en dus was het mijn taak om Lizzies uitvaart voor te bereiden.

Ik was niet erg verrast toen Lord Elham ons via zijn rentmeester, meneer Davies, liet weten dat hij geen toestemming gaf om het verhoor op Moreton Priory te laten plaatsvinden, in welk vertrek dan ook. Meneer Davies voegde eraan toe dat Lord Elham hier niet langer woonde en dat zijn afwezigheid deze keer van lange duur zou zijn. Gedurende zijn afwezigheid zouden er in de grotere kamers allerlei restauratiewerkzaamheden worden uitgevoerd, hoewel zelfs Davies zich ervan bewust was dat er van dit excuus nauwelijks overtuigingskracht uitging. Dus bij gebrek aan een ander gebouw dat groot genoeg was, nam de rechter plaats in St Jude's, een plechtige omgeving voor een rechtszaak, en deed de preekstoel dienst als getuigenbank.

Het was opnieuw heerlijk warm en zonnig, en hoewel de dorpelingen dit soort dagen normaalgesproken zouden gebruiken om in hun tuin of op hun akker te werken, waren velen van hen naar het kerkgebouw gekomen en duurde het niet lang voordat er een jury samengesteld was.

Ik deed verslag van de omstandigheden waaronder ik het lichaam van die arme Lizzie had aangetroffen en legde uit wat ik daarna gedaan had. Edmund omschreef haar verwondingen, waarbij hij begon met de doorgesneden keel en eindigde met een opmerking die de tijdelijke rechtszaal in ernstige beroering bracht; dat Lizzies lichaam verder geschonden was. Eén vrouw viel flauw. Twee mannen zagen eruit alsof zij haar voorbeeld zouden volgen.

Toen, op ernstige toon, vroeg Edmund de rechter om toestemming om dokter Toone het woord te geven. 'Ik ben slechts een eenvoudige plattelandsdokter,' legde hij met een verontschuldigende glimlach uit. 'Mijn collega hier is gespecialiseerd in de processen die zich na het overlijden voordoen.'

'Ik neem aan dat u daarmee doelt op het lichaam, niet op de ziel?' vroeg Comfrey met een grijns.

Edmund boog. 'Staat u mij toe.'

Toone wachtte nauwelijks op toestemming. Hij sprong onmiddellijk op, greep de bijbel vast en deed zijn belofte terwijl de jury en de toeschouwers hoorbaar naar adem hapten.

Sir Willard leek niet erg onder de indruk van de jonge man. Het was duidelijk dat hij meer waarde hechtte aan medische informatie die afkomstig was van een oudere en mogelijk wijzere deskundige. 'Ik zie geen enkele reden voor een andere verklaring naast de uwe, dokter Hansard,' zei hij, 'maar u hebt dit blijkbaar al voorbereid.'

En zo was het ook. Dokter Hansard had ooit tegen mij gezegd dat alles aan mij onthulde dat ik in hogere kringen geboren was; nu ik Toone door de ogen van de dorpelingen bekeek, begreep ik precies wat hij bedoelde. Zijn houding, zijn gedrag was dat van een heer, een indruk die nauwelijks ontkracht werd door de stadse elegantie van het jasje dat hij droeg. Zijn halsdoek was sneeuwwit en met zo veel zorg geknoopt dat het leek alsof hij op weg was naar een exclusieve gelegenheid. En wat zijn laarzen betreft zou je haast geloven wat sommige bedienden beweerden; dat de enige schoenpoets die werkelijk voldeed champagne bevatte. Zou iemand ook maar een woord van wat deze keurige meneer zei geloven?

'Vertel me eens, dokter Toone, verschillen uw conclusies in enig opzicht van die van dokter Hansard?'

'Mijn conclusies zijn niet anders. Integendeel, ze bevestigen de zijne juist. Dokter Hansard verklaarde net al dat de keel van juffrouw Woodman was doorgesneden en dat ze een wond aan haar onderbuik had. Wat hij u niet verteld heeft, is dat haar baarmoeder verwijderd was.' Hij verhief zijn stem boven het geschokte gemompel en ging verder: 'De moordenaar heeft de baarmoeder apart begraven, op enige afstand van het lichaam. Hoewel dit orgaan hetzelfde proces van ontbinding heeft ondergaan als de rest van haar lichaam, was het mogelijk om, na nauwkeurig onderzoek, de toestand ervan met zekerheid vast te stellen. Juffrouw Woodman was zwanger op het moment van haar overlijden.'

Ik weet niet meer wat ik deed of zei. Uiteindelijk, toen het rumoer om mij heen losbarstte, kwam ik weer wat bij zinnen, in elk geval genoeg om Edmund aan te kunnen kijken. Dit kon toch zeker niet waar zijn! Hij knikte ernstig, een bevestiging van het afschuwelijke bericht dat ik zojuist gehoord had.

Toone nam niet de moeite om te wachten tot het weer stil was. 'Ik ben bang dat ik niet zo veel kan zeggen over het moment waarop de arme jonge vrouw stierf. Afgaande op de toestand van het lichaam zou ik zeggen dat ze een week of twee, drie geleden moet zijn overleden – onder normale omstandigheden, althans. Er is echter iets met het weefsel – iets wat – nee, ik kan niet met zekerheid zeggen wanneer ze is overleden. Maar als ik zou moeten schatten –'

'Wij gaan hier uit van feiten, niet van schattingen,' zei Sir Willard. 'U mag de getuigenbank verlaten. Mevrouw Woodman, neemt u alstublieft plaats.'

Hij tuurde over de rand van zijn bril en staarde de vrouw aan, de huid rond haar lippen zo blauw dat ik voor haar gezondheid vreesde, en vroeg op strenge toon: 'Was uw dochter getrouwd?'

De moeder was misschien niet erg op haar dochter gesteld, maar de schok van deze vraag, zomaar in het openbaar gesteld, was te veel voor haar. Ze wankelde en zou zeker zijn gevallen als dokter Toone niet zo vlug gereageerd had. Hij ving haar op en nam haar mee de kerk uit.

'Ik neem aan dat dat gelijkstaat aan een ontkenning,' zei de rechter.

'Helemaal niet,' wierp ik tegen terwijl ik opstond. 'Juffrouw Woodman had moeite met schrijven en haar moeder is vrijwel zeker volledig ongeletterd. Juffrouw Woodman was misschien niet in de gelegenheid om vooraf een frankeerstempel te bemachtigen en ze zou zeker niet gewild hebben dat een arme weduwe voor verzendkosten zou komen te staan terwijl ze de brief niet eens kon lezen. Lady Elham,' ging ik verder, rustiger nu, 'heeft me laten weten dat juffrouw Woodman haar ontslag aan haar aangeboden heeft om in plaats daarvan in dienst te treden bij Lady Templemead, hoewel deze overeenkomst ook niet lang heeft standgehouden. Er waren duidelijke aanwijzingen dat er bij deze kwestie bovendien een jongeman betrokken was. Voor een keurige jongedame als Lizzie kan dat maar één ding betekenen; een huwelijk.'

'Ik vrees dat dat pure speculatie is, dominee. Uw idealisme strekt u tot eer, jongeman, maar neem maar van mij aan dat het in lagere kringen heel gebruikelijk is om vast te stellen dat een vrouw vruchtbaar is vóór de huwelijksvoltrekking plaatsvindt. Een officieus huwelijk –'

'– wat helemaal geen huwelijk is, in elk geval niet in de ogen van de kerk!'

'– is het meeste wat voor veel van hen is weggelegd. Maar voor hen en hun buren is het genoeg.'

Het duizelde me. Zou ik ooit kunnen geloven dat Lizzie...?

Overtuigd van de mening van zijn publiek plaatste Comfrey zijn vingertoppen tegen elkaar, een zelfgenoegzame uitdrukking op zijn gezicht die ik er met liefde van af had willen slaan. 'Juffrouw Woodman zou niet de eerste jonge vrouw zijn die is bezweken voor het aandringen van een man van wie ze hield en die had beloofd om ook van haar te houden.'

Daar kon ik niets tegenin brengen. Het was zelfs het dienstmeisje van mijn voorganger overkomen. Zodra meneer Hetherington had ontdekt dat de jongedame in kwestie in verwachting was, was hij met haar getrouwd en werd ze – heel respectabel – zijn echtgenote. En eerlijk is eerlijk, ook in de hogere kringen – zoals mijn eigen familie – konden echtparen als er eenmaal een erfgenaam geboren was, voor de zekerheid misschien nog gevolgd door een tweede zoon, grotendeels hun eigen gang gaan, mits ze discreet te werk gingen en aan de uiterlijke fatsoensnormen bleven voldoen.

Ik hield desondanks stand. 'Ik ben ervan overtuigd dat juffrouw Woodman een fatsoenlijke, keurige jongedame was en dat het goed mogelijk is dat er op dit moment ergens in Cheltenham of Londen een jongeman op zijn echtgenote zit te wachten en zich verslagen afvraagt waarom ze nog niet is teruggekomen.' Mijn stem klonk vol vertrouwen, precies zoals hij moest klinken. Mijn standpunt werd onderschreven door enkele van mijn meer idealistische gemeenteleden, onder wie boer Gates, die opstond.

'Neem me niet kwalijk, edelachtbare, maar zou er niet iemand naar die arme man op zoek moeten gaan?'

'Ik zal een zoektocht in gang zetten,' zei dokter Hansard, wellicht om te voorkomen dat ik nog verder in mijn eigen woorden verstrikt zou raken, of misschien zelfs om mij deze onmogelijke taak uit handen te nemen.

'In dat geval kunnen we eindelijk terugkeren naar het werkelijke doel van deze ondervraging. In dit soort gevallen is er vaak sprake van een jaloerse ex-geliefde,' zei Willard, zo zelfgenoegzaam dat alleen het Huis waarin deze rechtszaak plaatsvond mij ervan weerhield om hem te lijf te gaan. 'Met wie ging juffrouw Woodman – bij gebrek aan enig bewijs van het tegenovergestelde zal ik haar als zodanig blijven aanspreken – om omstreeks de periode van haar overlijden?'

Matthew stond op, zijn hoofd geheven zoals het een man betaamt. 'Met mij, edelachtbare, en daar ben ik trots op ook. Niets ten nadele van mijn huidige geliefde, overigens.'

'En was u verantwoordelijk voor de – eh – toestand van juffrouw Woodman?'

Hij krom in elkaar maar zei: 'Ik wilde met deze jonge vrouw trouwen, niet slechts met haar slapen. Dat heb ik dan ook niet gedaan, en voor zover ik weet was er geen ander.' Hij deed geen moeite om zijn huidige minnares aan te kijken. 'Ik heb haar vlak voor Kerst voor het laatst gezien en daarna niet meer. Ze heeft het dorp verlaten zonder zelfs maar een boodschap voor me achter te laten, meneer, en inmiddels heb ik genegenheid opgevat voor iemand anders.'

De rechter staarde hem aan, alsof hij hem tot een bekentenis wilde dwingen, maar Matthew beantwoordde zijn blik, het hoofd trots geheven.

Mevrouw Beckles legde een verklaring af over de dag van Lizzies vertrek. Het was alsof ze eigenlijk meer wilde zeggen, en ik had haar nog nooit zo van streek gezien.

'Ik herhaal, u mag de getuigenbank verlaten. U hebt mij voorzien van alle informatie die ik nodig heb.'

Ze deed haar mond nog een laatste keer open, maar klemde haar lippen toen resoluut op elkaar en liep terug naar haar zitplaats.

'Goed dan, leden van de jury, het is tijd om uitspraak te doen. Ik wil echter wel benadrukken dat haar dood onmogelijk een ongelukkig toeval geweest kan zijn.'

De jury had nog geen minuut tijd nodig om tot de conclusie te komen dat in deze kwestie sprake was van moord door een of meer onbekende personen.

Een van de landeigenaars was zo vriendelijk om mevrouw Woodman met zijn koets naar huis te brengen en zodra ook de andere buren en vrijboeren vertrokken waren, kwam dokter Toone op me aflopen en trok me mee, buiten gehoorsafstand van de achterblijvers. 'Gisteren zei u dat de jongere zus van het dode meisje –'

'Susan –'

'– dat Susan bang was dat haar zus doodgevroren was. Heeft ze ook gezegd waarom?'

Ik schudde mijn hoofd. 'Volgens de dorpelingen hebben we de strengste winter sinds tijden achter de rug – bijna net zo koud als wat ik in Derbyshire gewend was,' zei ik met een glimlach.

Hij herkende me nog steeds niet. 'Is de grond lang bevroren geweest?'

'Als ik het me goed herinner vanaf een week of twee, drie voor Kerst tot een week of twee geleden.'

'Toe maar!' Hij keek over zijn schouder naar Edmund, die verdiept was in een gesprek met een nog steeds verontrust uitziende mevrouw Beckles, en wenkte hem met een hoofdbeweging. 'Dominee Campion heeft zojuist uw herinneringen aan de duur van de vorstperiode bevestigd. Onze theorie is dus wellicht correct.'

Ik kwam vlug tussenbeide, bang dat Edmund aanstoot zou nemen aan het feit dat de andere arts hem blijkbaar niet op zijn woord geloofde. 'Het zou gepaster zijn om ons gesprek voort te zetten in de beslotenheid van mijn studeerkamer. Mevrouw Beckles, zou u ons het genoegen willen doen om ons te vergezellen?' Ik stelde haar aan Toone voor en bood haar mijn arm aan. Hansard wierp me een glimlachje toe als dank voor mijn inspanningen, zij het niet van harte. Wat Toone vond van een samenleving waar stalknechten en huishoudsters met zo veel respect behandeld werden kon me niet langer schelen.

Mevrouw Beckles had een groot gevoel voor fatsoen en misschien kwamen haar gedachten wel overeen met die van Jem en hemzelf. Eenmaal in de pastorie aangekomen trok ze zich onmiddellijk terug in de kamer van mevrouw Trent, ongetwijfeld om haar te vertellen over alles wat vandaag had plaatsgevonden. Ik had gezien dat Jem naar de stal was gegaan, vast en zeker om Titus onder handen te nemen en hem te borstelen zoals hij nog nooit geborsteld was.

Ik ging de artsen voor naar de eetkamer, waar mevrouw Trent zoals ik al verwacht had een uitgebreid buffet van overheerlijke koude gerechten had klaargezet.

Dokter Toone begon opnieuw onmiddellijk aan de wijn die ik haastig had ingeschonken, meer gebrand op snelheid dan op fatsoen. Hij liet zijn blik door de eenvoudig ingerichte maar stijlvolle kamer glijden, fronsend, terwijl hij af en toe even naar mij keek alsof hij uit alle macht probeerde zich iets te herinneren.

Ik wachtte tot hun borden gevuld en hun glazen opnieuw volgeschonken waren voordat ik de kwestie aansneed die mij zo had beziggehouden en waar we door het instorten van mevrouw Woodman tijdens het verhoor niet aan toegekomen waren.

'Gisteren, en vandaag opnieuw, zei u iets over ontdekkingen die u aanleiding gaven om te twijfelen aan het tijdstip van Lizzies overlijden. Misschien is dit een geschikt moment om mij ook van deze aanwijzingen op de hoogte te stellen.'

Hansard zei: 'Grof gezegd, Tobias, is het niet onmogelijk dat Lizzie al aan het begin van de winter vermoord is. De temperatuur daalde snel, zoals u zich wellicht zult herinneren, en de vorst was zo streng dat haar lichaam in haast perfecte staat bewaard gebleven zou zijn. Het proces van ontbinding zou dan pas begonnen zijn toen het weer wat warmer werd.'

'Dus hoewel het mogelijk is dat ze slechts een week of twee geleden gestorven is,' besloot Toone, 'is het net zo goed mogelijk dat haar overlijden al voor de Kerst heeft plaatsgevonden.'

'Dat is uitgesloten,' zei ik. 'Ze is tegelijk met Lady Elham vertrokken, in dienst getreden bij Lady Templemead en heeft iemand ontmoet voor wie ze speciale gevoelens koesterde. Dat is allemaal terug te vinden in de brieven van Lady Elham.'

Toone knikte, verbazingwekkend meegaand. 'Het was slechts een veronderstelling. Ik heb eens een man gezien die aan het begin van de winter in de Alpen was omgekomen. Toen zijn lichaam werd teruggevonden, was het in precies dezelfde staat van ontbinding als dat van Lizzie. Een trieste zaak, hoe en wanneer het ook precies heeft plaatsgevonden.'

'Zo is het,' zei Hansard peinzend. Hij staarde in zijn glas bourgogne alsof dat hem de informatie zou verschaffen waar hij zo duidelijk naar op zoek was. 'Hebt u Lady Elham inmiddels op de hoogte gesteld van deze droevige gebeurtenissen, Tobias?'

'Nee, maar ik zal haar onmiddellijk schrijven. En als er een weduwnaar is moet die ook gevonden worden.'

'Ik vraag me af,' dacht hij hardop, 'of het niet beter is om dergelijk nieuws persoonlijk mee te delen in plaats van per brief, zowel aan Lady Elham als aan Lizzies echtgenoot of geliefde?'

'Vraagt u zich dat af uit beleefdheidsoverwegingen of omdat u benieuwd bent naar hun reactie en daar wijzer van hoopt te worden?' vroeg ik.

Het antwoord bestond uit schor lachje en een glinstering in Hansards ogen.

Nadat we de maaltijd uiteindelijk beëindigd hadden, maakten we een gezamenlijk wandelingetje door het verwilderde plantsoen aan de zuidkant van mijn tuin. Hansard zag iets wat zijn interesse wekte en bleef daar even bij staan.

Toone pakte mijn arm en dwong me stil te blijven staan. Hij keek me onderzoekend aan. 'Ik zou durven zweren dat ik u ergens van ken.'

'Dat klopt, al dacht ik dat u vanuit uw hoogverheven positie op Eton geen aandacht zou hebben besteed aan iemand als ik, die zo veel jonger was – laat staan dat u zich mij zou herinneren.' Ik was er behoorlijk zeker van dat we de keren dat hij me in elkaar geslagen had geen van beiden ooit zouden vergeten, maar ik zou me er niet toe verlagen om hem eraan te herinneren.

Misschien hoefde dat ook niet. Als ik me niet vergiste, zag ik een vage blos op zijn wangen. Misschien was hij niet alleen medicijnen gaan studeren om zijn gokschulden te vereffenen, maar ook om het schuldgevoel dat uit zijn wrede gedrag was voortgevloeid te verlichten. Tenslotte was ik niet de enige jongen die nog dagen na zo'n aframmeling op zijn buik had moeten slapen – en dan had ik nog een oudere broer om me te beschermen.

'Ik had niet gedacht dat iemand met uw familieachtergrond een baan nodig zou hebben om in zijn levensonderhoud te voorzien, ook al bent u dan de jongste zoon. Waarom in Gods naam de Kerk?'

Ik glimlachte. 'Juist daarom. Ik had het voorrecht om geestelijke te worden, niet omdat dat nodig was om in mijn levensonderhoud te voorzien, maar tot eer van de naam van God. Of beter gezegd,' voegde ik eraan toe, 'uit liefde voor God.'

Toone kreeg een kleur, alsof het onfatsoenlijk was om in het openbaar over religie te praten, en hij veranderde van onderwerp. 'En wanneer zijn u en dokter Hansard voornemens om het onderzoek voort te zetten?'

'Ik moet de begrafenis leiden voordat ik mijn kudde kan achterlaten,' zei ik. 'En ik moet een hulppredikant zien te vinden die de erediensten kan overnemen terwijl ik weg ben.'

Toone grinnikte. 'Wat een rare snuiter ben je toch, Campion! Iedereen weet dat plattelandsdominees de meest luie wezens op Gods groene aarde zijn, gekleed in ambtsgewaden en zittend in hun pastorie, terwijl ze ongeveer evenveel geld verdienen aan God als veel anderen aan de Mammon!'

'Ik ben bang dat ik dat niet kan ontkennen,' zei ik. 'Maar ik heb twee bijzonder goede voorbeelden gehad in het doen van goede werken. De eerste is dokter Hansard.' Hansard hoorde wat ik zei en voegde zich met een buiging bij ons. 'De tweede is mijn stalknecht, Jem Turbeville, wiens inzicht in wat een man zou behoren te doen scherper is dan dat van ieder ander die ik ooit ontmoet heb. Geen van deze twee mannen zouden mij gelegenheid geven om duimen te draaien terwijl ik me ook bezig zou kunnen houden met het werk van God.'

'Bent u dan ook methodist geworden, Edmund?' vroeg Toone aan mijn vriend.

'Ik niet! Ik werk om schatten te verzamelen in dit leven, niet in het volgende – zoals Tobias ongetwijfeld zal bevestigen.'

'Tobias zou bevestigen,' wees ik mijn vriend met een warme glimlacht terecht, 'dat de goede dokter hier vaak werkt voor precies dezelfde beloning als deze dominee. Maar ik hoor de stemmen van enkele van mijn gemeenteleden, heren. Edmund, kan ik erop rekenen dat wij onze plannen vanavond verder zullen bespreken?'

Na deze opmerking konden ze weinig anders dan afscheid nemen en vertrekken, en dat gebeurde dan ook.

16

'Heb ik u goed verstaan?' bulderde ik, mijn handen om de rand van mijn bureau geklemd alsof ik op het punt stond het omver te gooien, en mijn bezoekers erbij. 'Lizzie niet in gewijde grond begraven? Hoe durft u zoiets zelfs maar voor te stellen?'

Miller keek even naar Bulmer. 'Haar moeder is nou eenmaal een methodist. Geen lid van de ware kerk.'

'Dat doet volstrekt niet ter zake.' Misschien kwam mijn woede deels voort uit de eerdere plagerij van Toone, maar ik was echt razend over hun gebrek aan naastenliefde. 'Lizzie Woodman is als kind gedoopt en later ingevoegd en de Anglicaanse Kerk. Ze bezocht alle diensten, althans, voor zover haar meesteres het toeliet, en nam deel aan de eucharistie wanneer ze maar kon. En toch komt u mij vertellen dat ik haar geen christelijke begrafenis mag geven.' Ik ijsbeerde door mijn studeerkamer. 'Een onschuldig meisje, slachtoffer van een afschuwelijk misdrijf,' zei ik, terwijl ik een beschuldigende vinger ophief en hen om de beurt aankeek.

Bulmer kuchte, niet erg respectvol. 'Het is vanwege dat misdrijf, dominee, dat we weten dat ze niet onschuldig is. Dat kind is verwekt buiten het heilige verbond van het huwelijk – niemand die dat kan ontkennen.' Zijn zelfvertrouwen was toegenomen tijdens het spreken en nu stond hij stijf rechtop, zijn kin vooruitgestoken.

Zo kalm als ik maar kon zei ik: 'Zoals u tijdens het verhoor hebt kunnen horen is het goed mogelijk dat Lizzie getrouwd was. Haar werkgeefster in Londen –'

'Geen van de artsen heeft iets gezegd over een trouwring,' bracht Miller met een veelbetekenende ondertoon naar voren.

Die had ik ook niet gezien. In een poging om mijn wanhoop te maskeren zei ik op scherpe toon: 'Haar vingers waren al bijna helemaal vergaan. Ik betwijfel of er een ring om zou zijn blijven zitten.' Tot mijn genoegen zag ik het gezicht van de beide mannen van kleur veranderen.

'Ik zie niet in waarom de parochie voor haar begrafenis zou moeten betalen als ze getrouwd was met een Londenaar,' zei Bulmer, die zich snel herstelde.

Miller had zijn hand nog steeds voor zijn mond geslagen.

'Stelt u voor dat we een reis naar Londen – of misschien naar Bath – ondernemen om deze arme, diepbedroefde man op te zoeken om hem een paar shilling lichter te maken? Bah! Heren, ik zal haar begrafenis zelf wel betalen. En mag ik u dan nu een prettige dag wensen?' Ik rinkelde met de bel.

Aan haar barse glimlach te zien was mevrouw Trent van harte bereid om hen uit te laten.

Het waren natuurlijk alleen de mannen die zich rond het graf verzamelden om de plechtige woorden van de begrafenisceremonie te horen. Daar Matthew algemeen bekend stond als haar geliefde was het aan hem om het eerste schepje aarde op de kist te laten vallen. In elk geval hoefde Annie Barton daar geen getuige van te zijn.

Jem en ik wisselden een droevige glimlach uit. We beseften wel dat het geen pas gaf om, zoals Laertes en Hamlet bij Ophelia, te strijden om het lichaam van een overleden geliefde. Hoeveel jaren was het inmiddels al geleden dat we dat toneelstuk samen met mijn broer en zussen hadden nagespeeld, op een regenachtige dag op de hooizolder? Jem had een meesterlijke vertolking neergezet – de rol van de eerste grafdelver. Ironisch, eigenlijk. Maar hoewel het een levendige herinnering was, wiste de pijn van dit moment alle plezier ervan uit.

Nadat het laatste gebed was uitgesproken ging iedereen zijn eigen weg. Ik zag dat Jem Matthew meetrok in de richting van de *Silent Woman*, terwijl ik verlichting zocht in het gezelschap van Edmund, in de beslotenheid van mijn studeerkamer. Toone was de vorige avond al vertrokken om voorbereidingen te treffen voor zijn verblijf hier in het dorp. Hansard kon de dorpelingen al net zomin achterlaten zonder arts als ik zonder vervangende dominee. Ik betwijfelde of een van ons er werkelijk vertrouwen in had dat deze plaatsvervangers hun taak naar onze tevredenheid zouden vervullen.

'Wanneer gaan we op weg?' vroeg ik zodra ik voor ons allebei een glas madeira had ingeschonken. 'En waar gaan we heen? Bent u te weten gekomen waar Lady Elham op dit moment verblijft?'

'Mevrouw Beckles heeft te horen gekregen dat Lady Elham zich ophoudt in Bath,' antwoordde Edmund plechtig. Toen voegde hij eraan toe: 'Tobias, er zit mijn... goede vriendin... iets dwars, maar ik weet niet wat het is.'

'Mevrouw Beckles zag er tijdens het verhoor erg aangeslagen uit,' stemde ik in. 'Hebt u liever dat ik het haar vraag? Ik heb beloofd dat ik de jonge Susan later vandaag zou ophalen – ik zou haar mee kunnen nemen naar de Priorij om bij de kuikentjes te kijken en het onderwerp dan ter sprake brengen.'

'Ik ben er zeker van dat mevrouw Trent het ook geweldig zal vinden om een paar kuikentjes groot te brengen,' stelde ik Susan gerust, 'vooral als jij je in het bijzonder over hen zou ontfermen. En Jem wil wel een hok voor ze maken, daar twijfel ik niet aan. Ga er maar gauw een paar uitkiezen.' Ik wachtte tot ze buiten gehoorsafstand was voor ik het woord tot mevrouw Beckles richtte. 'U bent bezorgd over iets, is het niet? Ik zag het aan uw gezicht toen u probeerde uw verklaring af te leggen.'

Ze knikte en beet op haar lip.

'Ik weet dat u de waarheid en niets dan de waarheid verteld hebt, mevrouw Beckles. Maar ik denk dat de rechter zelf u ervan weerhouden heeft om de hele waarheid te vertellen.'

Ze keek me aan. 'Katholieken moeten regelmatig biechten. Soms denk ik echt dat dat een voorrecht is!'

'De Anglicaanse Kerk heeft altijd geleerd dat mensen die dat willen, *mogen* biechten. Valt dat wat u te zeggen hebt onder het biechtgeheim?'

Ze schudde haar hoofd. 'Ik weet dat u het met dokter Hansard zult moeten bespreken, maar ook dat u het geen van beiden verder zult vertellen. Meneer Campion,' zei ze, ondanks haar tegenzin vastbesloten, 'als huishoudster heb ik de bijzonder onprettige... plicht om me ervan te verzekeren dat vrouwelijke bedienden geen... dat ze niet...' Ze bloosde van schaamte maar ging verder: 'Ik heb het vreselijke vermoeden dat Lizzie misschien al zwanger was voordat Lady Elham de Priorij verliet. Eerlijk gezegd was het een opluchting dat ik dat niet in het openbaar hoefde te zeggen.'

In een flits zag ik voor me hoe bleek die arme Lizzie geweest was op de ochtend dat ze vroeg of ze me in mijn hoedanigheid als dominee kon spreken. Ik had Jem ervan overtuigd dat ik dacht dat ze me wilde spreken over het verbreken van haar verloving met Matthew; nu begon ik te beseffen dat het probleem dat ze wilde spreken misschien nog veel groter was. Desondanks bleef ik uitvluchten zoeken. 'Uitgesloten! Lizzie niet! Hemel, Matthew heeft onder ede verklaard dat ze... het huwelijk niet voortijdig geconsumeerd hadden.'

'Er zijn andere jongemannen dan Matthew.'

'En het is goed mogelijk dat Lizzie helemaal niet blij was met hun aandacht,' stemde ik vol medeleven in, terugdenkend aan de dag waarop we elkaar voor het eerst ontmoetten.

Tot mijn verrassing nam ze mijn beide handen in de hare, alsof ze me wilde troosten. Ik gaf een kneepje in haar handen voordat ik ze losliet.

'Had dokter Toone enig idee hoever de zwangerschap gevorderd was?' vroeg ze, haar stem weer zakelijk.

'Dat heb ik niet gevraagd. Ik vrees dat ik een zwakke maag heb, mevrouw Beckles. Maar dokter Hansard zal u zeker meer kunnen vertellen – als het tenminste mogelijk is om zoiets vast te stellen. Ik heb geen verstand van biologie.'

'En dat wilt u graag zo houden, neem ik aan,' zei ze met een warme, begripvolle glimlach.

Geen wonder dat dokter Hansard zo van haar gecharmeerd was. Waarom hechtte hij zo veel belang aan zijn financiële situatie? Het zou mevrouw Beckles niets uitmaken dat het huis niet helemaal ingericht was – ik dacht dat ze er zelfs plezier in zou hebben om de overgebleven kamers zelf in orde te maken. Er was niets wat mij gelukkiger zou maken dan het voorrecht om hen in St Jude's in de echt te mogen verbinden. Ik kende niemand die zo vriendelijk, zo goedhartig was als deze twee mensen. Een mooier huwelijk was ondenkbaar.

'U weet dat dokter Hansard en ik naar Bath zullen vertrekken om de boodschap over te brengen aan Lady Elham?'

Ik dacht dat ik haar zag blozen. 'Dat weet ik. Maar wat als u haar niet thuis treft?'

'Dan hebben we alleen maar meer tijd om de instructies die u voor ons op papier zet uit te kunnen voeren. Kom, mevrouw Beckles, u kunt toch niet toestaan dat wij zo'n moderne stad bezoeken zonder dat u ons opdracht geeft om kant of linten of handschoenen voor u mee te nemen? Als mijn zussen wisten dat ik ergens binnen een straal van vijftien kilometer van deze stad verplichtingen had, lieten ze me niet gaan zonder mij eerst van een boodschappenlijst te voorzien.'

Haar lach klonk wat geforceerd. Ik boog naar haar toe en vroeg: 'Bent u nog steeds van streek door uw verklaring?'

'Nee. Maar ik maak me zorgen over de berichten over de jonge Lord Elham. Ze zeggen dat hij volledig losgeslagen is.'

'Inderdaad. Het verbaast me dat zijn moeder geen pogingen onderneemt om hem wat af te remmen.'

'Hoe zou hij reageren als ze dat wel deed? Hij had altijd al een opvliegend karakter, meneer Campion, te koppig om zich door iemand te laten bijsturen. U hebt zelf gemerkt hoe hij u behandelde toen u zijn vriend een pleziertje ontzegde.'

'En ik heb de overblijfselen van de dieren die hij doodmartelde gezien,' zei ik instemmend. We keken elkaar recht aan. Het was duidelijk dat zij ook vermoedde dat hij wellicht bij Lizzies dood betrokken was. Ik huiverde; zo'n gedachte uitspreken in een opwelling van woede was één ding – ontdekken dat een verstandige, trouwe bediende als mevrouw Beckles er net zo over dacht was iets heel anders.

Ze ging er niet rechtstreeks op in, maar zei wel: 'Ik heb de details rond het komen en gaan van Lord Elham al met dokter Hansard besproken. Hij is hier maar heel weinig geweest, beseft u dat wel? Ik hoop en bid… Ah, heb je die uitgekozen, Susan?' vroeg ze zonder haar zin af te maken toen het meisje terugkeerde met nog een emmer donzige kuikentjes. 'Vergeet niet om aan Jem te vragen om een sterk hok voor ze te maken – de vossen hebben altijd extra veel honger in deze tijd van het jaar.'

Terwijl we afscheid namen, bad ik in stilte dat hij nuchter genoeg zou zijn om ook maar één spijker in het hout te slaan.

Susan vond het zo fijn dat ze nu zelf kippen had om voor te zorgen, dat ze nauwelijks reageerde toen ik haar vertelde dat ik op reis moest om Lady Elham op de hoogte te stellen van het overlijden van haar zus. Ik zei niets over een mogelijke weduwnaar. Ze huppelde het erf over om toe te kijken terwijl Jem haar nieuwe kippenhok in elkaar zette; na zijn bezoekje aan de herberg was er niet veel over van zijn gebruikelijke behendigheid en het kostte hem moeite om de spijkers die ze hem zo graag wilde aangeven vast te houden.

Mevrouw Trent kwam naar buiten om de voortgang te peilen en keek toe, haar gezichtsuitdrukking een mengeling van tederheid en medeleven. 'Zo gaat dat met jonge meisjes – ze verliezen hun hart aan de eerste knappe man die ze tegenkomen, hoe ongeschikt hij misschien ook is,' zei ze. 'Maar in elk geval is dit een betrouwbare, eerlijke man die haar op een vriendelijke manier zal afwijzen,' voegde ze eraan toe terwijl we naar de twee jonge mensen keken, hun hoofden naar elkaar toegebogen. 'Of een goede man voor haar zal zijn, als hij besluit dat dat is wat hij wil.'

'Maar –' Het scheelde niet veel of ik had uitgeroepen dat Jem van de andere zus gehouden had. 'Maar hij is zeker twee keer zo oud als zij,' verbeterde ik mezelf.

'En hoeveel gelukkige huwelijken zijn er wel niet tussen mensen van verschillende leeftijden?'

Ik glimlachte toegeeflijk, maar trok me terug in mijn slaapkamer, enigszins van streek. En het was niet het besef dat ik voor het eerst in mijn leven mijn eigen bagage moest inpakken dat me dwarszat, hoewel al snel bleek dat dat een haast onmogelijke opgaaf was.

Een discrete klop op mijn deur ging vooraf aan de binnenkomst van een verrassende, maar zeer welkome bezoeker. Het was Turner, Hansards persoonlijke bediende. Hij deelde mee dat ik de rest van de dag van zijn diensten gebruik mocht maken en dat zijn meester beneden op mij wachtte, in de salon. Zonder het met zoveel woorden te zeggen bevestigde hij wat ik eigenlijk allang wist – dat de bescheiden inspanningen die ik geleverd had zijn werk als bediende alleen maar moeilijker gemaakt hadden en dat het een beter idee was als ik me bij Edmund voegde om een glas sherry te drinken en te wachten tot het diner geserveerd werd. Het was duidelijk dat hij verwachtte dat ik zijn meester gezelschap zou houden.

'Ik denk dat we in stijl moeten reizen, en zo comfortabel mogelijk,' kondigde Edmund aan. Hij warmde zijn rug aan het haardvuur dat mevrouw Trent had aangestoken om de avondkilte te verdrijven. 'Tenslotte beschik ik over een prima reiskoets die alleen even schoongemaakt moet worden. We hebben natuurlijk wel een koetsier nodig, maar ik heb Toone beloofd dat ik George hier zou laten – hij kent alle paden en binnendoorweggetjes hier als zijn broekzak. Denkt u dat Jem mee zou willen gaan? Ik kan me niet voorstellen dat hij liever hier blijft rondhangen.'

Ik ook niet. 'Niets zou hem meer goed doen dan er even helemaal uit zijn.' Zouden Susans gevoelens voor hem daarmee ook bekoelen? Ik wist het niet.

In de wetenschap dat hij het als een belediging zou opvatten als we naar de keuken liepen om hem te zoeken, luidde ik de bel en vroeg ik Susan om hem naar ons toe te sturen. Het viel me op hoe bleek hij was en hoe uitgeput hij eruitzag – er kon nauwelijks een glimlachje vanaf. Zo had ik hem nog nooit gezien. Hansard drukte hem een glas claret in de handen en keek hem onderzoekend aan.

'Jem, dokter Hansard speelt met de gedachte om voor onze reis naar Bath gebruik te maken van zijn eigen koets. Heb jij er bezwaar tegen om de koets te besturen?'

Jems ogen lichtten op, maar dat licht doofde al snel weer. 'Dat is de taak van George Deakins.'

'Dokter Toone heeft iemand nodig die hem hier in de omgeving de weg kan wijzen,' zei Hansard. 'Stel je eens voor dat je het huis van een patiënt moet zien te vinden zonder de hulp van een plaatselijke inwoner. Ben jij bereid om in Georges plaats mee te gaan?'

Hij was duidelijk in verleiding, maar hij keek mij veelbetekenend aan. Een beetje stuurs, alsof we nog jongens waren, zei hij: 'Als u dit maar niet verzonnen hebt om – nou ja, om iets aardigs voor mij te doen.'

Hansard kwam tussenbeide. 'Lieve help, Jem, hoe moeten we dit doen zonder jou?'

'U zou per postkoets kunnen reizen.'

Ik was er zeker van dat zijn ogenschijnlijke tegenzin een poging was om te verdoezelen hoe graag hij eigenlijk, al was het maar voor even, weg wilde van de plaats waar hij zo veel ellende had meegemaakt.

'Dat doen we liever niet,' zei ik, in de hoop dat mijn stem koud en afstandelijk zou klinken. Hij onderdrukte een grijns. 'En hoewel we iemand anders kunnen inhuren om jouw werk te doen,' voegde ik er op verzoenende toon aan toe, 'zou hij het nooit zo goed doen als jij. Bovendien zijn er andere dingen waarbij hij ons niet kan helpen, terwijl jij dat wel kunt.'

Als hij een hond was geweest had hij zijn oren gespitst. 'Hoe bedoelt u, dingen waarbij ik kan helpen?'

'Jij kunt achter de schermen informatie inwinnen, op plaatsen die voor ons niet toegankelijk zijn. Tijdens haar haastige reizen zal Lady Elham vast hier en daar een bediende op de tenen getrapt of een stalknecht tegen zich in het harnas gejaagd hebben. Zou jij je ogen en oren de kost willen geven op plaatsen waar wij niet kunnen komen?' Bovendien was de kans groot dat de man van Lizzie – als hij tenminste bestond – ook een bediende was, en in dat geval was het goed mogelijk dat Jem hem zou vinden. 'Maar ik moet je wel waarschuwen; het zou kunnen dat we ook nog moeten afreizen naar Londen.'

Onwillig zei hij: 'Het toeval wil dat ik in zowel Bath als Londen neven en nichten heb wonen die ik best nog eens wil bezoeken. Wat moet er nog aan uw koets gebeuren voordat hij klaar is voor vertrek? Niet dat ik me kan voorstellen dat George zijn werk ook maar in enig opzicht zou verwaarlozen,' vulde hij vlug aan. 'We zullen ervoor zorgen dat het rijtuig om tien uur klaarstaat.' Hij sloeg zijn wijn in één teug achterover, zette het glas terug op het dienblad en liep zonder verdere formaliteiten de kamer uit.

Hansard en ik dronken nog veel meer, zij het in een rustiger tempo.

'Volgens mij,' mopperde ik, hoewel mijn ogen twinkelden, 'zijn het onze bedienden die bepalen wat wij wel en niet doen. Waarom gaan we er niet stiekem vandoor, per postkoets?'

'Zodat zij ons alsnog met het rijtuig kunnen achtervolgen, alsof we een verliefd stelletje zijn dat op weg is naar Gretna Green? Ik dacht het niet! En om eerlijk te zijn, Tobias, zijn er maar weinig dingen die een man meer gemak verschaffen dan een bediende als Turner, zodat hij zelf niet naar zijn kleding hoeft om te kijken.'

Hij had natuurlijk gelijk – ik was me nooit eerder zo van mijn onbenul ten aanzien van kleding bewust geweest als op dit moment. Maar ik reageerde met een spottende opmerking. 'En een persoonlijke bediende is natuurlijk ook noodzakelijk om iemand onderweg in een herberg enige status te verschaffen. U en ik zouden het vanzelfsprekend niet in ons hoofd halen om een speciale behandeling eisen op plaatsen waar niemand ons kent, maar u kunt er donder op zeggen dat onze twee bedienden ervoor zullen zorgen dat we altijd en overal de beste kamers toegewezen krijgen en worden ontvangen in de mooiste salons.'

'En fris geluchte lakens – vergeet die niet… Een toost, Tobias, op onze reis!'

17

We hadden bijna drie dagen nodig om Bath te bereiken, wat voornamelijk toe te schrijven was aan ons besluit om op comfortabele wijze te reizen en ons onderweg niet te haasten – ondanks Jems overduidelijke ongeduld. Hoewel Turner van mening was dat we kamers moesten nemen in het York House Hotel, gaven wij de voorkeur aan het iets goedkopere maar nog steeds respectabele Pelican Hotel, in Walcort Street. Dit hotel stond bekend om zijn uitzonderlijk smakelijke maaltijden en bevond zich bovendien op geringe afstand van het huis van Lady Elham, gevestigd aan Camden Place. Het spreekt voor zich dat we naast slaapkamers ook een eigen salon huurden. De kamer werd door Turner aan een kritische inspectie onderworpen, wat onmiddellijk tot gevolg had dat er een dienstmeisje met een stofdoek ontboden werd.

Jem en Turner hadden meer dan genoeg te doen, dus dokter Hansard en ik gingen er te voet op uit, ondanks de constante motregen, om onze kaartjes bij Lady Elham af te leveren. We liepen niet erg snel en onze tred was zelfs niet doelbewust te noemen. In plaats daarvan bekeken we de omgeving, onder de indruk van de architectuur, de elegante gebouwen en de kleding van de andere mensen die hier, net als wij, rond slenterden. Het viel ons al snel op dat deze mensen, hoewel Bath niet langer de meest geliefde stad van de beau monde was en hun kleding dus niet in overeenstemming was met de allernieuwste trends, er veel moderner uitzagen dan wij.

Nu ik op het platteland woonde was ik haast vergeten hoe het er in een drukke stad aan toeging – het geluid van de straatventers, de mensen met draagstoelen op hun schouders, de koetsen. Er klonk een niet-aflatend geklepper van klompen die zelfs de meest elegante voeten tegen het vuil van de straat moesten beschermen. Maar hoe verstandig ze ook waren als het aankwam op het kiezen van schoeisel, de dames weigerden om afstand te doen van hun fijne mousselinen japonnen en in plaats daarvan praktische, degelijke kleding te dragen die tegen een stootje kon. Dat betekende echter wel dat ze paraplu's nodig hadden om onder te schuilen, gedragen door hun al even elegant geklede begeleiders.

Onze voeten droegen ons ongemerkt naar de abdijkerk, aan de rand van de stad. Toen we er vlakbij waren, brak de zon door. De goudgele stenen gloeiden warm op en ik kon niet anders dan erkennen dat dit echt een Godshuis was. In de kerk troffen we dienstmeisjes en staljongens aan die daar met elkaar hadden afgesproken, dames van middelbare leeftijd die, moe van het winkelen, simpelweg voor zich uit zaten te staren en natuurlijk mensen uit de provincie, zoals wij, gewapend met plattegronden. We vonden een rustig hoekje waar we, in één beweging, neerknielden om in stilte te bidden, onze zielen verkwikt door het licht en de schoonheid van het gebouw.

Nadat we de kerk waren uitgelopen lukte het ons niet langer om de ernst waarmee onze reis gepaard hoorde te gaan te bewaren – hoezeer we dat ook probeerden. We liepen door Bond Street, Milsom Street en Bath Street en konden niet anders dan ons vergapen aan de enorme hoeveelheid winkeltjes.

Ik waagde het zelfs om op een van de etalages te wijzen. 'Zeg eens, dokter Hansard, denkt u niet dat die bonnet mevrouw Beckles bijzonder goed zou staan? Die goudkleurige, van zijde, met die iets opstaande rand?' De bonnet was versierd met een lint, dat aan de achterzijde in een charmante strik geknoopt was.

'Dat zou hij zeker. Maar ik vrees dat ze het ongepast zou vinden als ik zoiets voor haar zou kopen.'

'Maar ze zal vast en zeker geen aanstoot nemen aan een kleine aanvulling van haar boekenkast.' Ik wees naar Duffield's. 'Een bundel met Schotse poëzie, wellicht?'

Hansard, op de hoogte van haar enorme zwak voor boeken, kon zich niet langer bedwingen en ging de winkel binnen. Ik stond nog even te aarzelen en liep toen vlug een ander winkeltje in, overduidelijk een dure boetiek. De onbestemde relatie tussen Hansard en mevrouw Beckles weerhield hem er misschien van om een persoonlijk geschenk voor haar te kopen. Maar wanneer iemand die haast als een zoon voor haar was een shawl voor haar mee zou brengen was dat vast geen probleem, ook al kon ik me dan niet de allerbeste Norfolk zijde veroorloven – vijftig guineas per shawl! – die Lady Elham altijd droeg. Hoeveel monden zou je van dat bedrag een jaar lang kunnen voeden? Toen stapte ook ik Duffield's binnen, om mijn longen te vullen met de heerlijke, niet te evenaren geur van nieuwe boeken, die mij veel liever was dan welk ingewikkelde bloemenparfum uit Parijs ook. Ik weerstond de verleiding om preken van andere geestelijken aan te schaffen, hoe ver die mijn eigen armetierige lezinkjes misschien ook te boven gingen, en nam genoegen met een in leer gebonden gebedenboekje voor Susan.

'Kom nou toch, Tobias, een meisje van haar leeftijd zou je een veel groter plezier doen met linten en kant!' riep Hansard uit toen ik uitlegde wat ik gekocht had en waarom.

'Dan krijgt ze die ook,' was mijn reactie. 'En voor mevrouw Trent neem ik ook wat moois mee!'

'En we moeten Jem en Turner niet vergeten.'

In het uur dat volgde gedroegen we ons als twee schooljongens die plotseling met een heel jaar aan zakgeld op de kermis waren losgelaten. Het enige wat tot onze verdediging kan worden aangevoerd is dat we in deze tempel van de Mammon geen van beiden geld aan onszelf verspilden, afgezien van één modieus kostuum per persoon. Natuurlijk, dokter Hansard kocht een nieuwe tas voor zijn medische instrumenten en mijn oog viel op een paar handschoenen van uitzonderlijk goede kwaliteit, maar die hadden we gewoon nodig – daar was niets overdadigs aan. Hetzelfde gold ook voor de laarzen waar we allebei dringend aan toe bleken te zijn. Alles wat we kochten werd bezorgd in het Pelican, waar we het later vandaag nog eens uitgebreid konden bekijken. Pas toen dachten we terug aan de werkelijke reden van ons bezoek aan de stad en de ernst daarvan. We slopen schuldbewust terug naar Camden Place.

Zoals we al verwacht hadden, hadden de huizen in deze moderne omgeving stuk voor stuk een uitzonderlijk elegante uitstraling, terwijl ze tegelijkertijd modern en eigentijds aandeden. Pas nadat we alle indrukken op ons in hadden laten werken, met open mond starend alsof we een stelletje boerenpummels waren, gingen we op zoek naar het adres waarvan mevrouw Beckles ons verzekerd had dat dat de plek was waar Lady Elham verbleef.

Tot onze ontzetting zagen we dat de klopper van de deur gehaald was en dat alle gordijnen en luiken gesloten waren. Er was niemand thuis! In ruil voor wat kleingeld vertelde een passerende straatveger ons dat het huis al een hele tijd leegstond. Hij spuugde op de grond. Hij begreep er duidelijk niets van dat iemand die zo'n prachtig huis bezat geen behoefte had aan een huurder. Elke andere huiseigenaar, beweerde hij met klem, zou zijn huis verhuren, en vaak nog tegen een enorm bedrag ook.

'Hoeveel dagen staat het al leeg?' vroeg ik.

'Moeilijk te zeggen, het is hier een komen en gaan van mensen.'

'Maar u zou de koets van Lady Elham toch wel herkennen, zwart met goud, en met het familiewapen op de deur?'

Hij spuugde opnieuw. 'Zo zien ze er allemaal uit – de een nog glimmender dan de ander. De koets van Lady Elham zou ik zeker herkennen. Maar er zijn ook anderen geweest. Een heleboel anderen.'

Ik drukte nog een munt in zijn smerige hand en hij wreef met zijn knokkels over zijn voorhoofd. Hij beschouwde het geld blijkbaar als betaling voor de informatie die hij al gegeven had, niet als een aanmoediging om nog dieper in zijn geheugen te graven. 'Wanneer hebt u de koets van Lady Elham voor het laatst gezien?' drong ik aan.

'Dat moet vlak na de Kerst geweest zijn.'

'Dus mevrouw Beckles had het bij het verkeerde eind,' zei ik treurig, terwijl ik me omdraaide.

'Of iemand heeft mevrouw Beckles opzettelijk verkeerd geïnformeerd,' opperde Hansard.

Het was een droevig tweetal dat uiteindelijk terugkeerde naar het Pelican, waar we besloten om om zes uur te dineren, een compromis tussen de tijd die we op het platteland aanhielden en de modernere tijden die hier gehanteerd werden. Turner, van de laatste ontwikkelingen op de hoogte gebracht terwijl hij ons bijstond bij het maken van ons *toilet*, bood aan om het nieuws aan Jem over te brengen, die op dit moment bij zijn neef op bezoek was. Hij twijfelde er niet aan dat het hen zou lukken om tot op het uur en anders toch zeker tot op de dag nauwkeurig te achterhalen wanneer Lady Elham de stad verlaten had en wat haar beoogde bestemming was.

Tot mijn grote vreugde had dokter Hansard, met dank aan onze goede vriend Turner, de hand gelegd op twee kaartjes voor een voorstelling in het nieuwe Theatre Royal. Hij had me verteld dat hij ooit een toneelstuk met Mrs. Jordan gezien had en dat dat een onvergetelijke ervaring was; ik vrees dat de actrice die deze avond de hoofdrol speelde slechts middelmatig presteerde, maar *The Rivals* was evengoed zeer de moeite waard.

Hoewel Hansard tegen hem gezegd had dat hij niet op hoefde te blijven, stond Turner ons met de gebruikelijke effen gezichtsuitdrukking op te wachten. Pas toen het hem gevraagd werd, zei hij: 'Het schijnt inderdaad waar te zijn dat Lady Elham zich sinds de kerstdagen nauwelijks meer in Bath heeft laten zien. Er gaan hardnekkige geruchten dat Lord Elham onwel geraakt is en dat zij hem verzorgd heeft. Maar niet, durf ik te stellen, meneer, op Moreton Priory.'

'Inderdaad.' Hansard wachtte terwijl Turner de punch serveerde die hij zojuist, vlak voor onze terugkeer, had klaargemaakt. 'Dank je. En waren er ook geruchten over de huidige verblijfplaats van Lady Elham en haar zoon?'

'Die geruchten, meneer, zijn tot mijn spijt ernstig met elkaar in tegenspraak. Ik heb zelfs iemand horen zeggen dat ze hem op Moreton Priory verzorgde. Lady Elham heeft natuurlijk een eigen huis in Devon, dat hoorde bij haar bruidsschat. Maar Lord Elham heeft overal in het land huizen en buitenverblijven. En in deze tijd van het jaar is Londen ook erg aantrekkelijk.'

'Dat is zeker zo,' zei ik. 'En zelfs als Lady Elham niet in Londen is, bestaat er een goede kans dat we Lady Templemead daar wel zullen aantreffen.'

'Wilt u dan morgen op weg gaan naar Londen, meneer?'

'Ik weet het nog niet, Turner. Ik heb niet de behoefte om als een razende het platteland te doorkruisen in de hoop dat we toevallig op onze prooi zullen stuiten,' gromde Hansard. 'Stel je voor dat we helemaal naar Londen afreizen om daar te ontdekken dat de beste dames al de hele tijd ergens in een afgelegen landhuis verblijven! Cornwall, Northumberland? Waar zouden ze niet kunnen zitten?

Ik wreef over mijn kin. 'Ik heb een plan. Het kost de nodige moeite en misschien levert het uiteindelijk niets op, maar stel dat één dag zwoegen ons later een heleboel werk bespaart...'

'Schiet op, man!' Hansard hoefde me er niet aan te herinneren dat Turner de kamer pas kon verlaten als hij officieel werd weggestuurd en dat Jem waarschijnlijk op ditzelfde moment met smart op zijn gezelschap zat te wachten. Als de warme, vochtige buitenlucht mij al slaperig maakte, hoeveel vermoeider zouden onze trouwe bedienden dan wel niet zijn; zij hadden tenslotte al het werk gedaan.

'Als Lady Elham bij haar vertrek uit Bath gebruik gemaakt heeft van de hoofdwegen, moet ze langs een tolhek gekomen zijn,' zei ik. 'Grote kans dat de tolbaas zich een rijtuig als het hare nog kan herinneren, denken jullie niet?'

Hansard schudde zijn hoofd. 'Zoals onze vriend de straatveger al opmerkte, daar zijn er heel veel van – Bath trekt nog steeds grote aantallen adellijke families aan, vooral diegenen die geloven dat het water een geneeskrachtige werking heeft.'

Turner kuchte. 'Ik kan me voorstellen dat de ceremoniemeester van de Assembly Rooms, waar feesten en theaterstukken en dergelijke gehouden worden, misschien enig idee heeft van haar verblijfplaats, mits ze het gastenboek getekend heeft, natuurlijk.'

'Ik kan me niet voorstellen dat mijn nicht zich zou onttrekken aan enige vorm van sociaal protocol,' zei ik.

'Uw nicht! Ik was vergeten dat u familie van haar was.'

'Verre familie, Edmund. Zij had haar zinnen gezet op een dominee met een adellijke achtergrond; ik was op zoek naar een parochie. Het besef dat we deel uitmaakten van dezelfde familie stond ons allebei aan. In het begin wel, in ieder geval. Ze sprak me steeds minder vaak aan als "neef" en steeds vaker als "dominee", dus ik neem aan dat ik haar in velerlei opzicht teleurgesteld heb.'

'Ze was zeer ontstemd over uw goedheid ten aanzien van de armen,' stemde Edmund met een knikje in. 'Maar we dwalen af. Turner, ik ben het ermee eens dat we onze tijd hier zo nuttig mogelijk moeten gebruiken, om te voorkomen dat deze hele reis een vruchteloze onderneming wordt. Wees zo goed om Jem te vragen zich morgenochtend ook bij ons te voegen zodat we onze middelen zo goed mogelijk kunnen benutten.'

De volgende ochtend kwamen wij, meesters en bedienden, bij elkaar in onze salon waar we een vroeg ontbijt van ham en koud vlees gebruikten, weggespoeld met bier. De regen van de vorige dag was voorbij en de kamer baadde in het zonlicht, wat een verfrissend effect had. Hoewel Jem erop stond dat hij een paard zou huren en alle inlichtingen in zijn eentje zou inwinnen, deelden wij de overtuiging dat het werk eerlijk verdeeld moest worden. Uiteindelijk gingen Jem en Turner op weg naar de dichtstbijzijnde stallen, waar ze allebei een rijdier hoopten te bemachtigen. Dokter Hansard en ik, beter bekend met de genoegens van het wandelen dan onze bedienden, zetten koers naar het zuiden, waar we de rivier overstaken bij Old Bath Bridge. Vervolgens liepen we verder in westelijke richting, naar de tolweg die naar Bristol voerde, en toen naar het zuiden om navraag te doen langs de weg naar Wells. Het zat ons niet mee, en uiteindelijk sloegen we af naar het oosten, naar de tolweg die Widcombe en Bathwick met elkaar verbond. We liepen in stilte terug, uitgeput en bezweet, de zon brandend op onze rug. Bovendien waren we behoorlijk ontmoedigd, zowel door het gebrek aan harde feiten als door de confrontatie met inhalige tolbazen die nog geen snippertje informatie loslieten tenzij we ze er goed voor betaalden.

Terwijl we terugsjokten naar het stadscentrum – waren de wegen hier echt zo veel slechter als we thuis gewend waren? – troffen we een koffiehuis aan dat er schoon en acceptabel uitzag. We besloten deze dag als verloren te beschouwen en hoopten maar dat de inspanningen van onze bedienden meer hadden opgeleverd. Misschien was het om onze teleurstelling te verbergen, maar vanaf dat moment beperkte de conversatie zich tot het prachtige landschap dat de stad omgaf, de pracht en praal van de gebouwen die we gezien hadden en hoe geweldig de combinatie daarvan wel niet was. Nadat we wat gerust hadden, ging ik graag in op Edmunds voorstel om een kijkje te nemen bij de bronnen waar Bath om bekendstond, hoewel hij het warme water dat hem in de drinkzaal werd aangeboden resoluut weigerde. Ik geef toe dat ik niet meer dan een klein slokje van het mijne nam en dat de zoute smaak ervan me onmiddellijk tegenstond. Ik kon me niet voorstellen dat dit water werkelijk gezond was.

'Als u het mij vraagt,' gromde hij, even vergeten dat hij ooit de wens had uitgesproken dat het vroegere kindermeisje van Lord Elham hier een behandeling zou kunnen ondergaan, 'heeft de uitwerking van zogenaamd geneeskrachtig bronwater niets met het water zelf te maken, maar veel meer met het feit dat iemand zich onthoudt van de zware maaltijden die zijn kwalen veroorzaakt hebben. En wat de baden zelf betreft, lieve hemel, hebt u gezien dat er geen enkel onderscheid gemaakt wordt tussen verschillende ziektes, maar dat alle patiënten gewoon in hetzelfde water ondergedompeld worden? Ik zou denken dat de kans dat mensen hier besmet raken met de ziekte van iemand anders groter is dan de kans dat ze van hun eigen ziekte worden verlost!'

Maar na een late lunch in onze eigen salon was hij in een beter humeur. Turner en Jem waren nog nergens te bekennen.

We hadden het gastenboek in de Assembly Rooms nog niet ondertekend, dus we besloten opnieuw op weg te gaan. We daalden eerst af naar de Lower Rooms en keerden toen terug naar de New – of Upper – Rooms, waar we het geluk hadden om meneer King, de ceremoniemeester, in eigen persoon te ontmoeten. Tot mijn verbazing herkende hij me onmiddellijk, hoewel het al bijna zes jaar geleden was dat ik de stad samen met mijn ouders bezocht had en ik toen nog geen geestelijke was. Ik hoefde hem alleen maar op de hoogte te stellen van mijn nieuwe titel, waarop hij reageerde met een respectvolle buiging.

Het was me een genoegen om dokter Hansard aan hem voor te stellen. Een hoffelijkere begroeting had niemand zich kunnen wensen en toen we hem vertelden dat we Lady Elham persoonlijk op de hoogte wilden stellen van droevig nieuws, was hij oprecht bezorgd.

'Ik moet zeggen dat ik haar dit jaar nog nauwelijks gezien heb,' zei hij. 'Het spreekt uiteraard voor zich dat ze het bezoeken van voorstellingen en partijen beperkt heeft omdat ze in de rouw is, en niemand zou van haar verwachten dat ze deelneemt aan kaartspelletjes of bals. Maar zelfs als ze had toegezegd dat ze bij een concert aanwezig zou zijn, veranderde ze op het laatste moment van gedachten – ze is niet zichzelf.'

'Waaraan zou u haar gedrag toeschrijven?' vroeg dokter Hansard. 'En dat vraag ik als haar medische adviseur, niet omdat ik geïnteresseerd ben in roddels.' Toen meneer King aarzelde, voegde hij eraan toe: 'Het feit dat ik besloten heb om haar dit nieuws persoonlijk mee te delen in plaats van per brief heeft alles te maken met mijn zorgen om haar gezondheid.'

'Uw fijngevoeligheid strekt u tot eer,' zei meneer King. Hij boog wat naar voren en ging verder: 'Het enige wat ik gehoord heb is dat haar zoon onwel geworden is – een zenuwinzinking of iets dergelijks, als ik het goed begrepen heb. Maar ik weet wel dat haar voormalige huishoudster nu in dienst is bij de familie Salcombe – zij weet wellicht meer. Deze familie is woonachtig in Laura Place.'

Dokter Hansard maakte een aantekening. 'En haar butler? Als iemand weet hoe het er in een gezin werkelijk aan toe gaat is hij het wel.'

'Ik geloof dat hij de stad verlaten heeft. Maar als u uw adres voor mij wilt achterlaten zal ik inlichtingen inwinnen en u daar opwachten.'

'Mag ik zo brutaal zijn om nog één laatste vraag te stellen?' vroeg ik. 'Hebt u nieuws over Lady Templemead? Ik meen dat zij een nicht is van Lady Elham en een gesprek met haar zou ons allemaal tijd kunnen besparen.' Het was natuurlijk mogelijk dat de relatie tussen de twee vrouwen net zo oppervlakkig was als de relatie tussen Lady Elham en mijzelf, daar was ik niet van op de hoogte – maar die twijfel besprak ik niet met meneer King.

'Ik zal het navragen. Dokter Hansard, het was me een genoegen om kennis met u te maken. En bijzonder plezierig om de kennismaking met u te hernieuwen, meneer Campion.'

We bogen ten afscheid en wij bleven achter, zeer tevreden over het verloop van deze ontmoeting.

'Er is nog één andere kwestie, Edmund,' zei ik terwijl we meneer King nakeken. 'John Coachman is hier gestorven. Dus nu we toch tijd over hebben, zou ik het fijn vinden om zijn graf te bezoeken en hem de laatste eer te bewijzen.'

'Weet u dan waar hij begraven is?' vroeg hij, plotseling wat geïrriteerd. 'Ik moet bekennen, Tobias, dat al dit gewandel door de heuvels mij een blaar ter grootte van een guinea heeft opgeleverd, precies op mijn hiel, en we moeten ook nog een bezoek brengen aan de familie Salcombe. Om dat graf te vinden moeten we misschien alle kerken in Bath langs en daar ben ik te oud en te moe voor!'

'Laten we het dan aan de nieuwe huishoudster van de Salcombes vragen,' stelde ik voor. Het probleem van de blaar begreep ik maar al te goed, ik had er zelf namelijk net zo een. 'Zij zal ongetwijfeld weten wat er met haar medebediende gebeurd is, zeker iemand in zijn positie. Wilt u dat ik een draagstoel staande houd?' voegde ik er hoopvol aan toe.

Hij fronste. 'Het doet misschien wel pijn, maar ik ben niet invalide. We houden het bij lopen, Tobias – we houden het bij lopen!'

We besloten de beleefdheidsregels in acht te nemen en eerst onze kaartjes af te geven bij de Salcombes. Dames en heren van stand waren vaak erg precies en het was dan ook mogelijk dat de heer des huizes er bezwaar tegen zouden hebben dat twee vreemdelingen, hoe respectabel ook, zijn huishoudster te spreken vroegen. We zouden juist binnengelaten worden toen Lady Salcombe zelf aan kwam rijden en er, tegen alle regels van de etiquette in, op stond dat we haar zouden volgen naar de salon om een verfrissing te gebruiken. Ze kon onmogelijk ouder zijn dan tweeëntwintig, een tenger schepseltje met blonde haren en blauwe ogen, nauwelijks groter dan een kind. Haar echtgenoot, een lange man die twintig jaar ouder was dan zij, donker van uiterlijk en met angstaanjagend zware wenkbrauwen, kwam al snel de kamer binnen wandelen. Hij knikte naar ons, maar het was duidelijk dat hij geen zin had in oppervlakkig gebabbel en dat hij liever de krant wilde lezen.

Toen we de reden van ons bezoek onthulden, vulden de ogen van Lady Salcombe zich bijna onmiddellijk met tranen. 'Maar natuurlijk wilt u afscheid nemen van een oude kennis! Beste dokter Hansard, beste meneer Campion, alstublieft – ik heb een huis vol bedienden om voor me te zorgen –'

'Die allemaal op hun achterste zitten en dik worden van het nietsdoen,' merkte Lord Salcombe op.

'– en die het vast heerlijk vinden om naar buiten te gaan, zeker nu het zulk prachtig weer is. Als u zo vriendelijk wilt zijn om uw adres in Bath achter te laten zal ik ervoor zorgen dat u morgen rond deze tijd over de informatie beschikt.'

'Nog een drupje madeira, dokter Hansard?' vroeg haar echtgenoot. Er volgde een ontkennend antwoord, waarop hij zijn krant neerlegde en de kamer uitliep, zonder zelfs maar gedag te zeggen.

De eenvoudige, ongedwongen vriendelijkheid van Lady Salcombe, zonder ook maar een spoor van de neerbuigendheid waarmee Lady Elham Edmund altijd behandelde, maakten dit tot een bijzonder prettig half uurtje en aan het einde van ons bezoek, dat we afsloten met een beleefde buiging, belde ze een bediende die ons voorging naar de bibliotheek van de heer des huizes, waar ook de huishoudster ontboden was.

Mevrouw Prowle was het tegenovergestelde van onze geliefde mevrouw Beckles. Deze dame was dichter bij de zestig dan bij de vijftig, had een duidelijke voorkeur voor zwart bombazijn en een bijzonder norse gezichtsuitdrukking. Hoe het mogelijk was dat zo'n bekrompen vrouw in dienst genomen was door de spontane, vriendelijke Lady Salcombe was mij een raadsel. Het lospeuteren van informatie bij deze vrouw was nog het best te vergelijken met het trekken van tanden, hoewel er in haar mond niets meer over was dat voor tanden en kiezen door kon gaan.

Uiteindelijk gaf ze toe dat ze nooit van John gehoord had, maar dat was niet verwonderlijk, want ze was pas half januari bij Lady Elham in dienst gekomen. Ze had wel begrepen dat haar voorgangster onder enigszins verdachte omstandigheden vertrokken was, een gebeurtenis die wellicht ook te maken had met de verdwijning van het een en ander aan tafelzilver, maar ze had geen idee van haar huidige verblijfplaats, of van die van Lady Elham.

We bedankten haar uitvoeriger dan ze verdiende en vertrokken, verheugd over de vriendelijkheid van de eerste vrouw, ook al was die bij de tweede ver te zoeken.

'Ik moet toegeven, jonge vriend,' zei Edmund toen we moeizaam terug strompelden naar Het Pelican, 'dat als die baden hier niet zo verrekte onhygiënisch waren, ik werkelijk denk dat ik mijn oude lichaam in een ervan zou laten zakken!'

En waarschijnlijk had ik zijn voorbeeld gevolgd. Maar ik had een ander idee.

'Edmund,' begon ik, 'toen we die straatveger vroegen naar de bezigheden van Lady Elham kneep hij zijn ogen samen, en wel op zo'n manier dat ik hem eigenlijk nog een vraag wil stellen.' Nu ik erop terugkeek had hij me doen denken aan Jem in zijn rol als grafdelver tijdens onze voorstelling van *Hamlet,* zanikend over wie er nu precies begraven moest worden. Hadden we hem de verkeerde vragen gesteld?

Mijn warrige uitleg was toch voldoende om hem zover te krijgen dat hij besloot mij te vergezellen, dus we gingen opnieuw op weg. Onze tred was misschien traag en moeizaam, maar daarom niet minder vastberaden.

De man had een standbeeld kunnen zijn, zo weinig was er veranderd. Hij was nauwelijks opgeschoten en zelfs zijn houding was min of meer hetzelfde.

'En wanneer hebt u Lady Elham zelf voor het laatst gezien, al dan niet in haar eigen koets?'

'O, dat is een week of twee geleden. Misschien nog niet eens.'

Dokter Hansard hield hem nog een muntstuk voor. 'Wees wat specifieker, man!'

Maar dat kon of wilde hij niet, dus draaiden wij ons om. Ik wilde de voeten van mijn oude vriend niet verder belasten en hij, zo nam ik aan, was dezelfde mening toegedaan over die van mij.

18

Er werd nu niets meer van dokter Hansard en mij verwacht dan dat we de schade aan onze voeten opnamen en behandelden. We zetten onze ijdelheid opzij en staken onze voeten in de comfortabele schoenen die we eerder die dag als ouderwets aan de kant geschoven hadden. Er was nog steeds geen spoor van Jem en Turner en het zou onredelijk zijn om te verwachten dat de mensen die ons hun hulp hadden aangeboden nu al vooruitgang te melden zouden hebben, dus nadat we onze voeten verzorgd hadden zat er niets anders op dan duimen te draaien. Het was bijna tijd voor de avonddienst en hoewel ik deze dienst graag in de abdijkerk had willen bijwonen, voelde ik me op dit moment meer aangetrokken tot Christ Church, een modern gebouw veel dichter bij het Pelican. Ik geef toe dat mijn voeten een belangrijke stem hadden in deze beslissing.

Tot mijn verbazing was deze kerk niet alleen aan de buitenzijde modern, maar stonden er binnen ook banken voor alle gelovigen – geen ervan was eigendom van een specifieke familie en er werd geen plaatsgeld geheven. Natuurlijk werd er in St Jude's ook nooit iemand geweigerd, want haast alle banken daar waren eigendom van de Elhams, die de dorpelingen toestemming gegeven hadden om gebruik te maken van elke bank, behalve hun eigen familiebank. Andere dorpelingen, zoals Bulmer, konden zich wel een bijdrage veroorloven en zij betaalden die dan ook.

Toen de dienst voorbij was, stelde ik me voor aan de voorganger, een man wiens beleefdheid alleen nog overtroffen werd door zijn enorme kennis. Hij was zo vriendelijk om me rond te leiden en me op bezienswaardigheden te wijzen. Hij verzekerde me ervan dat, hoewel Christ Church zeker een geschikte plaats van samenkomst geweest was voor iemand als Lady Elham, hij haar nooit ontmoet had. En hij was ook niet betrokken geweest bij de begrafenis van John Sanderson, de koetsier. Geen van beide berichten verbaasde me. Ik sloeg zijn vriendelijke aanbod om samen met hem een maaltijd te gebruiken af en keerde terug naar het Pelican, waar ik dokter Hansard slapend en bovendien luid snurkend aantrof.

Turner en Jem zaten in de gelagkamer. Turner, die de indruk wekte dat een man van zijn niveau zich normaalgesproken niet zou verlagen tot het bezoeken van een plaats als deze, was verdiept in een krant en Jem was verwikkeld in een vriendschappelijke discussie met een paar andere stalknechten, die vermoedelijk niet gezien hadden dat er een boek half uit zijn zak stak, *Pamela*, om precies te zijn. Ik had hem nooit eerder op een gevoelige kant betrapt. Deed de heldin uit het boek, die te lijden had onder de attenties van een zekere meneer B., hem misschien denken aan Lizzie? En wie beschouwde hij in dat geval als een mogelijke meneer B.?

Jammer genoeg zou er voor onze Lizzie echter geen *Pamela*-achtig einde volgen.

Ik kon het niet over mijn hart verkrijgen om een van beide mannen te storen nu ze zich juist even ontspanden, dus ik sloop stilletjes terug naar boven.

We hadden Jem en Turner uitgenodigd om samen met ons in de salon te dineren, hoewel zij zich daar in eerste instantie bijzonder ongemakkelijk bij voelden. Uiteindelijk gaven ze toe en besloten om, daar ze het een en ander aan informatie verzameld hadden en het bovendien zonde was om de heerlijke maaltijd die voor hen was klaargezet te verspillen, dan toch maar met ons aan tafel te gaan. Onderdeel van die overeenkomst was echter wel dat zij ons zouden bedienen, maar in elk geval kon ik nu eindelijk het gebed uitspreken en konden we beginnen met eten.

Turner schepte de verschillende gerechten op zijn bord alsof hij nooit anders gedaan had, alsof hij gewend was aan de restjes van de tafel van dokter Hansard. Ik wist dat zijn huishoudster erg zuinig was, dat ze een hekel had aan verspilling en dat ze alles wat over was deelde met haar medebedienden of aan de armen gaf. Jem, die lager in rang was, hield het bij de gerechten die hij kende; hoewel hij toegaf dat de in wijn geroosterde ham zijn eigen charme had, gaf hij duidelijk de voorkeur aan de rundvleespastei.

We wachtten tot het kleed van tafel gehaald was en het dessert geserveerd werd voordat we uitgebreid verslag deden van het verloop van onze dag. Jem en Turner hadden het voordeel dat ze te paard waren rondgetrokken – een voordeel voor Jem, althans, want voor Turner was deze ongebruikelijke inspanning zeker net zo vermoeiend geweest als het wandelen voor ons. Hun inspanningen hadden echter wel enig succes opgeleverd. Verschillende tolbazen herinnerden zich dat ze de koets van Lady Elham op de weg naar Landsdowne gezien hadden, en ze was zelfs nog vaker gesignaleerd op de weg naar Londen – zo vaak dat lang niet al haar reizen uitgelegd konden worden als bezoekjes aan Moreton Priory.

'Maar iedere vrouw van adel heeft kennissen die wat verder weg wonen en die ze af en toe wil bezoeken, ook als ze in de rouw is,' wierp ik tegen.

'Dat moet wel,' stemde Hansard in. 'Misschien kunnen we meneer King vragen met welke vriendinnen Lady Elham het meest optrekt. Het zou me niet verbazen als ze regelmatig contact heeft met de familie Methuen, die een huis heeft ten oosten van Bath, of met de familie Blathway, die in het noorden woont. En dan heb ik het nog niet over het enorme aantal minder bekende families met minder grote landerijen bij wie ze wellicht ook wel eens op bezoek gaat.'

'Natuurlijk. Ik ben er zeker van dat meneer King ons zal vertellen wie dat zijn. Ja, Jem?'

'Neem me niet kwalijk, dokter Hansard, maar na ons bezoek aan de tolhuizen hebben we de verschillende tolwegen verder gevolgd –'

'Waarbij je kosten gemaakt hebt die ik absoluut zal vergoeden –'

'– en een lijst gemaakt van plaatsen die ze mogelijk bezocht heeft. Maar er was één plaats die onze aandacht in het bijzonder trok. Het blijkt dat een familie die… wat krap zit, om het zo maar te zeggen, een van haar huizen heeft verhuurd aan medici, mannen zoals uzelf, dokter Hansard, die het hebben omgebouwd tot een inrichting – wat ons ter ore kwam toen we in een herberg toevallig in gesprek raakten met een plaatselijke inwoner. Lymbury Park, noemen ze het.' De zogenaamd achteloze manier waarop Jem ons van deze gegevens op de hoogte stelde was niet overtuigend. De blik die hij en Turner uitwisselden bevestigde dat ze trots waren op hun ontdekking.

Hansard glimlachte van oor tot oor. 'En zijn jullie ook iets te weten gekomen over de bewoners van die kliniek, informatie die wellicht interessant is?'

Hij hoefde de naam van Lord Elham niet hardop uit te spreken. Overal rond de tafel werd instemmend geknikt.

'Dat hebben we zeker geprobeerd, meneer. Maar hoewel de man niet reageerde op onze vleiende opmerkingen en andere verleidingsmiddelen, vermoeden we dat, al zal de prijs hoger liggen dan een paar kannen bier, de informatie die hij heeft te koop is. Met uw toestemming zullen we hem opnieuw proberen te vinden.'

'Wat deze man ook vraagt, we moeten het hem geven,' stelde ik vast.

'Dat moeten we inderdaad,' stemde Hansard in. 'Denken jullie dat deze poging tot omkoperij bij jullie vandaan moet komen, temeer daar jullie al kennis met hem gemaakt hebben, of zou een nederige geestelijke beter geschikt zijn? Of misschien boezemt een lekenrechter meer ontzag in?'

Turner en Jem keken elkaar aan. 'Dat is lastig te zeggen, meneer,' zei de eerste langzaam. 'Misschien zou hij u of meneer Campion van informatie voorzien, maar dan zou zijn prijs vast en zeker hoger liggen.'

Hansard wreef over zijn kin. 'Misschien dat ik kennis zou kunnen maken met de plaatselijke lekenrechter en hem om hulp vragen. Zo iemand heeft de macht om het openbaar maken van informatie af te dwingen.'

Turner schudde zijn hoofd. 'Ik zou de indirecte aanpak adviseren, meneer. We kunnen later onze toevlucht nemen tot de sterke arm der wet, als dat dan nog nodig is. Als de man met wie we gesproken hebben niet beschikt over informatie die de moeite waard is, is dat een verspilling van onze tijd – en die van anderen. Maar wanneer hij een interessante naam noemt, kunnen we de rechter er alsnog bij betrekken.'

En zo werd het afgesproken. Turner luidde de bel om de tafel af te laten ruimen en port te laten serveren.

Dit was het moment waarop Jem zich terugtrok, met de mededeling dat zijn neven hem ieder moment verwachtten, en ook Turner nam afscheid.

'Ik heb jullie diensten vanavond niet meer nodig, knoop dat in je oren!' zei Hansard. Hij stak zijn hand in zijn zak en haalde enkele munten ter waarde van een halve guinea tevoorschijn, die hij de mannen toeschoof. 'Voor de vandaag gemaakte kosten, heren. Nee, geen tegenspraak. Ik stel voor dat we elkaar hier morgenochtend om negen uur ontmoeten voor het treffen van verdere voorbereidingen.'

We ontbeten met eieren die lang niet zo vers waren als de eieren die we thuis gewend waren en dronken daarna een kop koffie. Nog voordat we onze koffie op hadden, werd door een van de bedienden een kaartje afgeleverd. Tot onze verbazing was het het kaartje van meneer King.

Jem en Turner stonden als één man op, ruimden de tafel af en verdwenen uit het vertrek – alsof ze in rook waren opgegaan – nog voor onze gerespecteerde bezoeker de trap op gekomen was.

Meneer King, zo onberispelijk als Beau Brummell zelf, zelfs op dit uur van de dag, nam de kop chocola die we hem aanboden aan en ging zitten. Hij had duidelijk nieuws, maar hij wachtte tot we alle beleefdheden hadden uitgewisseld voordat hij ons de reden van zijn bezoek vertelde. 'Ik heb de koets van Lady Templemead zojuist halt zien houden bij haar huis in Milsom Street,' zei hij, 'en omdat u dacht dat zij wellicht beschikte over de informatie die u nodig had, ben ik met spoed hiernaartoe gekomen.'

We reageerden met ingehouden enthousiasme, precies zoals van ons verwacht werd.

Maar hij was nog niet klaar. 'Ik heb begrepen dat de butler

van Lady Elham echter niet zo gemakkelijk te bereiken is. Men heeft mij verteld dat hij bij de O'Malleys in dienst getreden is en dat hij op ditzelfde moment op weg is naar West-Indië. Maar met behulp van enkele bedienden uit de Upper Rooms is het me evenwel gelukt om een lijst samen te stellen van de meer intieme vrienden van Lady Elham.' Zonder het daadwerkelijk te zeggen wist hij toch de indruk te wekken dat meneer Guynette, ceremoniemeester van de Lower Rooms, veel minder efficiënt te werk ging dan hij.

Het gesprek zette zich nog enkele minuten voort, waarbij we plechtig beloofden om een voorstelling in de Upper Rooms bij te wonen zodra onze drukke werkzaamheden dat toelieten. Daarna vertrok hij, opnieuw met een elegante buiging.

'De bedienden van Lady Elham hebben exotische bestemmingen opgezocht,' merkte ik op.

'Dat hebben ze zeker – hoewel die arme John Coachman de kroon spant.' Hij kuchte en keek me een beetje beschaamd aan. 'Tobias, door de drukte van de afgelopen dagen ben ik ons originele doel helemaal uit het oog verloren, wat eenvoudigweg bestond uit het opzoeken van Lady Elham en het overbrengen van de boodschap dat een van haar voormalige dienstmeisjes overleden is.'

'En het bestuderen van haar gezichtsuitdrukking op het moment dat we het haar vertelden!' hielp ik hem herinneren. 'Als dokter Toone het moment van Lizzies overlijden niet in twijfel getrokken had, zouden we dat niet zo nodig gevonden hebben. En het is nauwelijks verrassend dat haar omzwervingen van de laatste tijd achterdocht gewekt hebben, hoewel niemand dat hardop zou zeggen. Maar het lijkt er wel op dat wij hier verstrikt geraakt zijn in een web van verdenkingen en ondervragingen. Denkt u dat we onze goede vrienden in Moreton St Jude zouden moeten schrijven om hen op de hoogte te stellen van de reden voor onze mogelijk langdurige afwezigheid?'

Hij bloosde. 'Dat heb ik al gedaan,' gromde hij, alsof hij betrapt was op iets schandelijks.

Aan wie anders zou hij geschreven hebben dan aan mevrouw Beckles? 'Daar ben ik blij om,' riep ik uit.

Hij trok zich in stilte terug achter de omheining van zijn krant en ik zei niets meer. In plaats daarvan verdiepte ik me in de lijst die meneer King had opgesteld, met de namen van de vrienden en kennissen die Lady Elham hier in de omgeving had. Het waren er maar een paar, zoals men zou verwachten van een adellijke dame in de eerste maanden van rouw. Ik zocht tevergeefs naar mensen die ten noorden en ten oosten van de stad woonden om zo haar veelvuldige reizen te verklaren, en kon toen niet anders dan de treurige conclusie trekken dat ze op bezoek ging bij de jonge Lord Elham, die was opgenomen in de inrichting die Turner en Jem ontdekt hadden.

Ik had hem natuurlijk altijd een vervelende jongeman gevonden, onhandelbaar en opvliegend, zonder respect voor fatsoensnormen of ontzag voor de wettelijke macht. Als ik Matthew moest geloven – en ik had geen reden om dat niet te doen, vooral niet omdat ik het bewijs met eigen ogen gezien had – had hij bovendien een kwaadaardige kant en genoot hij er niet alleen van om dieren te doden, maar ook om ze te martelen. Maar was dat genoeg om hem op te sluiten in een inrichting? Als woedeaanvallen of gemene trekjes altijd op die manier bestraft werden, zouden er in de hoogste kringen niet veel zoons overblijven. Dokter Toone zelf zou nauwelijks aan opsluiting ontkomen zijn. En toch was hij van een wreed joch uitgegroeid tot een verantwoordelijke dokter, zo deskundig dat zelfs Edmund hem, wat dat betreft, als zijn meerdere beschouwde. Welke gruweldaden kon Lord Elham begaan hebben die zo ernstig waren – tenzij hij zich schuldig gemaakt had aan de moord op onze geliefde Lizzie? In dat geval zou hij berecht moeten worden door zijn gelijken en opgehangen worden. Zou zijn moeder dan ook de ware toedracht achter de dood van haar dienstmeisje ontdekt hebben en haar zoon vervolgens naar een plek gesmokkeld hebben waar hij relatief veilig was? Wat had dat te betekenen voor het waarheidsgehalte van de brieven die Lady Elham gestuurd had en waarin ze verslag had gedaan van Lizzies reilen en zeilen?

Het duizelde me, en het laatste waar ik behoefte aan had was de aankondiging van nog een bezoeker. Toen ik echter haar kaartje zag, veranderde mijn frons in een stralende glimlach en rende ik naar de trap om haar te begroeten.

'Lady Salcombe! Wat ontzettend vriendelijk van u om even langs te komen!' En wat vreemd dat ze bereid was publieke afkeuring te riskeren door op bezoek te gaan bij twee mannen, met alleen haar persoonlijke bediende als gezelschap. Maar misschien was deze vrijheid tegenwoordig heel gebruikelijk in Bath.

Haar blik viel op de krant die dokter Hansard terwijl hij opstond in allerijl had geprobeerd te verstoppen, maar ze deed net alsof ze de pantoffels aan zijn nog steeds pijnlijke voeten niet zag.

Lady Salcombe nam de kop chocola die we haar aanboden ook aan. Ze ging recht tegenover me zitten, nam een slokje en keek me over de rand van het kopje aan. 'Ik moest wel zelf komen,' zei ze, 'want ik heb een afschuwelijke boodschap en die kan ik alleen persoonlijk overbrengen.'

'Uw bedienden hebben het graf van John Sanderson nergens kunnen vinden?' probeerde Hansard.

Ze keek hem aan. 'Maar dokter Hansard, hoe raadt u het? Toen mijn bedienden onverrichter zake terugkeerden, heb ik ze er opnieuw op uit gestuurd. Alleen deze keer stuurde ik ze naar een kerk die eerder door een van de anderen bezocht was, voor het geval dat de eerste misschien iets over het hoofd gezien had wat de tweede onmiddellijk zou opmerken. Maar ze zeiden allemaal hetzelfde, ook de tweede keer. Er is nergens iets vastgelegd over zijn begrafenis, althans, niet in Bath. Daarom – en zeg het me alstublieft als ik daar verkeerd aan gedaan heb – heb ik mijn twee meest vertrouwde bedienden naar de andere parochies in de directe omgeving van de stad gestuurd. Zij zullen mij vanavond van hun bevindingen op de hoogte stellen. Kunt u zo lang wachten? Het spijt me vreselijk als ik u hiermee in een lastige situatie heb gebracht.'

'Mijn beste Lady Salcombe,' zei ik, 'u hebt volstrekt geen overlast bezorgd maar ons juist enorm geholpen. Stelt u zich eens voor hoeveel tijd het twee mensen die niet in de stad bekend zijn zou kosten om deze informatie te verzamelen! Alstublieft, sta ons toe –' Ik had bijna *sta mij toe* gezegd – 'om later bij u op bezoek te komen en met uw bedienden te spreken.'

Ze stond op en maakte een revérence. 'Dat zou ik heerlijk vinden. Meneer Campion, dokter Hansard – ik neem aan dat u hier in Bath geen overdreven grote kennissenkring hebt en mijn man en ik zouden het een grote eer vinden als u de avondmaaltijd met ons wilde gebruiken. Rond een uur of zeven? Niets formeels, uiteraard,' vulde ze aan. 'Slechts drie of vier echtparen.'

Verrukt over de uitnodiging begeleidden we haar gezamenlijk naar de deur, waar haar onaantrekkelijke dienstmeisje de tijd doodde door te flirten met de al even slecht bedeelde hotelbediende.

Ik was me bewust van Hansards spottende blik toen we de deur dicht deden. 'Wat heerlijk zal dat zijn,' zei hij, op een toon die ik niet helemaal begreep. 'Nou, Tobias, ik denk dat we opnieuw een bezoekje aan de winkels moeten brengen – tenzij u natuurlijk bij dat schattige dametje op bezoek wilt in de kniebroek en de laarzen die u nu draagt?'

We besloten om onmiddellijk op zoek te gaan naar passende kostuums. Gelukkig kostte het in de chique winkeltjes in Bath niet al te veel moeite om kleding te vinden waarmee we voor de dag konden komen. Zelfs als onze jasjes de toets tijdens een echt formele gelegenheid niet zouden doorstaan, dan nog dachten we niet dat we onszelf vanavond te schande zouden maken.

'Dat mooie dametje van u zal u nu wel een aantrekkelijke man vinden, als ze dat eerder nog niet vond,' merkte Hansard op terwijl we zij aan zij voor een passpiegel stonden.

'Dat is mijn dametje niet!' zei ik, blozend als een schooljongen.

'Laten we eenvoudigweg zeggen dat ze nu al van u gecharmeerd is en dat uw verschijning van vanavond haar geen reden zal geven om die mening te herzien.'

'En de uwe ook niet, mits u tenminste afscheid neemt van die verdraaide pruik van u en uw haar netjes laat knippen!'

Er verscheen een overweldigende vreugde op Turners gezicht toen hij het nieuwe kapsel van zijn meester zag. Zijn gezichtsuitdrukking was haast net zo trots als die van Jem toen hij ons een lijst overhandigde met de namen van de bewoners van Lymbury Park, met potlood haastig op de achterkant van een oud boodschappenlijstje gekrabbeld.

'We hebben onze informant opnieuw gevonden,' zei hij, 'en net als eerder had hij wel zin in een stevige borrel. Maar hij was niet zo ver heen dat hij zich deze namen niet meer kon herinneren, of kon laten doorschemeren dat sommige mensen in de inrichting in werkelijkheid een andere naam hebben. Meneer Mortehoe, bijvoorbeeld, Toby – is dat niet de officiële achternaam van de graaf en gravin van Hartland? En die zoon van hen, dat joch dat vroeger thuis alle ramen van de oranjerie heeft ingegooid, zat daar niet altijd al een steekje aan los?'

'Daar zou je best eens gelijk in kunnen hebben – goed gedaan! Maar deze hier, meneer Dumbrill – volgens mij is dat wel zijn echte naam. Ik heb hem ontmoet op Cambridge. Hij heeft eens geprobeerd om met zijn paard over de tafels in de eetzaal te springen en werd toen meteen geschorst. Later ontdekten ze dat hij niet alleen een beetje zonderling was, maar ook ronduit gewelddadig, iemand die de jongedames waar hij mee omging net zo gemakkelijk in elkaar sloeg als dat hij het bed met ze deelde.'

'Inteelt,' merkte Hansard op, terwijl hij achter me kwam staan om over mijn schouder mee te lezen. 'Lord Elham is eigenaar van een flink aantal landerijen, groot en klein, waarvan hij de naam als alias kan gebruiken. Er staat zeker niets voor de hand liggends als meneer Moreton op die lijst van u?'

'Helaas niet, nee.' Ik gaf hem de lijst zodat hij hem kon bestuderen, turend door zijn brillenglazen of over de rand ervan, net hoe zijn stemming was. 'Maar ik zie hier wel een meneer Bossingham.'

'Bossingham? Dat moet wel een valse naam zijn!'

'Misschien niet. De naam "Elham" is afgeleid van het hoofdverblijf van de familie, in Kent, of niet soms? Toen ik jong was, had ik een tante die in de buurt van Canterbury woonde. Ze was een nogal heerszuchtige oude dame en wij, kinderen, noemden haar al gauw Lady Bossingthem. We waren onder de indruk van onze eigen scherpzinnigheid, want het dorpje waar

ze woonde heette ook Bossingham. En dit dorpje – een ge-
hucht, eigenlijk – lag op nog geen tien kilometer afstand van
Elham. Ik kan een kaart laten halen als –'

Hij schudde zijn hoofd. 'Ik twijfel niet aan uw geheugen,
vooral niet als er ook tirannieke oude tantes in voorkomen. Dus
u denkt dat deze meneer Bossingham en Lord Elham één en
dezelfde persoon zouden kunnen zijn?'

'Het is niet zozeer een *gedachte*. Eerder een dwaze inval,' zei
ik.

'Maar uw conclusie kan nog wel kloppen. Ik denk dat dit het
moment is om de hulp van een collega-rechter in te roepen,
Tobias. En na onze afspraak van vanavond zal ik wellicht beschikken over een naam. Laten we ons gereedmaken!'

19

We hadden die middag een extreem bedrag aan kleding uitgegeven, maar toen we zagen hoe elegant de andere gasten van de Salcombes gekleed waren, allemaal tot in de puntjes verzorgd, verzachtte dat ons schuldgevoel enigszins. Hoe eenzelvig de heer des huizes misschien ook was, de charme van zijn lieftallige vrouw en de uitzonderlijk smakelijke gerechten die in haar huis geserveerd werden hadden de crème de la crème van Bath aangetrokken en we dineerden met maar liefst zes andere stellen. Na het diner arriveerden nog meer gasten en mijn tafeldame, een uitzonderlijk belezen dame van rond de veertig, was zo goed om plaats te nemen achter de piano en een muziekstuk voor ons te spelen. Daar de enige andere vorm van vermaak uit een kaartspel bestond, stond het buiten kijf dat Hansard de dansvloer op zou zoeken en ik volgde zijn voorbeeld. Misschien ging mijn verlangen heel even uit naar een aantrekkelijke jongedame uit Moreton die op zoek was naar een minnaar die niet minder dan tienduizend guinea per jaar verdiende, maar de meisjes waar ik nu mee danste waren ook erg aardig en bovendien lichtvoetig. Het leek alsof er nauwelijks tijd voorbijgegaan was toen om half elf een theeblad werd binnengebracht.

'Een bijzonder plezierige avond,' merkte Hansard op toen we in het heldere schijnsel van de volle maan naar huis wandelden. 'En ik kan niet anders dan mijn waardering uitspreken voor de bezoektijden die men hier in Bath aanhoudt. Wat een absurde gedachte dat ik twintig jaar geleden om deze tijd op weg ging naar een danspartij in plaats van dat ik ervandaan kwam.'

'Maar waarschijnlijk zijn het juist dat soort deugdzame gewoontes die het grootste deel van de adel verdreven hebben,' zei ik, me opeens bewust van ons verschil in leeftijd. Ik had nog wel een paar uur langer willen genieten van het gezelschap van deze avond. Maar ik had geen reden tot klagen. 'Heeft men u een geschikte rechter aangeraden?'

'Jazeker, en Salcombe was zo vriendelijk om hem onmiddellijk een aanbevelingsbrief te schrijven. Sir Hellman Dawlish.' Hij klopte geruststellend op zijn binnenzak. 'Salcombe heeft me verteld dat hij aan jicht lijdt en dat hij daarom zelfs nog vroegere tijden aanhoudt dan onze nieuwe vrienden. We kunnen morgenochtend dus al bijtijds bij hem op bezoek gaan, zonder bang te hoeven zijn dat we ongelegen komen.'

Misschien zorgde de hoeveelheid champagne die ik tot me genomen had ervoor dat ik de moed vond om te zeggen: 'Als we Lord Elham daar aantreffen, als hij inderdaad schuldig lijkt te zijn aan die gruwelijke misdaad, zal zijn moeder er dan ooit nog overheen zien om terug te keren naar de Priorij?'

'Ik zou me in haar plaats terugtrekken op mijn meest afgelegen buitenverblijf, of misschien zelfs in een badplaats in een ander land gaan wonen,' antwoordde hij argeloos.

'Wat zou betekenen,' gingen de champagne en ik verder, 'dat de Priorij gesloten en misschien zelfs verkocht zou worden. En wat gebeurt er dan met de staf en de bedienden?'

Hij vertraagde zijn pas, net als ik. 'Waarom vraagt u dat? U overweegt toch niet om een opvanghuis voor noodlijdend huishoudelijk personeel te openen?'

'Omdat, mijn goede vriend – nee, als vriend zou ik buiten mijn boekje gaan, dus ik spreek vanuit mijn hoedanigheid als predikant,' stotterde ik.

'Dat klinkt als een uitermate serieus einde van een vrolijke avond,' zei hij op scherpe toon. Misschien had hij een vaag vermoeden van wat ik wilde – van wat ik *moest* – zeggen. 'Mevrouw Beckles is een trotse vrouw,' zei ik, me ervan bewust dat dit op het randje was. 'Als zij door haar werkgever op straat gezet wordt, zou ze een huwelijksaanzoek, van wie dan ook, beschouwen als liefdadigheid, niet als een liefdesverklaring – als het aanbieden van onderdak aan, om het met uw eigen woorden te zeggen, een noodlijdende huishoudster. Mijn beste Edmund, in 's hemelsnaam, slik uw trots in als dat maar enigszins mogelijk is en wacht niet tot uw huis volmaakt is voordat u hier met haar over spreekt.' Toen hij me zonder iets te zeggen de rug toekeerde, ging ik verder: 'Eerlijk, een vrouw met haar smaak en oog voor detail zou het heerlijk vinden om er iets eigens aan toe te voegen. Stelt u zich eens voor hoeveel genoegen het haar zou doen om schilderijen en serviesgoed voor zichzelf uit te kiezen in plaats van voor haar werkgever. Stelt u zich eens voor hoe ze ervan zou genieten om samen met u in bibliotheek te zitten, lezend in haar nieuwste gedichtenbundel terwijl u zich verdiept in een wetenschappelijk artikel.' Ik moet bekennen dat mijn eigen welsprekendheid me haast tot tranen toe roerde. Mijn welsprekendheid... en de champagne.

Nam hij aanstoot aan wat ik had gezegd? Zijn stilte voorspelde niet veel goeds. Maar uiteindelijk draaide hij zich om, een glimlach op zijn gezicht en een oprechte uitdrukking in zijn ogen. 'Als vriend zou ik zeggen dat u zich met uw eigen zaken moest bemoeien. Als lid van uw gemeente kan ik echter niet anders dan toegeven dat het waar is wat u zegt. Ik ben stijfkoppig geweest, in de overtuiging dat ik meer dan genoeg tijd had om voorbereidingen te treffen en de dame het huis te kunnen bieden dat ze verdient.'

'Voordat u mijn ogen opende voor de harde werkelijkheid van het leven op het platteland,' dacht ik hardop, 'zou ik hebben gezegd dat de dame nog gelukkig zou zijn als ze met u in een arbeidershuisje zou wonen, met een tuintje en wat kippen. Maar nu ik gezien heb in welke staat veel van die huisjes verkeren denk ik daar anders over. Ik zou niemand adviseren om een vochtige hut met een aarden vloer te betrekken.'

'En ik zou haar niet vragen om in die omstandigheden met mij samen te leven,' lachte hij. 'Als mijn reumatiek opspeelt, komt dat mijn humeur niet bepaald ten goede.' Hij ging ernstig verder: 'Denkt u dat ze mijn aanzoek zal aannemen?'

'Er is maar één manier om daarachter te komen.' Maar ik zag voor me hoe ze vol tederheid met elkaar omgingen, de glans in haar ogen als hij speciale aandacht aan haar besteedde. Zou een vrouw die zo gevoelig en verstandig was zichzelf het genoegen van een huwelijk en een eigen huis ontzeggen? En niet alleen zichzelf, maar ook de man van wie ze hield?

Nadat we onze plannen uit de doeken gedaan hadden en tegen

Jem en Turner gezegd hadden dat ze de rest van de dag naar eigen inzicht mochten besteden, meldden we ons om precies elf uur bij het woonhuis van Sir Hellman Dawlish. Het huis stond in een uitzonderlijk chique buurt, de Royal Crescent, en was volgens de laatste mode geschilderd en afgewerkt, zo mooi dat ik onwillekeurig naar adem hapte. De salon op de begane grond keek uit over Crescent's Gardens, een uitzicht waar we ons gedurende enige minuten aan vergaapten, totdat onze gastheer zich bij ons voegde. De kamer zelf was gemeubileerd in klassieke stijl, met bijpassende vloerkleden en een marmeren open haard. Langwerpige spiegels tussen de vensters deden het vertrek nog lichter en ruimer lijken dan het al was.

Sir Hellman was van dezelfde leeftijd als dokter Hansard, maar tenger gebouwd en het beetje haar dat hij nog op zijn hoofd had was modieus geknipt. Zijn jasje was duidelijk gemaakt door Weston en zijn halsdoek was op kunstige wijze geknoopt. Hij begroette ons alsof we verloren gewaande vrienden waren en nodigde ons uit om plaats te nemen in, naar later bleek bijzonder ongemakkelijke, Egyptische stoelen. Hij ging zelf ook in een van de stoelen zitten, zijn bewegingen zo soepel dat je niet zou denken dat hij aan jicht leed. Hij had echter een zeer ongezonde gelaatskleur; de huid van zijn gezicht was bijna geel.

Toen de beleefdheden waren uitgewisseld, leunde hij wat naar achteren en nodigde dokter Hansard uit om van wal te steken. 'Want u moet weten,' zei hij, 'dat ik niet elke dag het verzoek krijg om iemand toegang te verschaffen tot een inrichting voor geestelijk gestoorden.'

'Noch is het mijn gewoonte om zoiets te vragen. Om eerlijk te zijn herinner ik me niet dat ik ooit eerder op zo'n plek naar een mogelijke moordenaar gezocht heb,' was Hansards reactie. 'Maar als een jonge vrouw op een dergelijke gruwelijke wijze van het leven beroofd is en na haar dood zelfs nog verder onteerd, kan dat leiden tot het besluit om af te wijken van de normale gang van zaken.' Hij legde uit wat er met de arme Lizzie gebeurd was en zag tot zijn tevredenheid dat de gelige gelaatskleur van de andere man zelfs nog bleker werd.

'Haar moordenaar heeft haar zoiets afschuwelijks aangedaan nadat hij haar gedood had?'

'Ik hoop en bid dat dat na haar overlijden heeft plaatsgevonden en niet ervoor. Maar het ontbindingsproces was al zo ver gevorderd dat ik dat niet met zekerheid kan zeggen.'

Ik dacht dat ik inmiddels wel gewend was aan de gruwelijke details van mijn verlies, maar het idee – een gedachte die ik mezelf niet eerder had toegestaan – dat Lizzie wellicht was opengesneden terwijl ze nog leefde deed me kokhalzen. Blijkbaar had die gedachte op Sir Hellman dezelfde uitwerking, want hij liep met gezwinde spoed naar een bijzettafeltje en schonk in stilte voor iedereen een glas madeira in.

'Zeker,' zei hij uiteindelijk toen hij weer ging zitten, 'zoiets kan alleen een gevaarlijke gek gedaan hebben. Ik zal u niet alleen toestemming geven voor een bezoek aan de inrichting en het ondervragen van de jongeman in kwestie, ik zal u zelfs vergezellen. Ik ben niet onbekend in die omgeving, heren, en ik kan me voorstellen dat mijn persoonlijke gezag meer deuren zal openen dan alleen een brief.'

'Het is niet alleen de man zelf die we graag zouden spreken,' zei Hansard, 'want ik geloof nog geen moment dat hij zomaar zal bekennen. Zijn bewakers, de mensen die toezicht houden op de inrichting, zouden echter bij machte moeten zijn om te bevestigen of te ontkennen dat hij in de periode rond de moord op vrije voeten was.'

'Ik neem aan dat snelheid van essentieel belang is?' Zonder op antwoord te wachten, pakte hij het belletje, en gaf de toesnellende bediende opdracht om over een half uur de koets voor te laten rijden.

Ik had nog nooit eerder een voet in een inrichting gezet; de gewoonte van gegoede mensen om hun verveling te verdrijven door zich aan het leed van anderen te vergapen was al lang geleden uit de mode geraakt.

De poort die toegang gaf tot Lymbury Park verried niets van de huidige functie van het landgoed, bewaakt door niemand anders dan een vriendelijke dame met rode appelwangen die, voordat wij haar riepen, helemaal opging in het verzorgen van haar groentetuin. Ze liet ons binnen met een revérence en een vriendelijke glimlach en deed het hek achter ons dicht, echter zonder het op slot te draaien.

'Dat is in elk geval een goed teken,' zei ik terwijl ik onderuitzakte in de heerlijk zachte kussens van Sir Hellmans koets.

Dokter Hansard keek me vragend aan. 'Wat?'

'Ik had verwacht dat Gog en Magog hier op wacht zouden staan, te vuur en te zwaard voorkomend dat de gestoorde patiënten zouden uitbreken en over het platteland zouden zwerven. Maar blijkbaar is het regime hier minder grimmig.'

Hansard lachte. 'Sir Hellman, u moet mijn jonge vriend maar vergeven. Hij heeft gestudeerd aan Cambridge en het lijkt erop dat ze daar geen logica onderwijzen. Hij ziet geen gevangenbewaarders en neemt daarom maar aan dat de bewoners van deze inrichting kunnen gaan en staan waar ze willen. Ik zie ook geen gevangenbewaarders, maar ik neem aan dat de patiënten zo zorgvuldig binnenshuis zijn opgesloten dat er geen enkel gevaar bestaat dat ze zelfs maar bij het hek in de buurt zouden komen.'

Sir Hellman, duidelijk een echte heer, glimlachte. 'Laten we ons oordeel nog even opschorten.'

Het huis was gebouwd in de tijd van de Tudors en was later, in de tijd van Queen Anne, uitgebreid met twee bijpassende vleugels. De omgeving deed prettig aan, met een groot weiland waarop wat schapen graasden, door een greppel gescheiden van een met grind overdekt plein dat groot genoeg was om er een koets te kunnen keren. Zodra het rijtuig tot stilstand gekomen was, verschenen er in livrei gestoken bedienden die onmiddellijk het trappetje uitklapten en ons uit de koets hielpen. Binnen werden we verwelkomd door een ernstig kijkende butler. Alles droeg bij aan de indruk van een statig, maar normaal huishouden.

'Wij wensen de directeur te spreken,' kondigde Sir Hellman aan.

'Ik zal nagaan of dokter Brighouse beschikbaar is, meneer,' zei de butler, met een volmaakte buiging. Hij had een tweelingbroer van Pemberton kunnen zijn, zo sprekend leek hij op de butler die de scepter zwaaide over ons huis in Londen.

Desondanks overhandigden we hem onze kaartjes zonder verdere uitleg – hoe discreet de man ook leek te zijn, we waren stilzwijgend overeengekomen dat we de reden van onze komst met niemand anders zouden bespreken dan alleen met de directeur. Terwijl we wachtten lieten we onze blik langs de muren glijden, langs een serie niet bepaald indrukwekkende familieportretten. Het duurde niet lang voor we binnengelaten werden in een ruime studeerkamer, ingericht met kunstig afgewerkte boekenplanken en bovendien een tweetal globes. Het meubilair was volgens mij ontworpen door Hepplewhite.

Kort daarna voegde onze gastheer, een man van een jaar of zestig met een rond gezicht, zich bij ons. Zijn kleding was zo eenvoudig dat hij door had kunnen gaan voor iemand zoals ik, die zich aan het geestelijke gewijd had, en de pruik die hij droeg was zelfs nog ouderwetser dan die van Hansard. Tot mijn genoegen zag ik dat mijn vriend zijn eigen hoofd aanraakte, een onbewust gebaar van zelfbehagen vanwege zijn meer modieuze kapsel.

'Dokter Brighouse, tot uw dienst, heren. Ga alstublieft zitten,' zei hij, nogal kortaf voor een man die waarschijnlijk toch tot taak had om familieleden van ernstig zieke patiënten te troosten en hen ervan te overtuigen dat ze veilig waren onder zijn hoede.

'Dokter Brighouse,' zei dokter Hansard, nadat hij zichzelf en ons aan de man had voorgesteld, 'ik heb begrepen dat families die tot hun verdriet ontdekken dat een van hun nazaten geplaagd wordt door – hoe zal ik het zeggen – een zekere vorm van instabiliteit, hier soms hulp zoeken.'

'Dat is inderdaad het geval. Ik zie echter niet in waarom u het nodig acht om mijn werkzaamheden te bespreken in de aanwezigheid van een geestelijke en nog een andere heer.'

Ik bedwong mijn neiging om Hansard aan te kijken, maar ik was er zeker van dat er een bepaalde klemtoon op het woordje 'heer' had gelegen.

'Het is niet uw edele roeping die we met u wensen te bespreken. Sir Hellman en ik zijn hier aanwezig in onze hoedanigheid als lekenrechter. Maar,' ging hij verder, terwijl dokter Brighouse naar de bel reikte, 'op dit moment is het slechts ons verlangen om enkele inlichtingen in te winnen over een van uw patiënten. Uiteraard in alle vertrouwelijkheid.'

'Om wie gaat het?'

'Ik geloof dat Lord Elham hier in uw instelling verblijft.'

Er gleed een vage glimlach over het gezicht van Brighouse. Het leek erop dat hij deze uitspraak in zich opnam met het voornemen er later nog eens gebruik van te maken, ongeveer zoals de weduwe van Luke Jenkins had gedaan, zij het in heel andere omstandigheden. 'Hij *verblijft* hier inderdaad, dokter Hansard. Maar waarom wilt u dat weten?'

'Dokter Brighouse, ik ben er zeker van dat u voortdurend te maken hebt met vertrouwelijke informatie. Dat geldt in dit geval ook voor ons. Laat me u er echter van verzekeren dat het een uitzonderlijk belangrijke kwestie betreft.'

De andere arts knikte. 'Wenst u over hem te spreken, of met hem?'

'Beide, als het juiste moment daarvoor is aangebroken.'

Op het gezicht van Brighouse was grote tegenzin te lezen. 'Ik kan me niet voorstellen dat een delegatie als de uwe zijn gezondheid of humeur ten goede zou komen.

'Het onderscheid dat u aanbrengt is opmerkelijk, dokter Brighouse,' zei Hansard met een glimlach. 'Mag ik daaruit opmaken dat hoewel sommige van uw patiënten inderdaad krankzinnig zijn, sommige andere gewoon ronduit slecht zijn?'

'U mag opmaken wat u wilt. Toegeeflijke ouders, incompetente kindermeisjes en schuchtere gouvernantes die alle eisen van de erfgenaam slaafs inwilligen dragen allemaal bij aan de ontsporing van kinderen met een sterke wil. En omdat de ouders dan al snel de conclusie trekken dat hun onhandelbare kinderen overgevoelig zijn, besluiten ze dat ze hen niet naar school zullen sturen. Terwijl een deel van het probleem er op Eton of Harrow wel uitgeslagen zou worden, daar ben ik zeker van,' zei hij.

Was ik een beter mens geworden door alle kwellingen die Toone mij had toegebracht? In elk geval had mijn levenspad, hoewel ik een heel andere richting was ingeslagen dan mijn vader voor ogen had, me niet als patiënt naar deze plek gebracht.

'En in welke categorie hoort Lord Elham naar uw mening thuis?' vroeg Hansard.

Brighouse wreef over zijn kin, een gebaar dat bedoeld was om hem een wijze uitstraling te geven, maar niet die uitwerking had. Eigenlijk leek hij nu meer op een van mijn wat mollige leerlingen die zijn uiterste best deed om een simpele som te begrijpen. Als ik nog enig ontzag voor hem gekoesterd had, was dat nu verdwenen.

'Dat is lastig te zeggen,'gaf Brighouse uiteindelijk toe. 'Er is in zijn geval zeker sprake van een gebrek aan discipline en er zijn hem geen normen en waarden bijgebracht. Maar achter die lompe, ongemanierde buitenkant lijkt een aangeboren en soms onbedwingbare neiging tot geweld schuil te gaan, wat uiteraard de reden is dat hij regelmatig bij ons te gast is.'

Ik was onwillekeurig onder de indruk.

'En hoe behandelt u hem?'

'Hij zit niet langer opgesloten, hoewel er momenten zijn geweest waarop dat wel nodig was. Het sobere dieet en de geregelde aderlatingen die ik heb voorgeschreven toen hij de laatste keer werd opgenomen lijken hun effect te hebben. Het doet me altijd groot plezier, heren, wanneer een van mijn patiënten naar huis terug kan keren.'

'Ondanks de nadelige gevolgen die dat ongetwijfeld heeft voor uw inkomen?' wilde Sir Hellman weten.

'Er zijn altijd wel anderen die behoefte hebben aan behandeling,' antwoordde Brighouse, wat pas enkele tellen later gevolgd werd door een zalvend 'droevig genoeg.'

'Droevig, inderdaad. Is er enige kans dat Lord Elham ooit voorgoed naar huis zal terugkeren?' vroeg ik.

'Tot mijn spijt moet ik zeggen dat hij terugvalt zodra hij naar zijn vroegere omgeving terugkeert en opnieuw vervalt tot zijn gewoonte om dagelijks te veel te drinken. Het duurt dan niet lang voor hij opnieuw behoefte heeft aan de zorg die wij kunnen bieden.'

'Hij is hier al meer dan eens geweest?' vroeg dokter Hansard op scherpe toon.

'Jazeker. Men zou zijn bezoekjes haast kunnen omschrijven als regelmatig, als ze tenminste een vast patroon zouden volgen. We hebben hem twee jaar geleden voor het eerst behandeld, maar toen kwam zijn vader tot de conclusie dat zijn zoon gewoon een opgroeiende jongeman was die wat ondeugende streken had uitgehaald en haalde hem hier weg, ondanks ons angstige vermoeden dat hij nog niet klaar was om terug te keren naar de maatschappij. Lady Elham denkt dat hij te fijngevoelig is voor het regime dat wij hier hanteren.'

Ik wilde wel dat ik mijn nicht veel ernstiger had toegesproken over het gedrag van haar zoon! Al kon ik me niet voorstellen dat ze me meer dan één kritisch woord had laten uitspreken voordat ze me de mond zou hebben gesnoerd. 'Kunt u ons misschien op de hoogte stellen van de precieze data waarop hij hier verbleef?' vroeg ik.

'Natuurlijk.' Hij haalde een sleutelbos uit zijn binnenzak en bukte zich om een van de lades van zijn bureau te openen.

Er klonk een luide bel. Wie het ook was die die bel stond te luiden, hij spaarde kracht noch moeite – en hij hield ook niet op.

'Neem me niet kwalijk, heren.' We zouden geen van allen gezegd hebben dat hij zich haastte, maar hij liep snel de kamer uit, met een duidelijk doel voor ogen.

De deur sloot met een klik, wat dokter Hansard ertoe aanzette om ook op te staan. Hij probeerde de deur open te doen, draaide zich naar ons om en spreidde zijn handen. 'Heren, het lijkt erop dat we opgesloten zitten.'

Na tien minuten duimendraaien moet ik toegeven dat ik, als ik een inbreker was geweest, mijn zakmes gepakt zou hebben om het slot van die mysterieuze la open te peuteren. Dat zou in elk geval mijn aandacht afgeleid hebben van de gebeurtenissen die volgden.

In eerste instantie waren we zo geschokt dat we geen woord konden uitbrengen, vooral niet nadat Hansard, die nog steeds bij de deur stond, meedeelde dat hij voetstappen hoorde die naar zijn mening alleen maar afkomstig konden zijn van een grote hond. Zijn vermoeden werd bevestigd door luid geblaf.

'Dus ondanks de vriendelijke, ongedwongen maniertjes van dokter Brighouse is het hier toch geen paradijs,' merkte Sir Hellman op. Hij stond op en tuurde door het raam, zijn hand boven zijn ogen om ze te beschermen tegen het zonlicht. 'Verdraaid, het lijkt wel alsof ze voorbereidingen treffen voor een vossenjacht, met al die honden en die mannen te paard.'

'Een mensenjacht,' verbeterde ik hem, terwijl ik naar het raam liep en naast hem ging staan.

Het duurde niet lang. Een figuur – een man, moet ik toegeven, en nog poedelnaakt ook – rende over het grind en vluchtte in de richting van het weiland, wat hij waarschijnlijk beschouwde als een veilige plek. Hij had de breedte van de greppel niet goed ingeschat en maakte een nare val, waarna hij zijn enkel vastgreep en het bloed tussen zijn vingers door stroomde. Blijkbaar was er een struikeldraad gespannen, ook al had ik die niet gezien. De man hobbelde desondanks verder. Vol afgrijzen zagen we hoe hij door twee honden gevloerd werd en vervolgens door maar liefst drie potige bewakers in een dwangbuis werd ingesnoerd. Terwijl hij al hijgend en schreeuwend in het zachte gras lag, perste dokter Brighouse een buisje tussen de lippen van de man en goot wat vloeistof naar binnen. Toen zijn patiënt voldoende gekalmeerd was, gaf hij opdracht om hem op een grote handkar te leggen en hem, nog steeds omgeven door honden en bewakers, af te voeren.

Te zeer geschokt om zelfs maar te kunnen praten, keerden we terug naar onze stoelen. Enige tijd later, toen onze hartslag weer wat gekalmeerd was, hoorden we opnieuw een klik en de deur werd geopend. Twee bedienden, een man en vrouw, kwamen de kamer binnen met een fles wijn en een volgeladen dienblad. De butler, die hen op de voet volgde, boog. 'Met de complimenten van dokter Brighouse, heren. Hij is er zeker van dat u de reden van zijn tijdelijke afwezigheid zult begrijpen. Hij hoopt dat het gebruik van enige verfrissingen uw wachttijd zullen veraangenamen.'

Hoewel hij zich terugtrok, liet hij de twee bedienden bij ons in de studeerkamer achter; een doeltreffende maatregel om te voorkomen dat we bepaalde zaken met elkaar zouden bespreken – of de bureaulade aan een nader onderzoek zouden onderwerpen. Hij sloot ons bovendien opnieuw op.

Ik zag tot mijn afgrijzen dat dokter Brighouse bij zijn terugkeer nog hetzelfde overhemd aanhad, nu met bloedvlekken op de manchetten. Hij wilde ons duidelijk graag geruststellen en ons ervan verzekeren dat dergelijk gedrag, hoewel vervelend voor alle betrokkenen, gemakkelijk te hanteren was voor mensen met ervaring. Tegelijkertijd deed hij net alsof dit een ongewone gebeurtenis was, iets wat slechts zelden voorkwam in de kalme, ordelijke omgeving van zijn kliniek.

'Kunnen we ons dan nu misschien verdiepen in het dossier van Lord Elham en, indien nodig, met hemzelf spreken?' vroeg dokter Hansard toen de bedienden weggestuurd waren.

'Ik vrees dat dat laatste niet mogelijk is,' antwoordde Brighouse. 'Na een incident als dat van vandaag zijn al onze patiënten van streek en achten we het noodzakelijk om hen... gerust te stellen.'

'U bedoelt door ze laudanum toe te dienen, of ze dat nu nodig hebben of niet?'

'En door aderlatingen,' zei hij op vlakke toon. 'Dokter Hansard, als u een betere manier weet om om te gaan met mensen in deze toestand, vertel me dat dan alstublieft,' voegde hij eraan toe, iets geïrriteerd. 'Maar we hadden het over Lord Elham, en of hij ooit in staat zal zijn om zijn plaats in het Hogerhuis in te nemen.'

'Verdraaid nog toe,' zei Sir Hellman die eindelijk zijn mond weer open deed en in de lach schoot, hoe vreemd dat in deze situatie misschien ook was. 'Als je hem daar een zetel geeft valt zijn vreemde gedrag niemand meer op.'

'Inderdaad,' stemde dokter Brighouse gladjes in terwijl hij zich bukte om een la van slot te draaien en een dossier tevoorschijn te halen. 'Hier bewaar ik de data van inschrijving en ontslag van al mijn patiënten.' Hij liet zijn wijsvinger langs de kolommen glijden. 'Kijk maar. Hier ziet u de datum van aankomst; de schuilnaam van de patiënt; de reden van opname; eventuele bijzonderheden omtrent de behandeling; de datum van ontslag. En als de patiënt opnieuw opgenomen wordt, begint het hele proces weer van voren af aan.'

'U noemt de patiënten niet bij hun eigen naam?'

'Het is niet gemakkelijk om deze dossiermap te stelen, maar het is ook niet onmogelijk. U kunt zich voorstellen dat we de vertrouwelijkheid te allen tijde moeten kunnen garanderen, omdat deze informatie wanneer die in de verkeerde handen valt zou kunnen leiden tot... onaangename verwikkelingen. Neem bijvoorbeeld erfenissen, huwelijkse voorwaarden en meer van dat soort dingen. Daarom worden de verdere gegevens van de patiënten apart bewaard, onder een nummer.'

'Dat is prijzenswaardig. Mag ik dan nu misschien de data in mijn aantekeningenboekje vergelijken met die van het *verblijf* van Lord Elham?'

Ik had kunnen weten dat dokter Hansard zo nauwkeurig te werk ging, dat hij details had opgeschreven die ik me slechts vaag herinnerde.

Hij schreef de informatie uit het dossier over in zijn notitieboekje zonder ook maar een spier te vertrekken. 'U bent absoluut zeker van deze data?'

'Absoluut.'

'Dan zullen we Lord Elham zo snel mogelijk moeten spreken, zodra u hem daar geschikt toe acht.'

'Waarover wilt u hem dan spreken, dokter Hansard? Een misdrijf? Want ik moet u waarschuwen dat het mogelijk is dat men hem niet in staat acht om tijdens een rechtszaak een getuigenis af te leggen.'

'Terwijl hij – als lid van het Hogerhuis – door zijn mederaadsleden berecht zou worden!' merkte Sir Hellman op.

20

Als ik had kunnen kiezen tussen een behandeling door dokter Brighouse of door mevrouw Brighouse, zou mijn voorkeur naar de eerste optie uitgaan.

We ontmoetten deze dame toen we op weg waren naar de westelijke vleugel van het huis, waarbij elke deur voor ons geopend en achter ons weer op slot gedraaid werd, wat een behoorlijk angstaanjagende ervaring was. Een eenvoudig geklede vrouw, belast met het gewicht van een enorme bos sleutels, stond haar trillende dienstmeisje uit te foeteren vanwege een of andere fout die ze gemaakt had. Ze deed geen enkele poging om haar volume aan te passen, laat staan haar mond te houden, toen wij onder leiding van dokter Brighouse dichterbij kwamen. Uiteindelijk, toen ze moest kiezen tussen de jonge vrouw wegsturen of de hal blijven blokkeren en ons de doorgang beletten, liet ze haar prooi gaan. *Ons* behandelde ze, nadat haar man ons aan elkaar had voorgesteld, juist overdreven vriendelijk.

'Dit is mevrouw Brighouse, heren, die zo goed is om mij te assisteren en hier op Lymbury Park de rol van directrice en huishoudster vervult.'

In plaats van een revérence te maken, schudde ze ons op haast mannelijke wijze de hand, haar greep net zo stevig als die van de gemiddelde sporter. Ze was in de veertig en had de houding van iemand die boven haar stand getrouwd was, maar zich vast had voorgenomen om zich in geen enkel opzicht onderdanig op te stellen.

'Goedendag, mijne heren. U treft ons precies tijdens een van onze zeldzame crises.'

'Inderdaad, mevrouw, het zien van een patiënt die vastgebonden en verdoofd werd was niet bepaald een schouwspel waar we van tevoren naar hadden uitgekeken.'

'Had u liever gehad dat hij gevlucht was, het dorp in, waar hij zich aan de eerste de beste vrouw zou hebben vergrepen? Ik in elk geval niet. Meneer Brown, zoals ik hem zal noemen, is niet alleen een gevaar voor zichzelf, ziet u, maar ook voor anderen. Als hij hier niet opgenomen was, zou hij in Tyburn aan de galg bungelen, dat kan ik u verzekeren – adellijke afkomst of niet.' Ze stak haar kin uitdagend naar voren, haar handen in haar zij.

'Lieve, ik heb deze mannen uitgelegd dat wij in een dringende behoefte voorzien en daarbij op uiterst discrete wijze te werk gaan.'

'Mooi zo. Niet dat we daar ruimschoots voor beloond worden, overigens. Voor die paar stuivers zou ik deze monsters graag terugsturen naar hun familie. Ik wil nog wel eens zien hoe het hen zou bevallen als die griezels dag en nacht op hun grondgebied rond zouden waren.'

'U sluit ze toch zeker wel op!' Ik kon de drang om even om me heen te kijken niet weerstaan.

'Levensgevaarlijk, sommigen van hen, ziet u. Maar wees gerust, heren, u hoeft zich geen zorgen te maken. Kijk hier maar eens.' Ze stak haar hand uit naar de dichtstbijzijnde deur en tilde een luikje omhoog, waarachter een klein, getralied raampje zichtbaar werd. 'Kijkt u zelf maar, dan ziet u hoe mak ze kunnen zijn.'

Haar man deed het luikje vlug dicht. 'Nee, Honoria, mijn lief, deze heren zijn hier slechts voor één man. Meneer Bossingham.'

Ze trok een lelijk gezicht. 'Hij zit deze week op de derde verdieping. Hoe onrustiger ze zijn, hoe hoger de verdieping waar we ze plaatsen, ziet u, heren.' Dit was natuurlijk in tegenspraak met de positieve, geruststellende opmerkingen van haar man. 'Deze kant op, alstublieft.'

We volgden haar naar wat vroeger, in de tijd dat het huis nog door een adellijke familie bewoond werd, de personeelstrap geweest moest zijn. Op de een of andere manier benadrukte de eenvoudige, smakeloze trap het karakter van dit huis dat, en daar raakte ik ondanks het eerdere optimisme van Brighouse steeds meer van overtuigd, eigenlijk een plaats van wanhoop was.

Bovendien hing hier een onaangename geur die met elke stap sterker werd, totdat we omgeven waren door de stank van menselijke uitwerpselen, een stank die me deed denken aan de verloederde achterbuurten van grote steden.

Mevrouw Brighouse liep stevig door en beukte met haar vuisten op iedere deur waarachter een patiënt het in zijn hoofd haalde om te schreeuwen of te jammeren. Er werd verder niets gezegd, al was duidelijk dat dat op andere momenten wel gebeurd was, want in de kamer daalde onmiddellijk daarna een onnatuurlijke stilte neer. Zelfs het geschraap van stoelen of het gekras van pennen ontbrak.

Uiteindelijk bleef ze staan en trok met een overdreven gebaar het luikje van meneer Bossingham omhoog.

Hansard stapte behoedzaam naar voren. Terwijl hij naar binnen gluurde, gleed er een uitdrukking van onuitsprekelijke droefheid over zijn gezicht. Hij gebaarde dat ik dichterbij moest komen. Daar lag de edele heer, de elfde hertog van Elham, op een stromatras op de grond, gekleed in niet meer dan wat vuile vodden, snikkend als een klein kind en met een lappenpop in zijn armen geklemd. In de hoek stond een stinkende emmer waarop hij zijn behoefte kon doen. Er schoot me een afschuwelijke herinnering te binnen, aan de cel waaruit we de jonge William Jenkins bevrijd hadden. Ik had Elham nooit gemogen of zelfs maar respect voor hem gehad, maar het was onverdraaglijk om hem in deze toestand te zien.

Ik liet het luikje vrijwel geluidloos zakken om hem de vernedering van het besef dat hij door anderen bespot of beklaagd werd te besparen.

'Wilt u hem nog steeds ondervragen?' vroeg Brighouse op norse toon.

'Jazeker,' antwoordde Hansard. 'Laat hem wassen en plaats hem over naar een wat fatsoenlijkere kamer, zodat we op waardige wijze met hem kunnen spreken.'

We bedankten voor zijn aanbod om nog wat verfrissingen te laten komen en verdreven de tijd met een kalmerende wandeling in de prachtige tuin achter het huis. De tuin was ingericht naar Frans ontwerp, met elegante wandelpaden tussen onkruid-vrije bloembedden. In de schaduw van een van de bomen lag een man te luieren, terwijl vier of vijf anderen, allemaal gekleed in dezelfde vaalblauwe broeken en overhemden, druk in de weer waren met schoffels en harken. Deze laatste mannen keken niet op of om, maar de man die in de schaduw gelegen had sprong op en tikte tegen zijn pet. Een grote hond, die ik eerder niet eens had opgemerkt, was onmiddellijk een en al aandacht. Hij smeekte zijn baas haast om in actie te mogen komen. De man gaf de hond echter opdracht om bij hem te blijven en liep toen met geheven hoofd op ons af. Zijn stramme houding en het feit dat hij aan een kant mank was duidden op een eerdere loopbaan in het leger.

Het was duidelijk dat noch Sir Hellman, noch dokter Hansard de behoefte voelden om onze aanwezigheid te verklaren, maar ik zei op vriendelijke toon: 'Ik neem aan dat dit patiënten zijn die al bijna hersteld zijn? En dat u ze hier buiten in de gaten houdt en begeleidt? Wij zijn op bezoek bij meneer Bossingham, weet u.'

'En nu wacht u hier tot ze hem toonbaar gemaakt hebben, of niet? Als u het mij vraagt is er niets met hem aan de hand dat niet opgelost zou kunnen worden door een militaire training onder leiding van ouwe Hookey. Neem me niet kwalijk dat ik het zeg, eerwaarde. Als zijn vader ervoor betaald had, hadden ze hem in Portugal of Spanje onmiddellijk als vaandrig in dienst genomen en was hij zeker net zo goed af geweest als hier. Een paar langeafstandsmarsen in de brandende zon, een paar nachten op bivak in de stromende regen en een goede sergeant. Dan zou hij zijn buien en zijn tong al snel onder controle krijgen, daar ben ik zeker van.'

'En waar hebt u gevochten?' Ik dwong mezelf om deze vraag te stellen, ondanks het bekende, misselijke gevoel dat onmiddellijk op kwam zetten.

'In '08, meneer, bij Vimerio. We hebben ze flink te pakken genomen, kan ik u vertellen. Maar toen vervingen ze ouwe Hookey en toen was het met ons gedaan. Zo simpel was dat.' Hij spuugde vol overgave op de grond. 'Een man van goede afkomst zoals uzelf, eerwaarde – het verbaast me dat u zelf niet naar het Schiereiland bent uitgezonden.'

Het was tijd dat ik iemand, hoe laaggeplaatst ook, de eenvoudige waarheid vertelde. 'Daar ben ik te laf voor. Ik zou elke legereenheid die de pech had om mij in zijn gelederen te hebben te schande maken.'

'Nou, dan hebt u heel wat mooie momenten gemist, eerwaarde. En een aantal beroerde,' zei hij, alsof hij mijn eerlijkheid wilde belonen met wat van hemzelf. Hij sloeg tegen zijn heup. 'Maar ik had het geluk om een aardig baantje te vinden, ook al is dit niet het soort leven dat ik voor ogen had. Ik ben beter af dan de meeste mensen in mijn situatie, ook al besloot mijn verloofde op een gegeven moment dat ze liever met een soldaat wilde trouwen.'

Ik kneep in zijn schouder. We hadden allebei verdriet te verwerken, maar het liefst in stilte.

Hij keek om zich heen om zich ervan te verzekeren dat hij niet afgeluisterd werd. Toen voegde hij met hese stem, haast fluisterend, eraan toe: 'Het is de drank die de jonge meneer Bossingham de das omdoet. Hou hem bij de port en de brandewijn vandaan en zorg dat hij het bij gewone drank houdt, dan is hij voor het einde van het jaar weer helemaal in orde. De hemel mag weten wat ze hier bij hem naar binnen gieten, maar de volgende dag is hij er nog helemaal van van de kaart, kan ik u wel vertellen. Als ze hier binnenkomen hebben ze *zin* in een borrel, maar uiteindelijk hebben ze *behoefte* aan iets sterkers, als u begrijpt wat ik bedoel.'

Ik stopte wat muntjes in zijn hand en hij deed een stap naar achteren, al saluerend.

Hansard en Sir Hellman waren verder gelopen en hielden zich nu bezig met het inspecteren van de hekken. Maar toen ze bij een van de patiënten in de buurt kwamen, klonk er een schreeuw vanaf het terras en een zenuwachtig uitziende dokter Brighouse wenkte ons met heftig uitziende gebaren naar het huis.

In de veronderstelling dat Lord Elham klaar was voor het gesprek, draaiden we onmiddellijk om en liepen met grote stappen terug, maar we werden naar een kleine zitkamer gebracht waar we nog bijna een kwartier moesten wachten. Bewaakt door twee bedienden die ons voorzagen van nog meer ongewenste verfrissingen konden we geen serieus gesprek voeren; toen dokter Brighouse uiteindelijk zover was dat hij zich opnieuw bij ons voegde, een ellendig uitziende Lord Elham in zijn kielzog, lukte het ons niet om onze verontwaardiging helemaal te verbergen. De rij werd gesloten door twee mannelijke bewakers en net als eerder klonk er een klik toen – zoals we al verwacht hadden – de deur achter ons in het slot viel.

Het blauwe, vormeloze hemd en de bijpassende broek die ze Elham hadden aangetrokken leken precies op de kleding van de patiënten die we zojuist in de tuin hadden gezien. Hij was kort geleden geschoren, door iemand die niet al te zachtzinnig te werk was gegaan, en zijn haar was zo slordig geknipt dat het niet eens meer een kapsel genoemd kon worden. Hij boog, maar zijn bewegingen waren stram, als een hobbelpaard dat een paard van vlees en bloed nadoet.

Wij bogen ook; tenslotte was hij afkomstig uit een adellijke familie.

'Hoe maakt u het, mijn heer?' vroeg Hansard terwijl hij zijn hand uitstak en een stap naar voren deed. 'Het doet me verdriet dat ik u hier aantref. Hoelang bent u al onwel?'

De jongeman – vandaag leek hij zelfs nauwelijks volwassen – schudde zijn hoofd alsof hij hoopte dat de mist dan weg zou trekken. Met zijn mond halfopen keek hij naar dokter Brighouse, alsof hij om hulp vroeg.

'Nee, meneer Bossingham, probeer deze heren zelf maar te woord te staan.'

Zijn ogen rolden heen en weer, als bij een dier in doodsangst.

Hansard pakte hem bij zijn hand en zijn elleboog en begeleidde hem naar een sofa en ging naast hem zitten. 'U herinnert u mij toch nog wel, mijn heer? Uw moeders lijfarts, dokter Hansard.'

Ik had niet gedacht dat Elham er nog angstiger uit had kunnen zien, maar dat was toch het geval. Hij greep de leuning van de sofa krampachtig vast en probeerde op te staan. De twee bewakers duwden hem terug.

Hansard keek naar hen op. Ze krompen ineen bij zijn blik. 'Weet u, dokter Brighouse, ik denk dat we deze klus wel kunnen klaren zonder de hulp van onze vrienden hier. En, als ik zo brutaal mag zijn, ook zonder uw aanwezigheid.' Zijn glimlach was ijzig kalm.

Brighouse hield voet bij stuk. 'Als u hem wilt proberen te ondervragen moet ik daarbij aanwezig zijn – als zijn behandelend arts.'

'Maar ik ben ook zijn behandelend arts. Sir Hellman hier is rechter en dominee Campion vertegenwoordigt de kerk. Ik neem aan dat hij bij ons in goede handen is, denkt u ook niet? We zullen u laten weten wanneer u terug kunt keren.'

Elham keek toe als een kind dat getuige is van een ruzie tussen zijn ouders, zijn blik schoot bezorgd van het ene gezicht naar het andere.

Uiteindelijk liep Sir Hellman met een dwingend gebaar naar de deur en dokter Brighouse trok zich terug, waarbij hij zijn bedienden meenam. Hij vergat echter niet om de deur achter zich op slot te doen.

Hansard pakte Elhams onderarm voorzichtig vast en controleerde zijn polsslag. 'Kijk eens aan. Dat deed geen pijn, of wel soms, mijn heer? Wilt u dan nu misschien uw tong uitsteken? Prima. En laat me nu even in uw ogen kijken. Heel goed.' Ik weet niet wat hij precies zag, maar op zijn voorhoofd verscheen een frons. 'We zijn er bijna. Dat is fijn, hè? Weet u nog dat ik al die dingen al eens eerder gedaan heb, toen u bij Birchanger Wood van uw paard gevallen was? U had toen net een nieuw jachtpaard, een prachtige vos, en die hield niet van struiken, weet u nog, al vloog hij zonder moeite over hekken en hindernissen.'

'Stond niet hoog genoeg op zijn benen,' zei Elham, met een stem die van de zeebodem afkomstig leek.

'Dat klopt. Knappe jongen.' Hij keek even naar mij. 'Hij zit zo onder het laudanum dat het wel een maand duurt voordat het helemaal uit zijn lichaam verdwenen is. Het zou me niet verbazen als hij eraan verslaafd geraakt is, net als al die oude vrijsters in Bath. En dat op zijn leeftijd. Ik zal Lady Elham adviseren om hem hier vandaan te halen en hem toe te vertrouwen aan de zorg van dokter Bailey of Sir Henry Halford. Ik overweeg zelfs om hem meteen mee te nemen –'

'Maar wij kunnen toch niet voor hem zorgen?' protesteerde ik, hoewel ik direct daarna wenste dat ik deze woorden terug kon trekken. Was ik geen volgeling van Christus, wiens grootste wonderen bestonden uit het genezen van zieken?

'Dat valt niet mee. Hem helpen om van de verdovende middelen af te komen is geen pretje, niet voor de patiënt en niet voor de arts. Maar het moet gebeuren.' Hij klopte Elham opnieuw op zijn hand. 'Ik kom u binnenkort opnieuw opzoeken, dat beloof ik.'

'Maar u hebt hem helemaal niets gevraagd!' riep Sir Hellman uit.

Hansard haalde zijn schouders op. 'Ik wil het best proberen, maar ik kan me niet voorstellen dat iets van wat hij zegt ons ook maar een stap verder zal helpen.'

'Probeer het alstublieft,' smeekte ik. Het gezicht van deze levende jongeman, hoe beklagenswaardig ook, veranderde voor mijn ogen in het aangetaste gezicht van mijn dode Lizzie.

'Goed dan.' Uit zijn blik bleek duidelijk dat hij het een dwaas verzoek vond. 'Vertel me eens, mijn heer, weet u hoe lang u hier al bent?'

Hij schudde zijn hoofd.

'Maar herinnert u zich uw huis in Moreton Priory nog wel?'

Er was een glimpje van zijn oude arrogantie zichtbaar. 'Ik heb heel veel huizen nu ik landheer ben.'

'Huizen waarin hij ongetwijfeld beter af zou zijn dan hier,' mompelde Sir Hellman.

'En welk huis vindt u het prettigst?'

'Grosvenor Square. Ik ben het liefst in Londen. Veel beter dan het platteland.'

'Bent u gesteld op Moreton Priory? Vindt u de mensen daar aardig?'

'Ik vond hem niet aardig. Hij was onbeleefd tegen mijn vriend.' Elham wees beschuldigend in mijn richting. 'Maar ik heb wraak genomen! Een touwtje gespannen zodat hij zou vallen. Ik hoop dat hij een bloedneus heeft opgelopen.'

'Herinnert u zich wanneer ik onbeleefd tegen hem was?' vroeg ik.

'Ik wil nu weg. Zeg tegen hem dat ik vroeg wil dineren in mijn eigen kamer. Roep mijn bediende. Nu meteen!'

Hansards gezicht sprak boekdelen. 'Was er op de Priorij ook iemand die u wel aardig vond? Een jongedame?'

Hij ontkende heel beslist.

'Vond u de bedienden aardig?'

'Corby niet. Veel te nieuwsgierig. Mama heeft hem op straat gezet.'

De vriendelijke oude butler! Waar zou hij terechtgekomen zijn?

'Vond Davies ook niet aardig,' ging Elham verder. 'Vond mevrouw Beckles niet aardig. Chagrijnige oude taart.'

Nu kreeg Hansard dan eindelijk eens een koekje van eigen deeg.

'Vond Lizzie wel aardig.'

Hansard hield zijn vinger voor zijn lippen om mij het zwijgen op te leggen, maar dat was niet nodig.

'U vond Lizzie aardig. Hebt u Lizzie wel eens gekust?'

Hij grinnikte en maakte een suggestieve beweging met zijn heupen. Ik omklemde de armleuningen van mijn stoel. Deze man was duidelijk ziek, anders had ik mijn woede niet kunnen bedwingen.

'Bedoelt u dat u intiem geweest bent met haar?' vroeg Hansard met een dreigende maar tegelijk meelevende blik in mijn richting.

Elham wees naar mij. 'Jij wilde haar, maar ik was het die –' De platvloerse beschrijving die volgde was in overeenstemming met zijn eerdere beweging.

Hansard stak zijn hand op. 'Genoeg!'

Hij viel stil. Maar op zijn gezicht verscheen een boosaardige, wellustige grijns die meer zei dan duizend schunnige opmerkingen.

Sir Hellman, die wellicht aanvoelde dat zowel dokter

Hansard als ik niet tot spreken in staat waren, stond op. 'Jonge vriend, ik begrijp dat u een echtelijke omgang met deze jonge vrouw onderhield. Was u ook werkelijk met haar getrouwd?'

Het was overduidelijk dat Elham hier niets van begreep – maar het was het concept, niet de woorden die zijn bevattingsvermogen te boven gingen. 'Trouwen met een dienstmeisje? Ik was nog eerder met een boerentrien getrouwd.'

'Maar u hebt een kind bij haar verwekt,' zei Sir Hellman op strenge toon.

'Wat dan nog?'

'Was u daar trots op? Of was u bang wat de mensen ervan zouden zeggen? Zeg het me, Lord Elham, hebt u, omdat ze u in een lastig parket bracht, Elizabeth Woodman vermoord?'

21

'Lizzie is dood? Lizzie is dood? Nee, nee, nee!'

Hoewel ik toegeef dat ik graag anders gezien had, leek de geschokte reactie van Lord Elham net zo oprecht als die van Jem of die van mij, en leek hij niet minder door verdriet overmand.

'Het spijt me, Lord Elham, maar het is echt zo,' hield Sir Hellman vol. 'Lizzie Woodman is op gruwelijke wijze vermoord.'

'Door wie? Alstublieft, meneer, alstublieft, wat zegt u nu? Dokter Hansard, waar heeft hij het over?' Hij greep de hand van de dokter vast.

Hansard gaf antwoord, zijn stem verbazingwekkend vriendelijk: 'Sir Hellman spreekt de waarheid, mijn heer, hoezeer dat mij ook spijt. Daarom zijn we vandaag hier. Om het u te vertellen.'

'Maar wie zou haar willen doden? De mooie Lizzie?' En toen, terwijl de afschuwelijke waarheid door zijn verdoofde staat heen brak, barstte hij in tranen uit. Sir Hellman maakte een afwerend gebaar en deed een stap naar achteren. Ik dacht terug aan mijn eigen verdriet vlak nadat ik haar lichaam gevonden had en dwong mezelf om bij hem neer te knielen, biddend dat God me de kracht zou geven om hem lief te hebben zoals het behoorde.

'Lord Elham, ik besef dat we nooit vrienden geweest zijn, maar ik zou u desondanks toch graag alle steun bieden die ik u als geestelijke kan geven. Is er hier een kapel waar we samen kunnen bidden?' Ik reikte naar zijn hand.

Hij boog voorover, naar mij toe. De hemel zij geprezen! Hij zou mijn aanbod aannemen! Er was nog hoop dat hij weer bij zinnen zou komen.

Hij spuugde, vol in mijn gezicht. En om het af te maken schopte hij me ook nog tussen mijn benen, zodat ik achterover rolde, kreunend van schaamte, maar zeker ook van de pijn – want die was aanzienlijk.

Sir Hellman klopte op de deur. 'Wachters!'

Edmund was duidelijk verontwaardigd over deze aanmatigende beslissing, maar toen hij mijn voortdurende, acute ongemak zag besefte hij dat dit gesprek inderdaad beëindigd moest worden. In elk geval voor dit moment. Hij hielp me overeind.

Dokter Brighouse kwam binnen op het moment dat Elham werd weggesleurd. 'Heren, ik verzoek u dringend om onmiddellijk te vertrekken. Ik kan niet toestaan dat mijn patiënten zo van streek raken.'

Hansard keek hem ijzig aan. 'Dokter Brighouse, *ik* kan niet toestaan dat *mijn* patiënt zo van streek raakt. U zult hem onmiddellijk voorzien van een betere leefomgeving. Als ik gezien heb dat hij daarheen is overgebracht en u mij een lijst hebt overhandigd van alle medicijnen die u hem hebt voorgeschreven en het dieet dat hij volgt, zullen wij vertrekken. Eerder niet. En in de tussentijd zult u ons niet opsluiten, in deze ruimte noch in een andere. Hebt u dat begrepen?'

Brighouse begon te protesteren.

Ik stapte naar voren, plotseling een echte zoon van mijn vader. 'Ik zie geen enkele reden voor een discussie. Doe wat u gezegd wordt.' Later zou Edmund me plagen met deze plotselinge uitbarsting van arrogantie. Ik weet echter zeker dat hij er op het moment zelf blij mee was.

Brighouse draaide zich abrupt om.

Nog geen vijftien minuten later verscheen er een woedende maar de hemel zij dank zwijgende mevrouw Brighouse in de deuropening. Ze bewoog haar hoofd met een ruk opzij om aan te geven dat we haar moesten volgen en beende de hal door waar we haar eerder die dag voor het eerst ontmoet hadden. Ze bleef met haar handen in haar zij voor een deur staan, maar maakte geen aanstalten om hem van slot te draaien. Hansard was niet onder de indruk; hij tilde het luikje gewoon zelf op en tuurde naar binnen. Hij knikte, min of meer tevreden, maar moedigde ons niet aan om ook even te kijken.

'Mooi. Wat ons nu nog rest is nagaan welke behandeling hij volgt, dan kunnen we daarna vertrekken.'

Ze ging ons voor naar de studeerkamer waar ons bezoek begonnen was, nog steeds zwijgend. Haar echtgenoot zat achter zijn bureau. Hij haalde een stapeltje papier uit een la en smeet het op het bureau. Er dwarrelden enkele blaadjes op de grond. Ik draaide me om, keek mevrouw Brighouse aan en verplaatste mijn blik toen naar de grond. Ze bukte zich en raapte de papieren op, waarna ze een revérence maakte en ze aan mij overhandigde. Mijn vader zou zo'n handeling van zijn bedienden nauwelijks hebben opgemerkt, simpelweg omdat hij het niet als een dienst beschouwde. Hoe anders mijn houding tegenwoordig misschien ook was, vandaag besloot ik om het voorbeeld van mijn vader nog één keer te volgen.

Er viel een stilte terwijl dokter Hansard de notities doorlas. Uiteindelijk zei hij: 'U begint morgen met het afbouwen van de laudanum. Niet te snel – hij is er al zo aan gewend dat hij niet meer zonder kan – maar met een tiende. En dan over drie dagen nog een tiende, en zo verder. Wat betreft voeding kunt u het dieet dat hij nu volgt handhaven, aangevuld met een kopje soep bij het avondeten. Maar hij mag in het geheel geen alcohol gebruiken. Ik kom over enkele dagen terug om te controleren of mijn instructies worden opgevolgd. En,' hij glimlachte, 'enige poging van uw kant om mij of mijn beide metgezellen de toegang te ontzeggen zal worden bestraft met een gerechtelijke procedure. Dan mag u nu onze koets voor laten rijden.'

De vele emoties maakten dat we geen van allen behoefte hadden aan een diepgaand gesprek. Ik zat met mijn rug naar de paarden en keek door het raampje naar buiten, biddend, terwijl het platteland voorbijgleed, dat de Almachtige genade zou hebben met iedereen die op wat voor manier dan ook bij Lizzies tragische dood betrokken was. Op dat moment drong tot me door dat anderen ook behoefte hadden aan zijn bijstand, mensen zoals de verwilderd uitziende mannen die in de berm van de weg liepen, vast en zeker op weg naar de stad in de hoop dat ze daar werk zouden vinden.

De gedachte dat we bij Sir Hellman aan tafel zouden zitten in de kleding die we vandaag de hele dag gedragen hadden stond ons niet erg aan, dus we beriepen ons op een eerder gemaakte afspraak. Had hij geweten dat dit een afspraak met een stalknecht en een persoonlijke bediende betrof, dan had hij waarschijnlijk minder begripvol gereageerd. Hij drong er echter wel op aan dat we de volgende avond bij hem zouden komen dineren, zodat we hem op de hoogte konden stellen van mogelijke verdere ontwikkelingen.

. De dag was heerlijk zonnig geweest, maar de avond was plotseling kil. Dat was dan ook de reden dat Turner het vuur in onze salon had aangestoken en bezig was met het bereiden van punch. Jem, een echte heer in zijn nieuwe jasje, stond erop ons nogmaals te bedienen, maar wij weigerden onze bedienden opdracht te geven tot het opdienen van de eerste gang totdat we alle vier een glas punch gedronken hadden.

'Er is namelijk nieuws dat je moet horen, Jem,' zei Hansard vastbesloten. 'Maar allereerst een toost. Op de gerechtigheid!'

We herhaalden zijn laatste paar woorden, vastbesloten maar zonder vreugde.

'Lord Elham onschuldig! Onmogelijk!' Jem verfrommelde zijn servet, gooide het op tafel en sprong op.

'Op basis van wat wij deze middag gezien hebben, Jem, is het uitgesloten dat hij door een jury schuldig bevonden zou worden,' zei dokter Hansard op grimmige toon. 'Mijn enige hoop is dat hij later, als hij minder onder invloed is van het laudanum en de andere kwakzalversmiddeltjes die die Brighouse hem door de strot geduwd heeft, in staat zal zijn zich dingen te herinneren die hij nu overduidelijk vergeten is, en bereid is tot het doen van een bekentenis. Maar zelfs als dat het geval is zou het moeilijk zijn om zijn schuld te bewijzen – gezien het feit dat uit de administratie van Brighouse blijkt dat hij was opgenomen rond de tijd dat wij nu denken dat Lizzie ter dood gebracht is, ergens tussen eind november en begin december. Hij wist niet van tevoren dat wij op bezoek zouden komen, dus hij had geen reden om zijn boeken aan te passen. En er was ook niets wat erop wees dat dat eerder al gebeurd was.'

'Maar wat als Lizzie niet voor de sneeuwval gestorven is?' hield Jem aan. 'Wat als ze nog maar een week of wat gestorven was toen… toen Toby haar vond?'

'Uit de administratie van Brighouse blijkt dat Elham toen ook opgenomen was.'

'Dan klopt zijn administratie niet! Dat kan niet!'

Hansards gezichtsuitdrukking verzachtte. 'Daar moeten we ook zeker nog een keer naar kijken. Maar we moeten ook Lady Templemead spreken en, als het mogelijk is, bedienden die bij Lady Elham in dienst zijn – hoewel er daar opmerkelijk weinig van over zijn, mag ik wel zeggen.'

'En volgens meneer King zijn de meeste van hen vertrokken naar plaatsen waar ondervraging zo goed als *on*mogelijk is,' zei ik. Ik ondersteunde mijn hoofd met mijn handen, de wanhoop nabij.

'Zou men hieruit kunnen opmaken, heren,' begon Turner, wachtend op een knikje van dokter Hansard voordat hij de bedienen liet komen om de eerste gang af te ruimen en de twee-de te serveren, 'dat een gesprek met Lady Templemead zelf waarschijnlijk gemakkelijker te realiseren is? Prima, meneer.' Hij trok aan het bellenkoord.

'Zie die dame dan eerst maar eens te vinden,' gromde ik, hoewel mijn opvliegendheid niet erg gepast was voor een man in dienst van de kerk.

'Het is goed mogelijk dat we daar al in geslaagd zijn,' zei Turner, beleefd als altijd, maar met iets als een knipoog naar Jem, die reageerde met een vluchtige glimlach. 'Wij vonden het niet prettig om hier te zitten luieren terwijl u beiden over het platteland rondtrok.'

'Maar –' Ik had willen zeggen dat we ze een dag vrijgegeven hadden, maar besefte dat dat geen zin had; Jem wilde het mysterie minstens net zo graag ontrafelen als ik en hij had alle recht om zijn tijd te besteden zoals hij wilde. Ik slikte mijn bezwaren in. 'Wat hebben jullie ontdekt?'

We werden echter onderbroken door de binnenkomst van de bedienden, die ons eendenragout kwamen brengen, op Franse wijze bereid, geserveerd met een schotel macaroni en wat bloemkool. Turner pakte de borden aan en rangschikte ze op tafel, waarna hij de bedienden met een knikje wegzond.

Nadat hij zich ervan verzekerd had dat iedereen voorzien was, beantwoorde hij mijn vraag: 'We hebben ontdekt waar Lady Templemead verblijft. Roddels, natuurlijk,' zei hij, 'die aan ons doorverteld zijn door een dienstmeisje dat we hebben geholpen met het dragen van een mand met groenten.' Hij zweeg even en ging toen verder. 'Hoe dan ook, de echtgenoot van Lady Templemead is eigenaar van een landgoed in de buurt van Bristol. Niet dat hij van adel is, meneer, verre van dat. Deze man heeft zelf zijn fortuin gemaakt. De vader van Lady Templemead was echter erg over het huwelijk te spreken omdat het de oplossing was voor zijn aanzienlijke speelschulden. Sir Thomas is een zeer vermogend koopman, min of meer de koning van Bristol en omgeving. Volgens onze informant heeft hij zijn rijkdommen vergaard in West Indië en is hij vervolgens naar huis teruggekeerd om van zijn geld te genieten. Hij staat echter ook bekend als een ongelofelijke snob, een arrogante man die uitzinnig hoge eisen stelt – zeker voor iemand met zijn achtergrond.'

'Dus een eenvoudig beleefdheidsbezoek valt waarschijnlijk niet in goede aarde,' zei ik peinzend.

'Een aanbevelingsbrief is vereist,' stemde Turner in.

'En die hebben we niet. Maar als er geen andere mogelijkheid overblijft neem ik aan dat u, Hansard, vanuit uw functie als lekenrechter eenvoudigweg een onderhoud met haar kunt eisen,' zei ik.

'En hoe behulpzaam zal de dame dan nog zijn? Nee, we hebben een gezamenlijke kennis nodig, Tobias.'

Jem, nooit helemaal op zijn gemak tijdens onze informele bijeenkomsten, hoewel hij zich niet zou hebben ingehouden als ditzelfde gesprek in de stallen had plaatsgevonden, hoestte. 'Waarschijnlijk, Toby, zal de heer met wie u beiden vandaag tijd hebt doorgebracht Sir Thomas wel kennen. Hij was tenslotte ook een koopman – of in elk geval was zijn vader dat.'

Hansard knikte. 'Ik zou liever niet nogmaals een beroep doen op de gunsten van Sir Hellman. Hoewel zijn bereidheid om zijn tijd en zelfs zijn rijtuig ter beschikking te stellen van bijzonder grote waarde was, waren er momenten waarop ik hem te opvliegend vond. Wanneer we gevoelige zaken te bespreken hebben met dames, is tact van het grootste belang.'

Hij duwde zijn stoel bij de tafel vandaan en begon door de kamer te ijsberen.

Ik keek op mijn horloge. 'Er is nog iemand die wellicht bereid is om ons deze dienst te bewijzen, misschien zelfs vanavond nog, al zijn we op dit moment niet gekleed op een ontmoeting met hem. Ik heb het over meneer King,' legde ik uit.

Nooit eerder hadden twee heren zich zo snel omgekleed. Turner had wonderen verricht en Jem had, ondanks onze bezwaren en de herhaalde bewering dat we gemakkelijk konden lopen, twee draagstoelen ontboden.

Toen we bij de Upper Rooms arriveerden was ogenblikkelijk duidelijk dat meneer King de teugels stevig in handen had. Zolang meneer King verantwoordelijk was voor de introducties hoefde geen van de chaperonnes zich er zorgen over te maken dat hun beschermelingen onopgemerkt weg zouden kwijnen. De balzaal was een werveling van kleur en beweging toen we binnenkwamen en meneer King leek, zoals men mocht verwachten, erg tevreden over zijn werk van die avond. Hij willigde ons verzoek met genoegen in en het deed ons al net zo veel plezier om over de dansvloer te zwieren terwijl we op de aanbevelingsbrief wachtten.

We kwamen overeen dat wij vieren, gewapend met de brief van meneer King, de volgende ochtend bijtijds zouden vertrekken. Strikt genomen was Turners aanwezigheid overbodig, maar hij wist ons ervan te overtuigen dat hem achterlaten in het hotel terwijl de rest van ons eropuit ging een ultieme daad van wreedheid was. Door zijn beheerste, ingetogen manier van doen was het gemakkelijk om te vergeten dat hij slechts tien jaar ouder was dan ik, en ik wist hoe ik me gevoeld zou hebben als de situatie andersom geweest was. Hij droeg een geleende cape en stond erop dat hij op de bok zou zitten, waar hij in opdracht van Jem op de koetsiershoorn zou blazen terwijl Jem het rijtuig van dokter Hansard bestuurde.

We waren al onder de indruk van het enorme huis van Sir Hellman, maar dat van Sir Thomas deed nauwelijks onder voor een paleis – het kon de vergelijking met Gloucestershire Chatsworth in alle opzichten doorstaan. Het huis kon niet veel ouder zijn dan een jaar of dertig, het was tegelijkertijd elegant en robuust en werd omgeven door prachtig aangelegde tuinen die net nu tot bloei begonnen te komen.

'Allemaal bekostigd met slavenhandel,' mompelde Hansard.

Ik kon mijn afgrijzen niet verbergen. 'Echt waar?'

'Hoe zou een koopman uit Bristol anders ooit zo veel geld kunnen verdienen? Als iedereen om je heen zijn geld ook op die manier verdient, is het ontzettend lastig om moreel zuiver te blijven, Tobias. Wat ik in India aan rijkdom verzameld heb, was naar de maatstaven van veel anderen redelijk bescheiden, en voor zover ik weet was er nog geen penny afkomstig uit oneerlijke of immorele bronnen. Toch vind ik het ergens een prettige gedachte dat ik het grootste deel ervan ben kwijtgeraakt. In elk geval weet ik nu zeker dat er aan geen van de penny's die in mijn schatkist terechtkomt bloed kleeft.'

'Goed,' ging hij verder terwijl Jem koers zette naar de reusachtige zuilengang die toegang gaf tot de voordeur, 'denk eraan dat we hier alleen maar zijn om te informeren naar de verblijfplaats van Lady Elham, daar we een verdrietige boodschap hebben die haar en haar familie aangaat. We brengen Lizzie en de reden waarom ze haar dienstverband bij Lady Templemead opgezegd heeft pas ter sprake als we het vertrouwen van Lady Templemead gewonnen hebben.'

Ik knikte. 'Ik zal me voorbeeldig gedragen, als een echte geestelijke.'

Wat had ik op dat moment graag gewild dat ik de interesse die mijn moeder in adellijke families had deelde, of in elk geval kon putten uit haar enorme kennis over dat onderwerp. Zij zou alles van Lady Templemead geweten hebben, van haar afkomst tot haar huidige familiebanden, haar kwaliteiten en haar zwakke plekken.

Een bijzonder hooghartige butler, duidelijk niet onder de indruk van de woonplaats die we hadden opgegeven, liet ons weten dat Lady Templemead niet thuis was. Toen ik hem echter toesprak zoals mijn vader gedaan zou hebben, was hij bereid om de aanbevelingsbrief van meneer King op een presenteerblaadje in ontvangst te nemen en ging hij ons voor naar de bibliotheek.

Dit vertrek was zo ruim opgezet dat ik zonder meer bereid was geweest om de hele dag op een reactie te wachten, vooral toen ik zag dat de kwaliteit van de boeken die de kasten langs iedere muur vulden niet onderdeed voor die van het meubilair en de zijden tapijten. Alle grote auteurs uit de oudheid waren vertegenwoordigd, evenals historische verhalen, gedichtenbundels en een verzameling werken van Shakespeare, volgens mij in de originele, eerste druk. Dokter Hansard op zijn beurt was volledig in de ban van de dikke boeken waarin de geschiedenis van India beschreven stond.

De sierlijke klok op de marmeren schoorsteenmantel gaf aan dat we een vol uur gewacht hadden toen de dubbele deuren aan de achterzijde van de bibliotheek openzwaaiden en we de butler opnieuw zagen, buigend voor een dame van ongeveer dezelfde leeftijd als mevrouw Beckles, echter zonder haar hartelijke gezichtsuitdrukking. Waar mevrouw Beckles de mensen om zich heen het gevoel gaf dat alleen al hun aanwezigheid haar dag een gouden randje gaf, was Lady Templemead – als zij het inderdaad was – er zo aan gewend geraakt om haar kennissen met minachting tegemoet te treden dat haar gezicht zijn hooghartige uitdrukking waarschijnlijk nooit meer kwijt zou raken. We hadden onze beste kleding aan, gekocht in Bath, maar zelfs daarvan leek ze niet onder de indruk. En waarom zou ze ook? Ze was het toppunt van elegantie, een dame zoals ik nog niet eerder gezien had. Haar jurk was van zijde, haar haar opgemaakt volgens de laatste mode en bedekt met een ragfijne hoofddoek. Ze stak ons haar hand toe, of beter gezegd, twee vingers, en wachtte tot we een buiging gemaakt hadden.

'Lady Templemead,' begon ik, 'zoals u wellicht hebt opgemaakt uit de brief van meneer King heeft ons bezoek slechts één eenvoudig doel: informeren naar de verblijfplaats van Lady Elham.'

'Dat heb ik inderdaad begrepen. Ik begrijp echter niet hoe in vredesnaam tot de conclusie gekomen bent dat ik u zou kunnen helpen.'

'Lady Elham heeft ons verteld dat u nichten van elkaar bent,' zei ik, 'en bovendien goede vriendinnen.'

'Nichten? Er is sprake van een verre familieband, maar dat is dan ook alles. En een hartsvriendin van die vrouw? Zeker niet. Hier in Bath begroeten we elkaar wellicht vriendelijk, maar dat geldt voor de meesten hier, ook voor mensen die men in een andere omgeving nog geen blik waardig zou keuren.'

'Dus u hebt geen idee waar ze op dit moment zou kunnen zijn?'

'Geen enkel.' De toon van haar stem was al even duidelijk als haar houding; dit onderhoud was voorbij.

'Mevrouw, mag ik misschien vragen of u elkaar zo goed kende dat u personeel van Lady Elham in dienst zou nemen?' vroeg ik. Waren dat soort uitwisselingen eigenlijk gebonden aan etiquette, of had ik mezelf alleen maar voor schut gezet?

'Dat zou te maken hebben met wat op een bepaald moment voegt, niet met vriendschap. Hoewel men aan de aanbevelingen van bepaalde personen meer geloof zou hechten dan aan die van andere.' Ze hoefde niet toe te voegen dat Lady Elham niet bij de eerste groep hoorde. Haar koude glimlach sprak boekdelen.

Ik stond op het punt om eruit te flappen dat de positie van Lady Elham goed genoeg was om haar op haar woord te kunnen geloven toen dokter Hansard een stap naar voren deed, op zijn gezicht de meest warme, meest verzoenende glimlach die ik ooit bij hem gezien had.

'Zo is het inderdaad, mevrouw,' zei hij met een zucht, alsof hij haar niet alleen begreep maar het zelfs met haar eens was. Ik had mijn moeder op precies dezelfde manier horen praten wanneer ze nietsvermoedende kennissen de laatste roddels aftroggelde.

'Zo ongemanierd,' stemde ze in, terwijl ze haar stem liet

dalen en gebaarde dat we mochten gaan zitten. 'Het ene moment haast hysterisch opgewekt en het volgende moment overdreven sentimenteel. Op zeker moment had ze het over hertrouwen – op haar leeftijd, dokter Hansard! – en het volgende over het afleggen van de gelofte en zich terugtrekken in het klooster.'

'Is dat de reden waarom ze haar persoonlijke bediende in een ander huishouden wilde onderbrengen?' vroeg hij, terwijl hij plaatsnam op de sofa recht tegenover haar. 'Omdat ze haar zelf niet langer nodig had?'

'Persoonlijke bediende? Persoonlijke bediende? Waar hebt u het over?'

'Wij hebben gehoord,' legde Hansard uiterst vriendelijk uit, 'dat Lizzie Woodman, de kleedster van Lady Elham, het verlangen had om in de stad te wonen en dat u, daar u meer tijd in de stad doorbracht dan Lady Elham en bovendien een kleedster nodig had, ermee had ingestemd om Lizzie in dienst te nemen.'

Ze schudde al met haar hoofd nog voor Hansard uitgepraat was. 'Ik heb al jaren dezelfde persoonlijke bediende, al sinds die afschuwelijke periode in Frankrijk. Marie beschikt over kwaliteiten waar jongere vrouwen niet eens van kunnen dromen.' Ze verlaagde zich niet tot het gladstrijken van haar haar of haar jurk om zo een compliment voor haarzelf of haar kleedster af te dwingen.

Ik deed mijn best om mijn stem kalm en gelijkmatig te houden. 'Dus u hebt Lizzie Woodman nooit in dienst gehad?'

Ze keek me aan, één dunne wenkbrauw opgetrokken ten teken dat ze liever met de vriendelijke dokter sprak dan met mij. 'Misschien heb ik een keukenhulpje in dienst dat zo heet… hoe moet ik dat weten?'

Hoe zou ze dat ook kunnen weten? Hoe welwillend mijn eigen moeder zich ook opstelde ten aanzien van haar personeel, ik had het vermoeden dat het aantal stafleden van wie ze de naam niet wist vele malen talrijker was dan het aantal van wie ze die wel wist – terwijl zij zeker net zo noodzakelijk waren voor haar gemak. Ik boog verontschuldigend.

Hansard schudde meelevend zijn hoofd en putte zich uit in

oppervlakkige beleefdheden. Ik was er echter zeker van dat hij er, net als ik, dringende behoefte aan had om onze ontdekkingen onder vier ogen te bespreken.

'En wat is de boodschap die u zo dringend aan Lady Elham moet overbrengen?' wilde Lady Templemead weten.

'Een familiekwestie. Meer kan ik er niet over zeggen,' antwoordde dokter Hansard.

'Een kwestie die zo ernstig is dat u het hele platteland afspeurt in de hoop dat u haar zult vinden?' merkte Lady Templemead op. 'De gedachte alleen al doet me huiveren.'

'Huiveren?' Hansards stem was zo zoet als honing. 'Beste mevrouw – dan hebt u vast en zeker ook te kampen met buikkramp? Sta me toe.' Hij pakte haar pols en schudde ernstig zijn hoofd. 'Uw hartslag is duidelijk verhoogd. Een gevolg van spanning. U moet u niet overmatig inspannen, beste dame, of ik kan niet voor de gevolgen instaan. Als de symptomen aanhouden raad ik u dringend aan om contact op te nemen met Sir William Knighton. Een betere arts is er niet.'

We stonden tegelijkertijd op en merkten toen dat ons medeleven in goede aarde gevallen was. 'Maar ik ben vreselijk in gebreke gebleven! Ik heb verzuimd u een verfrissing aan te bieden, terwijl u zo'n reis achter de rug hebt. Wat wijn, misschien?' Ze wilde de bel luiden.

'Ach, mevrouw, we kunnen niet anders dan uw vriendelijke aanbod afwijzen. We moeten onze zoektocht naar Lady Elham voortzetten. U hebt werkelijk geen idee waar we haar zouden kunnen vinden?'

Ze staarde voor zich uit. 'Op Moreton Priory, neem ik aan.'

22

Het kostte Jem en Turner weinig moeite om vast te stellen dat we slecht nieuws hadden. Onze sombere gezichtsuitdrukking en het feit dat we weinig zin hadden in een gesprek waren duidelijk genoeg. Toch moest het bespreken van onze ontdekkingen wachten totdat we een plek hadden gevonden waar we niet afgeluisterd konden worden. Ze gedroegen zich dan ook als bedienden tot we uiteindelijk arriveerden bij een fatsoenlijk ogende herberg. Hoewel Turner een privé-kamer probeerde te bespreken, kon de beheerder ons niet meer dan de gelagkamer aanbieden, hoewel die, zo verzekerde hij ons, op dit uur van de dag altijd leeg was. We gingen maar wat graag op zijn aanbod in en zagen uit naar de verfrissingen die hij ons beloofde.

Eenmaal voorzien van glazen schuimend bier was het moment om verslag uit te brengen dan eindelijk aangebroken. Ze luisterden in stilte tot we het hele verhaal, van begin tot eind, uit de doeken gedaan hadden.

'Lady Elham heeft van het begin af gelogen!' wist Jem met moeite uit te brengen. 'Er was helemaal geen baan in Londen, geen geheime echtgenoot en geen reis naar Warwick of Leamington?'

'Misschien zijn die er alle drie geweest, maar niet terwijl Lizzie in dienst was bij Lady Templemead,' antwoordde Hansard.

'Waarom zou Lady Elham liegen?' En dan zulke grove leugens? Ik dacht aan wat ze gezegd had over Lizzie en de baby.

'De meest voorkomende reden voor leugens is het verlangen om iemand te beschermen,' zei Turner, nippend van het door de herbergier zelf gebrouwen bier.

'Maar wie dan? U hebt gezegd dat Lord Elham Lizzie onmogelijk vermoord kan hebben omdat hij in die periode opgesloten zat in Lymbury Park,' zei Jem, zo boos dat het bijna was alsof hij Hansard zelf verantwoordelijk hield voor Lizzies dood.

Hansard ging daar serieus op in. 'Het enige wat ik nog voor

kan stellen, heren, is dat we terugkeren naar Lymbury Park om te zien of ik de verkeerde data heb opgeschreven of dat er sprake is van vervalsingen die alleen iemand met een scherpere blik zouden opvallen.' Hij keek op zijn horloge. 'We worden vanavond verwacht bij Sir Hellman, niet waar, Tobias? Zit dan niet als een kostschoolmeisje aan dat bier te nippen. We hebben nog heel wat kilometers te gaan, en snel ook.'

Jem verspilde geen tijd, al hield hij er wel rekening mee dat de paarden straks ook nog een terugreis zouden moeten maken. Plotseling bracht hij het rijtuig echter tot stilstand, midden op de weg. We gluurden naar buiten, maar zagen niets wat op een ongeluk wees.

Turner was al van de bok gesprongen en hij hielp iemand overeind.

'Ik ben een groot voorstander van menslievendheid, Tobias, en ik zou de gelijkenis van de barmhartige Samaritaan met evenveel overtuiging kunnen vertellen als jij, maar wat moet Turner potverdikkeme met een bedelaar als hij weet dat snelheid van het grootste belang is?'

Turner kwam terug rennen en bleef bij het raampje staan. 'Het is de man die Jem en ik in die herberg ontmoet hebben, meneer!'

'Die man die uit de school geklapt heeft?' wilde ik weten.

'Ja, die. Hij is zijn positie in Lymbury Park kwijtgeraakt en is nu te voet op weg naar Bath om daar werk te zoeken. Mogen we hem meenemen, meneer?'

In eerste instantie wilde ik voorstellen dat Turner zijn plaats naast Jem zou afstaan en zelf bij ons in de koets zou komen zitten. Van Turner wist ik immers dat hij in staat was tot het handhaven van een vriendschappelijke stilte. Ik besefte echter al snel hoe zelfzuchtig en bovendien dwaas deze gedachte was; nu hij zo verontwaardigd was, zou deze ontslagen bediende ons wellicht nog veel meer kunnen vertellen.

Blijkbaar had Hansard hetzelfde idee. 'Maar natuurlijk. Turner, nodig hem uit om plaats te nemen in het rijtuig, alsjeblieft. Hij is nu misschien een stuk minder zwijgzaam dan eerst.

En heeft hij een naam?'

'Sam, meneer.'

Sam was uitgeput en uitgehongerd. Het kwijtraken van zijn baan als bediende betekende ook dat hij de toegang tot de bediendenvleugel en de kamer waar hij woonde was kwijtgeraakt.

'Sam Eccleshall, tot uw dienst, heren', bromde hij terwijl hij in het rijtuig stapte. 'Ze hebben me zien praten met Jem en hoe-heet-ie-ook-weer, meneer,' zei hij tegen Hansard. 'En hoewel ik tegen ze gezegd heb dat ik heb gezwegen als het graf hebben ze me er toch uitgegooid. En ik ben niet gewend om zo'n eind te lopen, meneer – ik heb blaren zo groot als florijnen en ik heb zo'n honger dat ik wel een paard op kan.'

'Als wij straks met dokter Brighouse in gesprek zijn, zullen Jem en Turner je meenemen naar een herberg,' verzekerde Hansard hem, 'en daar kun je eten zo veel je wilt. En als je dan nog steeds werk wilt zoeken in Bath kunnen we je daarheen brengen zodra wij onze zaken op Lymbury Park hebben afgehandeld. Ik vraag me af waarom ze niet wilden dat je met Jem en Turner praatte', mijmerde hij, alsof hij geen antwoord verwachtte – wat hij overigens zelf had kunnen geven. Sam had informatie doorgespeeld die zijn werkgevers geheim hadden willen houden, waardoor hij uiteraard hun vertrouwen beschaamd had.

'Geen idee. Ik heb ze nooit iets verteld wat er echt toe deed, of wel soms? Misschien zouden u en uw vriend een goed woordje voor me kunnen doen, meneer.'

'Misschien wel. Ik denk haast dat dat mogelijk moet zijn,' loog hij zonder verblikken of verblozen. 'Ik ben er zeker van dat het niet meevalt om goede, sterke, betrouwbare krachten zoals jij te vinden. Niet iedereen is bereid om in een inrichting voor psychisch gestoorde mensen te werken.'

'Zo is het maar net, meneer. De dingen die je daar ziet, zouden heel wat mannen aan het huilen brengen, dat kan ik u wel vertellen. Maar mij niet. Niet meer. Ik ben eraan gewend, weet u.'

'Wat voor dingen zouden iemand aan het huilen kunnen maken?' vroeg ik. Ik zag niet in waarom Hansard dit gesprek in zijn eentje zou moeten voeren.

'Die jonge jongens horen roepen om hun kindermeisjes – dat is diep treurig. En het zien van oude mannen, in lappen gewikkeld als baby's.'

'Oude mannen?' Nu ik er zo over nadacht waren de patiënten die wij gezien hadden allemaal jong. Zelfs de mannen die in de tuin werkten waren niet veel ouder geweest dan vijfendertig. Ik werd plotseling overvallen door angst: stel dat iemand gezien had dat die vriendelijke oud-soldaat met mij in gesprek was en hij daar nu ook voor moest boeten? Er was maar weinig werk voor lammen en kreupelen.

'Eén of twee.'

'Wanneer hebben ze die opgenomen?'

Hansard ging te snel.

Er verscheen een sluwe blik op Sams gezicht. 'Ik neem aan dat de heren geen drupje van het een of het ander bij de hand hebben? Brandewijn, misschien? Want ik ben zo goed als uitgedroogd, kan ik u wel vertellen. Nee?'

'Straks in de herberg, Sam. In de herberg. Met een mooi stuk vlees.'

'Je wilde ons net iets vertellen over die arme oude mannen –' Ik leunde naar voren om de indruk van vertrouwelijkheid te wekken en werd beloond met de doordringende stank van zijn adem.

'O, ja, dat is ook zo. Zijn er net zo aan toe als de anderen, van de wereld door het laudanum en meer van dat soort spul. U weet wel wat ik bedoel, meneer, u bent ook dokter,' zei hij tegen Hansard.

Ik trok een wenkbrauw op; het was niets voor Turner om zo indiscreet te zijn.

'En verder?' vroeg de dokter.

'Ze zien dingen. En soms geven ze ze dan geen laudanum en dan zien ze nog ergere dingen. Het gejammer en het gekrijs dat ze dan uitbraken. Ze hebben één oude man, zo mak als een lammetje toen hij binnenkwam, op de bovenste verdieping opgesloten, terwijl het vreselijk vroor en sneeuwde. Je vraagt je af hoe het mogelijk is dat hij dat overleefd heeft. Geen vuur, ziet u, vanwege het gevaar dat ze zichzelf wat aandoen of het hele huis in de fik steken.'

'En wanneer is die oude man binnengebracht?'

Hij trok een gezicht. 'Precies in de periode dat het zo koud werd, meneer. Een verweerde kop had hij, en er was iets helemaal mis met zijn gewrichten.'

'En wanneer veranderde het weer, zei je?'

Hij smakte met zijn droge lippen, maar hij wist dat hij in Hansard zijn gelijke getroffen had. 'Een paar weken voor de Kerst, heren. Misschien drie of vier. Nee, niet zo lang. Drie.'

Ik zag aan Hansards gezicht dat zijn gedachten hetzelfde spoor volgden als de mijne. John Sanderson – onze geliefde John Coachman – zou hier in Bath gestorven zijn. In de boeken van de omliggende parochies was echter geen enkel bewijs van zijn dood gevonden. Misschien, de naam van de Here zij geprezen, was hij nog in leven en zat hij opgesloten in hetzelfde afgelegen gesticht als Lord Elham.

Hansard keek me veelbetekenend aan en wreef in zijn handen. 'Dank je, Sam. Ik vraag me af hoe ver het nog is naar die herberg.'

Ik had mijn vriend nog nooit zo razendsnel te werk zien gaan. Zwaaiend met een maagdelijk wit vel papier dat hij gekocht had van de waard van de herberg waar we Sam hadden achtergelaten, stormde hij het kantoor van Brighouse binnen.

'John Sanderson! In naam der wet, waar hebt u John Sanderson opgesloten? Ik zweer het, al moet ik het antwoord uit u wringen, ik moet en ik zal het te weten komen!' Hansard greep de andere arts bij de keel.

'Ik heb geen patiënt met die naam –'

'Hebt u die patiënt dan onder een andere naam? Zeg op, man!'

Brighouses ogen puilden uit. Het enige wat hij kon doen was naar boven wijzen.

'Dat meent u niet! Als hij dood is dan zult u daarvoor boeten!'

'Geef hem de kans om te spreken, Edmund,' fluisterde ik

gejaagd. 'Anders kleeft straks zijn bloed aan uw handen.'

'En hoeveel bloed van anderen kleeft er aan zijn handen? Ha!' Hij liet de keel van de man abrupt los en smeet hem door de kamer. 'Opstaan! Breng ons bij hem.' Hij greep hem in zijn nekvel om zijn woorden kracht bij te zetten.

We troffen dat wat nog van John Coachman over was aan in een kamer die sterk aan een cel deed denken – niet beter of slechter dan die waar we Lord Elham de vorige dag in hadden aangetroffen. De hoeveelheden laudanum hadden zijn geest verdoofd; de blik in zijn ogen was doods en hij rilde vreselijk. Het kleine beetje haar dat hij nog had was nu sneeuwwit; zijn sterke lichaam, tot voor kort slechts geplaagd door reumatiek, was veranderd in niet meer dan een hoopje botten met huid eromheen; van zijn opgewekte uitstraling was niets over en zijn ooit zo scherpe verstand leek als sneeuw voor de zon verdwenen.

'Wat moeten we doen?' fluisterde ik.

Toen John Coachman eenmaal naar een betere kamer was over-gebracht, de kamer naast die van Lord Elham, om precies te zijn, trokken wij ons terug in het kantoor van dokter Brighouse. Hoewel hij nog af en toe over zijn keel streek, die aanzienlijk gekneusd moest zijn, was hij weer helemaal de hoffelijke medi-cus, die opnieuw hapjes en drankjes voor ons liet aanrukken.

'Het zal u niet verbazen dat wij niets van wat u ons aanbiedt zullen aanraken totdat u er eerst zelf van gegeten en gedronken hebt.' Hansard glimlachte kil. 'Waarom hebt u dit gedaan, Brig-house? Meegewerkt aan het verdoven van die oude man zodat hij nu niet meer is dan een levende dode?'

Brighouse schonk drie glazen cognac in, zijn handen hevig trillend, en hij nam een grote slok uit een ervan. 'Alstublieft, heren, u ziet dat u niets te vrezen hebt. Wat was beter, mee-werken aan het verdoven van een patiënt of hem eenvoudigweg vermoorden, zoals mij bevolen was?'

'Hij zal nu zeker sterven, tenzij er een wonder gebeurt.'

'Ik zal hem voorzien van de best mogelijke verzorging – mits, heren, u mij ervan kunt verzekeren dat de persoon die mij opdracht tot de moord gegeven heeft nooit in mijn buurt zal kunnen komen om zich wegens mijn verraad op mij te wreken.'

'Ik ben er zeker van dat we u dat kunnen beloven,' zei ik gladjes. 'Vooral omdat we niet weten om wie het gaat. Ik denk dat het tijd is dat u ons daarvan op de hoogte stelt, denkt u ook niet?'

'Ik durf niet! Ik durf niet!'

'Dat meent u toch niet? We weten allemaal dat er een afschuwelijk misdrijf gepleegd is. Die schoft moet – zal! – opgepakt en gestraft worden. Dan hoeft u niet meer bang te zijn,' argumenteerde Hansard.

'Nee, nee! Alstublieft, vraag me dat niet – nu nog niet. Ik durf niet!' De kleur was nu werkelijk uit zijn gezicht weggetrokken. Wat voor monster kon een weldenkend mens zo'n vreselijke angst aanjagen?

Hij hief zijn handen in een smekend gebaar. 'Kijk om u heen, heren – alstublieft, neem een kijkje in de kamers van welke patiënt u maar wilt en vertel me dan hoe het beter kan! Het zijn alleen degenen die een gevaar vormen voor zichzelf of voor anderen die de zware behandeling ondergaan die u hier gezien hebt. En zouden zij beter af zijn als ze ergens anders werden opgenomen?' Hij nam nog een slok cognac. 'Ik zal de dosis laudanum van meneer Sanderson verminderen en zijn dieet aanpassen, net zoals ik op uw verzoek bij Lord Elham gedaan heb. Maar u moet mij beschermen! Alstublieft, heren, bescherm mij.'

Ik nam een slok cognac om mijn zenuwen tot bedaren te brengen en liep naar het raam. 'Hebt u onlangs nog iemand ontslagen?'

Hij knikte, vast en zeker bang voor nog een uitbarsting van Hansard. 'Sam Eccleshall praat te veel als hij wat gedronken heeft. Ik kan niet riskeren dat de identiteit van mijn patiënten openbaar gemaakt wordt – dat moet u begrijpen.'

'En de man die toezicht hield op de patiënten die in de tuin aan het werk waren? Is hij nog bij u in dienst?'

Brighouse sloeg zijn ogen neer. 'Hij zwoer dat hij niets had gezegd wat geheim had moeten blijven, maar hoe kan ik hem ooit weer vertrouwen?'

'Geef hun allebei hun baan terug, meneer Brighouse,' beval ik, 'en betaal ze in de toekomst wat meer om hun mond te houden. Sam Eccleshall is te vinden in de *Pig and Whistle*. Naar de sergeant zult u zelf op zoek moeten gaan, maar ik ga ervan uit dat ik hem bij mijn volgende bezoek weer op zijn post zal aantreffen.'

'U komt nog terug?'

'Al heel snel. Tenslotte,' zei ik, 'moeten we u deze teruggeven, of niet?' Ik pakte de dossiermap van zijn bureau. 'Dan nemen we nu afscheid van u. Prettige dag nog, meneer.'

Toen we uiteindelijk weer bij het Pelican waren aangekomen hadden we nog maar heel weinig tijd om ons om te kleden voor het diner bij Sir Hellman, al had ik deze afspraak om eerlijk te zijn veel liever afgezegd.

'Die man heeft zijn geld verdiend met slavenhandel, Edmund!' riep ik uit terwijl Turner me in mijn jacquet hielp. 'We zouden onszelf besmetten door gebruik te maken van zijn gastvrijheid. Dat kan toch niet?'

'Dat kan wel, want we zijn geen van allen zuiver. Hoeveel van de rijkdommen van uw vader – waar u, dat moet ik toegeven, grotendeels afstand van gedaan hebt – heeft hij vergaard door er zelf voor te werken? Uw gage is afkomstig uit de schatkist van Lady Elham en haar familie, met wie, afgaande op de aanwijzingen tot dusver, niemand graag in verband gebracht zou worden. De guineas die de rijke boeren mij toestoppen als ik ze behandel, zijn alleen maar voorhanden omdat ze hun arbeiders zo vreselijk slecht betalen.'

'Maar slavernij! Dat gaat toch in tegen elk gevoel voor rechtvaardigheid!'

'Zeker. Maar laten we eerst erkennen dat het weggeven van een fortuin dat wellicht vergaard is door zijn vader, of zelfs door zijn grootvader, niet gemakkelijk is. En laten we daarnaast ook eens zien wat hij met zijn rijkdom doet. Het is mogelijk dat hij al zijn slaven heeft vrijgelaten; misschien is hij een groot weldoener; en boven alles, Tobias, is hij bijzonder geschikt om een oogje in het zeil te houden in Lymbury Park, als lekenrechter, maar ook als iemand die iets van de verschrikkingen daar met eigen ogen gezien heeft. Ah, hartelijk bedankt, Turner – het is je opnieuw gelukt om deze twee boerenpummels om te vormen tot keurige heren.'

Turner glimlachte. 'En bovendien, meneer, zal ik mijn uiterste best doen om mijn collega's in de gelagkamer de waarheid over Sir Hellman te ontfutselen, hoewel ik vermoed dat Jem daar meer bedreven in is dan ik.'

Er werd op de deur geklopt. De hotelbediende had een brief in zijn hand voor iemand die hij omschreef als 'de edele meneer'.

De brief was aan mij geadresseerd, maar ik herkende het handschrift niet. Hansard blijkbaar wel; zijn gezicht vertrok en de hand die hij had uitgestoken om Turner gelegenheid te geven om zijn manchetknopen vast te maken trilde.

Ik opende de brief. Hij was afkomstig van mevrouw Beckles.

Geachte heer Campion,

Vergeef me alstublieft dat ik u schrijf, maar mij is informatie ter ore gekomen waarvan naar mijn mening ook u en dokter Hansard op de hoogte gesteld moeten worden. Ik heb, zoals u wellicht al verwacht had, gesproken met mevrouw Woodman, die nog steeds ernstig van streek is als gevolg van de schokkende onthullingen tijdens de ondervraging. Ten slotte, ontsteld door haar voortdurende herhaling dat Lizzie haar dochter niet was, nam ik de vrijheid om haar tegen te spreken. Maar – en u begrijpt vast hoezeer dat mij verbaasde! – zij verzekerde mij dat dit de letterlijke waarheid was. Lizzie, meneer Campion, is niet haar vlees en bloed. Ze was de liefdesbaby van iemand die mevrouw Woodman zelf nooit heeft ontmoet. Alle benodigde regelingen zijn getroffen door advocaten, die mevrouw Woodman een bepaald bedrag betaalden om de baby te voeden en uiteindelijk, toen meneer Woodman daar op een gegeven moment mee instemde, zelfs te doen alsof ze haar moeder was. Mevrouw Woodman ontvangt nog steeds regelmatig een vergoeding, mits ze dit geheim zorgvuldig koestert. Ik kan me niet aan de indruk ont-

trekken dat Lizzies ware identiteit iets te maken heeft met haar
dood, al weet ik op dit moment nog niet hoe dat precies zit.
Hoogachtend,
Maria Beckles

Post Scriptum. Ik heb zojuist een schrijven van dokter Hansard
ontvangen, maar wil deze brief nu onmiddellijk posten. Laat
dokter Hansard alstublieft weten dat ik zal reageren zodra ik
zijn brief geopend en nauwkeurig gelezen heb en wees zo goed
om hem de allerhartelijkste groeten te doen.

Ik gaf de opengevouwen brief zonder iets te zeggen door aan
mijn vriend en legde mijn hand op zijn schouder terwijl ik hem
op het einde wees, zonder twijfel de meest openlijke liefdesverklaring die een dame zich maar kon permitteren. Meer kon ik
niet doen, daar ik niet wist of hij Turner in vertrouwen genomen had met betrekking tot zijn plannen met deze dame – hoewel ik er alle rijkdom van Sir Hellman onder had durven verwedden dat Turner, om het plat te zeggen, al wist hoe de vlag
erbij hing lang voordat ik zelfs maar een vermoeden had gehad.

We dineerden gedrieën, Sir Hellman en wij, maar het onderwerp dat ons alle drie zo bezighield konden we uiteraard niet
bespreken tot de bedienden de tafel hadden afgeruimd en zich
hadden teruggetrokken.
   'U probeert mij te vertellen dat een onschuldige man in opdracht van een onbekende ontvoerd is en nu in staat van ver-
doving wordt vastgehouden? Heren, hebt u de laatste tijd misschien te veel spannende boeken gelezen? We leven in het En-
geland van de negentiende eeuw, niet ergens in de Middel-
eeuwen!'
   Dokter Hansard nipte peinzend van de bijzonder goede port.
'U moet niet denken dat wij hier niet van ondersteboven zijn.
Maar Brighouse heeft het zelf bekend. John Sanderson is nog in
leven, Sir Hellman. Toch werden we even voor Kerst op de
hoogte gesteld van zijn overlijden als gevolg van een longontsteking.'

'Van wie was die informatie afkomstig?'

'Van niemand minder dan Lady Elham, de moeder van het door verdovende middelen nauwelijks aanspreekbare wrak dat we verdenken van de moord op Lizzie.'

'Verdenkt u hem dan nog steeds? Als de gegevens in het grootboek van Brighouse correct zijn – en daar leek het wel op – dan kan hij er niet bij betrokken geweest zijn.'

'We hebben het dossier meegenomen voor verder onderzoek – wellicht kunnen we het laten halen?'

'Zeker – en bovendien meer kaarsen en een vergrootglas.'

Uiteindelijk, toen we alle relevante notities vanuit alle mogelijke hoeken bekeken hadden, kwamen we – zij het met tegenzin – tot een eensluidende conclusie: ze waren in geen enkel opzicht uitgewist of aangepast.

23

'Als Lord Elham Lizzie niet vermoord heeft, Lizzie niet vermoord *kan* hebben, wie dan wel?' vroeg ik, volkomen in de war. Jem had zojuist bijna hetzelfde gezegd, maar zijn stem klonk bozer dan ik me voelde. Misschien was dat omdat ik mezelf niet kon toestaan om dit gedachtespoor verder te volgen, uit angst dat dat tot onaanvaardbare antwoorden zou leiden.

Dokter Hansard reageerde kalm, wellicht ook een waarschuwing aan mijn adres dat hoewel Sir Hellman een vriendelijke gastheer en een collega-rechter was, hij nog geen vriend was. 'Ik kan mij het meest vinden in de opvattingen die de huishoudster van Lady Elham over deze zaak heeft. Mevrouw Beckles heeft ons laten weten,' legde hij aan Sir Hellman uit, zijn gezichtsuitdrukking verzachtte onwillekeurig bij het noemen van haar naam, 'dat er enige twijfel ontstaan is over de afkomst van het vermoorde meisje. Ze is van mening dat we allereerst dat mysterie moeten oplossen, dat we eerder niet zullen ontdekken waarom ze vermoord is, en door wie. Daarom denk ik dan ook dat een haastige terugkeer naar Moreton St Jude geboden is. Bovendien hebben we ook een boodschap die we persoonlijk aan mevrouw Sanderson moeten overbrengen.'

Sir Hellman boog. 'Maar natuurlijk. Gaat u vanavond al op weg? De maan is helder.'

'Ik denk het niet; zelfs uitmuntende bedienden als de onze hebben tijd nodig om voorbereidingen te treffen. Maar ik vrees wel, Sir Hellman, dat we vanavond veel eerder moeten vertrekken dan we zouden willen en dan u wellicht gepast vindt.'

Hellman schudde zijn hoofd. 'Geen sprake van. Ik begrijp uw redenen maar al te goed. Ik zou er zelfs nog een willen toevoegen. Als de bediende over wie u sprak iets ontdekt heeft wat iemand verborgen wilde houden, is het mogelijk dat zijzelf in gevaar is. Groot gevaar.'

Ik wilde tegensputteren – en Edmund vast en zeker ook – en

zeggen dat mevrouw Beckles geen bediende maar een dame was, maar we hielden allebei onze mond.

'Gezien de intense angst van Brighouse,' ging Hellman verder, 'weten we in ieder geval dat we te maken hebben met een wrede, meedogenloze man. Brighouse weigerde te zeggen wie die arme oude man bij hem had ondergebracht, zelfs toen u hem zeer onder druk zette.

Ik smeek u, laat u niet weerhouden door formaliteiten. Mijn huis is uw huis, heren. Als u onder deze omstandigheden onmiddellijk zou willen vertrekken, zou ik u waarschijnlijk aansporen om nog meer haast te maken.'

Het scheelde niet veel of we renden terug naar het Pelican, waar we Jem en Turner al snel gevonden hadden. Eén blik op onze gezichten en ze sprongen op.

'Ik vind dat we meteen op weg moeten gaan, Toby,' zei Jem toen we ons in de salon hadden teruggetrokken. 'We zouden het onszelf nooit vergeven als deze bijzondere vrouw iets overkwam. Ze heeft een groot aantal dorpelingen letterlijk van de dood gered.'

Jems lofdicht ontroerde Edmund, die toch al door emoties overmand was, zeer, en hij was duidelijk niet in staat tot reageren. Mijn reactie was des te heviger en ik stemde vol vuur in. 'En als u meent dat een nachtelijke reis mogelijk is, dan stel ik voor dat we nu onmiddellijk vertrekken.'

Turner voegde er nederig maar beslist aan toe: 'Ik denk dat het inpakken van uw bagage wellicht sneller zal gaan als u het aan mij overlaat, heren.'

'In dat geval zullen wij de rekening betalen en kunnen we vertrekken zodra jullie dat aangeven,' zei Edmund op barse toon.

Toen we op weg waren naar Bath hadden we daar alle tijd voor genomen. Onze terugtocht verliep echter veel sneller. Toen Jem van mening was dat de paarden echt niet verder konden, huurde hij een ander span en sprak hij af dat hij op een later moment zou terugkeren om de paarden van dokter Hansard op te halen.

'Je moet zelf ook even rust nemen,' drong ik aan toen hij zijn hoofd ergens bij een herberg onder de pomp stak om de slaap te verdrijven.

'Om eerlijk te zijn, Toby, ben ik dankbaar dat we eindelijk echt op weg zijn. Het is alsof de spanning eindeloos is opgelopen en er nu eindelijk een doorbraak te wachten staat. Als we die doorbraak kunnen bespoedigen door nu door te zetten, ga ik geen dutje doen. Zorg dat iemand een kop koffie voor me haalt,' zei hij tegen mij. 'Ik zal erop toezien dat ze me een span paarden geven dat ermee door kan, geen ouwe knollen die alleen nog maar geschikt zijn voor de vilder.'

Ik deed wat me gezegd werd.

Toen we de volgende avond in Moreton St Jude arriveerden reed Jem niet naar Langley Park of naar de pastorie, maar rechtstreeks – zonder dat we het hem hoefden vragen – naar de personeelsingang van Moreton Priory. Hij viel haast om van uitputting, maar hij krabbelde op en rende zo ongeveer naar de deur, waar een geschrokken bediende de deur voor hem openhield, zijn kaars walmend in de wind. Wij volgden iets minder gehaast, uit de koets tuimelend met ledematen die zo stijf waren dat het me eigenlijk verbaasde dat we ze nog konden bewegen. Op de een of andere manier wisten we de hal naar de keuken te bereiken, ongetwijfeld in de gaten gehouden door een onzichtbaar publiek dat door sleutelgaten tuurde of om het hoekje van de deur toekeek.

De paar minuten die we op mevrouw Beckles moesten wachten waren ronduit afgrijselijk. Toen ze uiteindelijk tevoorschijn kwam, begrepen we echter wel waarom het zolang geduurd had. Ze had op het punt gestaan om naar bed te gaan en droeg een hoofddoekje met daaronder papillotten. Toen ze zag wie haar had laten halen, kreeg ze een felrode kleur en deed een paar stappen naar achteren, waarbij ze de omslagdoek die ze om zich heen gewikkeld had nog wat steviger aantrok.

Hansard leek niet in staat om iets uit te brengen.

'Alstublieft, mevrouw Beckles, maak u klaar voor een kort verblijf op de pastorie. Nu meteen!' zei ik op dringende toon.

'Meneer Campion, wat is dit voor nonsens?' wilde ze weten, terwijl ze me met één blik reduceerde tot een jongetje dat voor het eerst voet over de drempel van het grote huis zette. 'U maakt het hele huis wakker! Wat moet ik morgenochtend tegen Lady Elham zeggen?'

Ik weigerde te blozen of te stotteren. In plaats daarvan, mijn blik dwalend in de richting van de onzichtbare maar oplettende oren, zei ik kalmpjes: 'Ik zou u graag even onder vier ogen spreken, als u zo goed wilt zijn. Enkele minuten maar, op een plek waar werkelijk niemand ons kan horen.'

Onze ogen ontmoetten elkaar. Ik hoopte dat zij in de mijne gezag en overtuiging zou zien, terwijl ik in de hare aarzeling en, uiteindelijk, berusting zag.

'Moment alstublieft, meneer,' zei ze, met een beleefd knikje.

Edmund en ik stonden te wachten als twee schooljongens met iets op hun kerfstok, schuifelend met onze voeten en haast zonder elkaar aan te kijken. Toen haar deur openging, zagen we dat ze zich al had omgekleed en de papillotten uit haar haar geborsteld had.

Desondanks was ze vast van plan om alleen mij binnen te laten en dus bleef Edmund alleen achter in de hal toen zij de deur achter ons dichtdeed.

'U bent mij wel een verklaring schuldig,' zei ze, haar armen over elkaar geslagen op een manier die weinig goeds voorspelde. Hansard kon zijn aanzoek beter even uitstellen. 'Een verklaring waar Lady Elham zelf genoegen mee zal nemen.'

'Ik ben u allereerst excuses verschuldigd. Dit drama had niet moeten plaatsvinden. Maar mijn beste mevrouw Beckles, neem alstublieft van me aan dat, als dokter Hansard en ik niet gedacht hadden dat uw leven in gevaar was, we na onze terugkeer uit Bath gewacht zouden hebben tot de ochtend om dan een beleefdheidsbezoek af te leggen. Dan zouden we u onder het genot van een glas vlierbessenwijn over onze avonturen verteld hebben en u de geschenken hebben gegeven die we voor u hebben meegenomen.'

Ze glimlachte niet. 'Hoe komt u er in vredesnaam bij dat *ik* in gevaar ben?'

'Omdat u het geheim over Lizzies afkomst ontdekt hebt.'

'En u denkt dat ik dat behalve aan u ook nog aan anderen verteld heb? Het is een schande, Tobias!'

Ik liet mijn hoofd hangen, maar ik ging toch verder. 'Als mevrouw Woodman in staat is om haar geheim aan u te vertellen, is ze ook in staat om het feit dat ze het aan u verklapt heeft weer met iemand anders te bespreken. En omdat we nog geen reden voor Lizzies dood hebben kunnen vinden, achten Edmund en ik het goed mogelijk dat de moord alles met haar afkomst te maken heeft. Als haar moordenaar denkt dat er nog iemand op de hoogte is van het geheim, zou die persoon het volgende slachtoffer kunnen zijn. Wij – Edmund en ik – moeten er niet aan denken dat u iets zou overkomen.'

'Dank u vriendelijk,' zei ze droogjes. 'Maar al deze drukte, Tobias – nog voor de zon opkomt is iedereen in de directe omgeving van de Priorij op de hoogte, en daarna gaat het het hele dorp rond.'

'In dat geval moeten we een verklaring verzinnen. Alstublieft, mevrouw Beckles, doe wat ik u vraag – ik smeek het u. En met een beetje hulp van mevrouw Trent is uw haastige vertrek gemakkelijk verklaard. Ik ben er zeker van dat zij bereid is om te doen alsof ze door een ernstige griep geveld is en behoefte heeft aan het soort zorg dat alleen u kunt verlenen.'

'Ik vind het niet prettig om mevrouw Trent te betrekken bij een onwaarheid. Misschien kan ik een bezoek brengen aan mijn zieke zuster? Augusta woont in de buurt van Worcester en vraagt al heel lang of ik eens bij haar op bezoek wil komen.'

'Heeft Augusta een sterke man als Jem die voortdurend bij haar in de buurt is? Stelt u zich eens voor dat de moordenaar, wie het ook is, naar u op zoek zou gaan en u zou aanvallen.'

Ze wierp me een sluwe blik toe. 'Denkt u niet dat ik heel gemakkelijk te vinden ben als ik hier in het dorp in de pastorie logeer?'

Ik dacht even na. 'Dat hangt ervan af. Wie weet er verder nog van uw zieke zuster?'

'Augusta's situatie is niet bepaald een geheim! Er zijn momenten geweest waarop ik Lady Elham om verlof heb moeten vragen en in allerijl afgereisd ben omdat het erop leek dat mijn zus zou sterven. Tijdens mijn afwezigheid heeft een groot deel van andere bedienden extra taken op zich moeten nemen, van de butler tot aan de dienstmeisjes.'

Ik fronste. 'Is er niemand anders, iemand die niet bekend is op Moreton Priory of in het dorp, waar u uw toevlucht zou kunnen zoeken? Lieve mevrouw Beckles, Edmund is nog steeds op de gang, waar hij ongetwijfeld zenuwachtig heen en weer drentelt. Kunnen we hem niet vragen om deel te nemen aan deze conversatie?'

Ze bloosde hevig. 'Onder de gegeven omstandigheden –'

'Zou u graag even met Edmund alleen willen zijn?' vroeg ik vriendelijk. 'U hebt wellicht het een en ander te bespreken.' Ik gaf haar geen tijd om uitvluchten te zoeken maar stapte de kamer uit, waarbij ik Edmund met een hoofdbeweging te kennen gaf dat hij mijn plaats moest innemen.

Ik had dringende behoefte aan het gezelschap van Jem, die ik bij de koets aantrof, op het erf. Turner lag opgekruld in een hoekje van het rijtuig, vast in slaap.

'Ze wil het huis niet verlaten, en al helemaal niet om haar toevlucht te zoeken in de pastorie,' zei ik zonder omwegen.

'We hebben het niet goed aangepakt,' zei hij. 'En dat is voornamelijk aan mij te wijten. Als ik eerlijk ben, Toby, raakte ik zo van streek bij de gedachte hoe die arme dokter Hansard zich zou voelen als er ooit iets met mevrouw Beckles gebeurde dat hij wellicht had kunnen voorkomen dat ik niet eens bij de fatsoensregels heb stilgestaan. Er zou vannacht heus niet opeens iets gebeurd zijn. Het was veel beter geweest als we op het daglicht gewacht hadden.'

'Bij daglicht,' dacht ik hardop, 'zou mevrouw Beckles zich verplicht gevoeld hebben om Lady Elham op de hoogte te stellen van haar plannen. Zoals het er nu voorstaat,' zei ik, met een knikje naar iets wat achter hem gebeurde, 'schat ik in dat ze vertrokken is zonder dat aan iemand te laten weten.'

Onze vrienden kwamen op ons aflopen, stralend als een verliefd stelletje. Dokter Hansard had een koffer in zijn vrije hand.

'Mevrouw Beckles is niet de enige met een ziek familielid,'

zei hij, waarmee hij iedere opmerking of gelukwens in de kiem smoorde. 'Ik heb een tante in Derby. Mevrouw Beckles zal bij haar logeren tot alles hier is opgelost. Jem, zou je ons allemaal naar de pastorie willen brengen zodat we onze plannen daar verder kunnen uitwerken?'

We lieten mevrouw Beckles achter onder de hoede van mevrouw Trent en onder de bescherming van Jem, die vastbesloten was om de nacht op de overloop door te brengen om de toegang tot hun slaapkamers te bewaken. Hoezeer de reis Turner ook uitgeput had, hij was rechtstreeks naar Langley Park gereden om voorbereidingen te treffen en dokter Toone op de hoogte te stellen van de terugkeer van zijn gastheer.

'Ik zou de gelukkigste man op aarde moeten zijn, Tobias,' gaf Edmund uiteindelijk toe, terwijl onze paarden in het maanlicht hun weg zochten. 'Maar het enige wat ik kan zeggen is dat ik de meest uitgeputte man op aarde ben.'

'Morgen bent u de vermoeidheid vergeten,' stelde ik hem gerust, 'terwijl u de rest van uw leven zult kunnen genieten van uw geluk.'

'Hoe graag ik haar ook aan mijn zijde zou hebben, ik ben toch blij dat ze bereid is om hier weg te gaan. Tobias, hebt u ooit het idee dat er in deze wereld iets als kwaad bestaat?'

'Ik ben een geestelijke, Edmund! Natuurlijk is er kwaad, net zoals er goed is. Maar waarom vraagt u dat? Alleen om een discussie op gang te brengen zodat we niet in slaap vallen?'

'Integendeel. Ik heb in mijn leven heel wat gezien, dingen die u zich niet eens kunt voorstellen en waarvan ik hoop dat dat zo blijft, maar ik heb me nog nooit zo ongemakkelijk gevoeld als in deze situatie. Voor het eerst in mijn leven kan ik niemand vertrouwen. Met uitzondering,' vulde hij lachend aan, 'van uzelf, Jem, Turner en mijn beste mevrouw Beckles.'

Ik lachte niet toen ik antwoord gaf: 'Dan denken we daar in elk geval hetzelfde over.'

De volgende ochtend waren we nog steeds bezorgd, hoewel mevrouw Beckles een kleine jongen naar Lady Elham had gestuurd met een kort briefje, waarin alleen stond dat ze plotseling was weggeroepen naar het sterfbed van een vriendin en dat ze zodra dat mogelijk was contact op zou nemen. Natuurlijk liet ze niet doorschemeren wat haar bestemming was. Mevrouw Trent was zo vriendelijk om mevrouw Beckles te vergezellen tijdens haar reis. Susan, haar ogen groot van opwinding, zou ook meegaan. Ze was nooit eerder uit haar eigen omgeving weg geweest en beschouwde Derbyshire als een magische plek. Het was mooi weer, dus Jem nodigde haar uit om naast hem op de bok te komen zitten zodat, zoals hij zei, de twee dames in alle rust konden roddelen.

En daarmee waren er nog twee dringende zaken af te handelen. De eerste was het bezoeken van mevrouw Sanderson om haar op de hoogte te stellen van de toestand van haar man. De tweede was het opnieuw ondervragen van mevrouw Woodman waarbij we haar, met een beroep op de autoriteit die aan ons verleend was, zouden dwingen om de naam van Lizzies ouders te onthullen.

De meeste werkgevers zouden mevrouw Sanderson op straat gezet hebben zodra bekend werd dat ze weduwe geworden was. Lady Elham was echter zo goed geweest om mevrouw Sanderson toestemming te geven om in haar arbeidershuisje te blijven wonen. Zoals we al verwacht hadden, was het huisje aan de buitenkant even smetteloos als altijd, en hing er een geur van versgebakken brood waar we uit opmaakten dat mevrouw Sanderson thuis moest zijn. Ze begroette ons met een verwarde gezichtsuitdrukking, wat niet verwonderlijk was, maar veegde haast automatisch de zittingen van de twee stoelen schoon met haar schort en nodigde ons uit om plaats te nemen. Nog voor we iets konden zeggen drentelde ze naar haar bijkeuken en kwam weer terug met sleutelbloemenwijn en vers brood, wat ze serveerde met zelfgekarnde boter.

'Lady Elham is zo goed voor me geweest, zo ontzettend goed,' zei ze terwijl ze eindelijk in de derde stoel ging zitten, en dan nog op het puntje. 'Het was een strenge winter, maar ik heb altijd voldoende brandhout gehad en meer dan genoeg voedsel, moge God haar daarvoor zegenen. En ik mag hier nog steeds blijven wonen. Ik dank God voor zo'n weldoenster.'

'Amen,' zei ik plechtig. Ik schraapte mijn keel. 'Wat zou u zeggen als ik u vertelde dat u misleid bent met betrekking tot Johns dood, mevrouw Sanderson? Dat hij in werkelijkheid niet dood is, maar leeft, al is hij wel ernstig ziek.'

'Dan zou ik u niet geloven!' antwoordde ze ronduit. 'Waarom zou iemand een oude vrouw misleiden? En niet alleen mij, maar ook Lady Elham zelf? Ze heeft me vereerd met een persoonlijk bezoek, om zelf met mij te kunnen spreken. En ze heeft me alles verteld over Johns ziekte en de medische hulp die ze voor hem ingeroepen heeft, en zelfs dat zijzelf zijn voorhoofd met lavendelwater gedept heeft.'

Ik keek Edmund vluchtig aan. Hij was spierwit en ik was er zeker van dat ik er niet veel beter aan toe was.

'Nou? Is dat alles waar u voor komt? Om mijn wijn op te drinken en mij te vertellen dat mijn geliefde man nog leeft? Laat ik het dan maar ronduit zeggen, meneer Campion, heel wat mensen hier in het dorp beweren dat u een onruststoker bent, en verdorie, ze hebben gelijk. En u, dokter, om u zo te laten meeslepen! Weg met u, u allebei!'

Ik wilde haar tegenspreken of in elk geval proberen om het misverstand recht te zetten, maar Edmund liet me met een heftige hoofdbeweging weten dat we onmiddellijk moesten vertrekken.

Toen we bij onze paarden aankwamen, was Edmund de eerste die sprak. 'Er is één naam die we tot nu toe geen van beiden genoemd hebben – niet in verband met deze afschuwelijke situatie, in elk geval. Maar ik vrees dat we nu wel moeten.'

'Dat is onmogelijk! Een laaghartige misdaad als deze! Hoe kan een vrouw – een *dame!* – in vredesnaam bij zoiets betrokken zijn? Het kan niet anders of iemand heeft haar gedwongen.'

'Laten we ons oordeel nog even uitstellen. Tobias, sta me toe. Laten we voordat we naar mevrouw Woodman gaan, eerst nog even een bezoekje brengen aan mevrouw Jenkins.'

'Waarom dat?'

'Herinnert u zich dat u voor de Kerst met mij over de jonge William gesproken hebt? U vertelde toen dat hij nachtmerries had en vroeg mij om hem een slaapmiddel voor te schrijven. Met in mijn achterhoofd de gedachte dat de dromen wellicht zouden verdwijnen als hij de inhoud ervan onthulde, probeerde ik hem te ondervragen. Het was echter overduidelijk dat hij daar te bang voor was. Ik vraag me nu af of hij in werkelijkheid bang was voor iets anders. Voor *iemand* anders.'

Ik schudde mijn hoofd. 'Voor de beheerder van het armenhuis? Maar hij –'

Ik voelde dat hij zijn uiterste best deed om zijn geduld te bewaren. 'Voor de persoon die hij Lord Elham in het water zag duwen, Tobias. Dat is de persoon voor wie hij bang is. Dus we moeten zo snel mogelijk naar hem toe gaan en hem dwingen ons alles te vertellen.'

'Bedoelt u dat Lady Elham getuige geweest is van de moord op haar man?'

'In 's hemelsnaam, Tobias. Al onze ontdekkingen wijzen op Lady Elham. Ik bedoel dat William heeft gezien dat Lady Elham haar man vermoordde!'

24

'Wat staat u me daar nou toch dom aan te gapen! U begreep toch zeker wel waarom ik mevrouw Beckles weg wilde halen uit Moreton Priory en waarom ik maar al te blij was dat mevrouw Trent en Susan met haar meegingen? U hebt toch ook wel gezien dat alles erop wijst dat Lady Elham hier zelf bij betrokken is?'

Ik bleef vol ongeloof mijn hoofd schudden. 'Maar de kapel… de schilderijen… de Bijbellezingen...'

'Zelfs Titus lijkt beter dan u te begrijpen dat snelheid geboden is,' zei Edmund, die op zijn eigen paard klom en het de sporen gaf.

Mevrouw Jenkins was een toonbeeld van gezondheid toen ze ons bij de deur van haar huisje begroette en ik dankte God voor deze oase van rust te midden van de enorme innerlijke chaos die Edmund zojuist bij mij had ontketend. Natuurlijk had ik diep vanbinnen wel het vermoeden gehad dat mijn nicht op een of andere manier bij deze situatie betrokken was, maar ik had me vastgeklampt aan de overtuiging dat ze er slechts – slechts! – op uit was om haar zoon te beschermen tegen gerechtelijke vervolging, iets waar hij waarschijnlijk evengoed wel aan ontsnapt was vanwege zijn geestelijke toestand. Later, toen bewezen was dat hij de moord onmogelijk gepleegd kon hebben, dacht ik – ik weet niet wat ik dacht.

Maar nu was er wellicht ander bewijs, harder bewijs, dat ze méér was dan slechts een medeplichtige.

'En hoe is het met mijn jonge patiënt?' vroeg Hansard tijdens het afstijgen.

'Heeft hij nog steeds last van nachtmerries?' vroeg ik, terwijl ik zijn voorbeeld volgde.

Haar glimlach verdween. 'Volgens mij zijn ze alleen maar erger geworden,' zei ze, met een revérence naar Hansard en toen naar mij. 'En daar snap ik niets van, zeker niet nu hij zo geweldig veel geluk gehad heeft – meer dan we ooit hadden durven dromen.'

Hansard legde zijn hand op mijn arm, maar ik was toch al niet van plan om iets te zeggen. 'O ja? Wat voor geluk dan precies?' Hij kietelde het jongste kind onder zijn mollige kinnetje.

'Hij wordt page,' zei ze.

'In de Priorij?' vroeg hij op luchtige toon.

'Zelfs nog beter dan dat. In het huis in Londen. Lady Elham zegt dat hij zo'n knappe, flinke jongen is dat dat uniform hem geweldig zal staan. Of misschien wordt hij stalknecht, als hij klein blijft, zoals zijn vader. God hebbe zijn ziel.'

'En wat vindt William hiervan – van dit voorrecht?' vroeg ik.

Haar glimlach vervaagde alweer. 'Ik ben bang dat hij een enorme teleurstelling voor u is, dokter Hansard. En voor u, meneer Campion. Hij huilt de hele tijd, zo groot als hij is. Hij wil niet eten en hij zweert dat hij echt niet gaat. Hij zegt dat zijn plaats hier is, bij ons.'

'Hij is de man in huis,' zei ik zachtjes.

'En waar is hij nu?' Hansard keek om zich heen. 'Ik moet mijn pleegzoon toch minstens een gouden guinea meegeven als hij op het punt staat om zo'n reis te maken.'

Ze knikte aarzelend. 'Hij is in het bos, op het terrein van meneer Campion, meneer, wat hout aan het hakken waarvan hij zei dat wij het mochten hebben.' Ze keek me vragend aan, waarop ik bevestigend knikte.

'Daar bent u zeker van?'

'Ja. Hij heeft een flink stuk waslijn meegenomen om het hout in bundels bij elkaar te binden,' zei ze met een glimlach.

'Weet u welke kant hij opging?' vroeg ik.

'Naar het oosten, geloof ik. Hij had het over kreupelhout.'

'Excuseert u ons, mevrouw Jenkins,' zei ik, terwijl ik me omdraaide en in het zadel klom.

Titus was ooit mijn favoriete jachtpaard geweest en hij vond het heerlijk om weer eens voluit door het bos te galopperen. We lieten Hansard ver achter ons. Zouden we nog op tijd komen? Ik huiverde als ik bedacht wat een wanhopig kind zichzelf allemaal aan kon doen als hij zo bang was, niet alleen om zijn huis en zijn familie achter te laten, maar vooral om overgeleverd te zijn aan de genade van een vrouw die haar eigen man had laten verdrinken, of misschien zelfs vermoord had. Tijdens het galopperen had ik nog net genoeg lucht over om zijn naam te roepen. Wat was mijn grootste angst, dat hij spoorloos verdwenen zou zijn, ontvoerd door een vrouw die het zich niet kon veroorloven om getuigen in leven te laten, of dat ik een levenloos lichaam aan zou treffen, bungelend aan een strop, gemaakt van de waslijn van zijn moeder – een stuk touw dat ik, God zij me genadig, zelf aan haar gegeven had?

De begroeiing werd steeds dichter en ik was bang dat Titus, hoe stevig hij ook op zijn benen stond, misschien in een konijnenhol zou trappen. We gingen in looppas verder. Ik bleef Williams naam roepen.

Hoorde ik daar een geluid – iets anders dan het gekwetter van vogeltjes die indruk op elkaar wilden maken? Daar snikte iemand, of niet? Mijn vastbeslotenheid nam alleen maar toe en ik reed door, tot ik uiteindelijk een boomstronk zag die bijna in tweeën gehakt was. Van de bijl en zijn eigenaar was geen spoor te bekennen.

'William? William? Ik ben het, je vriend, dominee Campion! Ik kom je vertellen dat je niet naar Londen hoeft te gaan! Je mag bij mij blijven! William, ik zal voor je zorgen. En voor je familie,' voegde ik eraan toe, voor het geval mijn nicht gedreigd had om zijn familie iets aan te doen als hij niet meewerkte. 'Ik beloof je dat het veilig is. Je kunt nu tevoorschijn komen.'

Waar was dat touw? Lieve God, waar was dat touw?

Ik steeg af, bond Titus vast en ging te voet verder, nog steeds roepend en belovend dat ik hem zou beschermen. Al snel hoorde ik de stem van Hansard die dezelfde beloften deed.

'William, wij zijn het, je twee oude vrienden. We zijn allebei naar je op zoek! Genoeg verstoppertje gespeeld! Dokter Hansard zal je een guinea geven als je nu tevoorschijn komt!' De arm van de dokter schoot omhoog en hij liet het zonlicht op het goud weerkaatsen. We wachtten in stilte af.

Nooit eerder had een minuut zo lang geduurd. Het enige wat

ik kon horen was het bonzen van mijn hart, dat zich naar mijn oren verplaatst leek te hebben. Hansard greep me bij de arm, raakte met zijn andere hand zijn oor aan en wees naar links. Wat had hij gehoord?

Ik luisterde ingespannen. Hoorde ik daar een twijgje breken, of was dat mijn verbeelding?

'William,' zei Edmund zachtjes, 'kun je deze guinea niet zien? Wij zijn het maar, je goede vrienden dokter Hansard en dominee Campion!' Maar hij wachtte niet op een reactie. Hij schoot er zonder waarschuwing vandoor, zo vlug hij kon. Zijn adem kwam, net als de mijne, met horten en stoten.

Een paar kleine voeten schommelde langzaam heen en weer. William had zelfs zijn laarzen uitgedaan en ze netjes naast elkaar gezet. Vervolgens was hij op zijn sokken op een stapel hout-blokken geklommen, die hij even later omver geschopt had om zo een spoedige ontmoeting met zijn Schepper te forceren. Hansard greep William bij zijn benen en duwde hem omhoog, zijn oude armen boven zijn hoofd gestrekt in een poging om het gewicht van het kind te dragen.

'Ik ben niet sterk genoeg. Ik kan hem niet houden!'

Ik stapelde de blokken vlug weer op, slordig, maar wel zo dat ik erop kon blijven staan. Ik stak mijn armen ook uit en pakte Williams lichaam over. Tot mijn verbazing hoorde ik het ge-dreun van paardenhoeven. Blijkbaar had Hansards paard een trucje geleerd dat ik tevergeefs aan Titus had geprobeerd te le-ren: komen wanneer hij mij hoorde fluiten. Staand in de stijg-beugels sneed Edmund het touw, dat gelukkig niet al te dik was, door en William zakte omlaag, in mijn armen.

Ik legde hem voorzichtig op de grond.

Edmund trok de halsdoek van het kind los en voelde zijn pols. 'Hij leeft nog. Maar nauwelijks. Hij ademt bijna niet meer. Pak het reukzout uit mijn zadeltas.'

Hij hoefde me niet te vertellen dat ik op moest schieten.

Het zout had geen effect.

'Kon ik mijn eigen adem maar in zijn longen blazen, zijn hart *dwingen* om krachtiger te kloppen,' riep Edmund uit. 'We heb-ben hem niet uit al die beproevingen gered om hem nu hier te laten sterven!' Uiteindelijk, uit wanhoop, drukte hij zijn mond op die van William en begon hem te beademen, onderwijl wrijvend over de borst van het kind. Het enige wat ik kon doen was me op mijn knieën laten vallen en de Almachtige om hulp smeken.

Of het nu Zijn ingrijpen was of de meer aardse inspanningen van Edmund, het jongetje leek zich even te bewegen.

Ik vond een veertje en legde dat op zijn mond, voortdurend denkend aan King Lear die tevergeefs probeerde te bewijzen dat zijn dochter nog leefde. Misschien bewoog het. Misschien.

'Probeer het nog eens,' drong ik aan. 'Eén keertje nog.'

Uiteindelijk ademde William weer zelf, maar zijn ogen bleven gesloten.

Edmund tilde hem voorzichtig op. 'We moeten hem terugbrengen naar zijn moeder en ik moet bij hem blijven. Ik vrees dat ik u moet vragen om u alleen in het hol van de leeuw te wagen en te proberen mevrouw Woodman aan het praten te krijgen.'

'Maar natuurlijk. Al zal ik eerst met u meegaan. Of nog beter, ik zal vooruitrijden en haar voorbereiden. Wat zal ik zeggen?'

'Dat hij een ongeluk gehad heeft. Als hij sterft is dat ook wat ik tegen de rechter van instructie zal zeggen. Dat hij met een touw aan het spelen was en dat hij toen gestruikeld is. Dat zou de waarheid kunnen zijn, al vrees ik van niet. We zullen misschien nooit weten of het nu een poging tot zelfmoord was of dat iemand anders hem om het leven wilde brengen.'

Ik liet William achter in de wetenschap dat hij verzekerd was van de beste zorg die Edmund en zijn moeder hem maar konden geven en ging op weg, mijn hart bezwaard. Ik kon me niets voorstellen bij de wanhoop, de doodsangst, die een kind ertoe dreef om zijn leven maar liever te beëindigen dan een nieuwe start te maken als bediende van een vrouw van wie hij wist dat ze tot moord in staat was. Of – was het nog erger? – was hij gegrepen terwijl hij bezig was met een alledaags klusje en door iemand anders aan die tak gehangen, in het volle besef van wat er gebeurde?

'Goedemorgen, dominee! Waarom kijkt u zo sip? U ziet eruit alsof u in een citroen gebeten hebt!'

Ik keek op. Het was Matthew, een bijl in zijn hand en zijn hemd open tot aan zijn middel, een toonbeeld van kracht en gezond verstand. Als er iemand was die recht had op een eerlijke verklaring was hij het. Ik trok de teugels aan en steeg af.

'Matthew, ik geloof dat we op het punt staan om Lizzies moordenaar te ontmaskeren. Maar voor het zover is, moet ik nog een laatste beetje informatie inwinnen. Ben je misschien in de gelegenheid om me te vergezellen naar het huisje van mevrouw Woodman? Ik heb een paar vragen voor haar, vragen waarvan de antwoorden jou wellicht ook zullen interesseren.'

'U vertelt me de waarheid, is het niet? En het is een waarheid waar u een hoge prijs voor hebt betaald, te oordelen naar uw gezichtsuitdrukking. Mijn excuses voor mijn grapje van daarnet, dominee.'

'Ik neem je niets kwalijk. Ga je met me mee?'

Als antwoord op mijn vraag liep hij naar me toe. Titus liet zich voor deze keer leiden. 'Vraagt u dat omdat u een getuige nodig hebt?'

'Ik vraag het omdat jij van Lizzie hield.'

We deden er allebei het zwijgen toe, verdiept in onze eigen gedachten.

Het was Matthew die uiteindelijk, met een ongemakkelijk kuchje, de stilte verbrak. 'Het lijkt erop dat ik u om een huwelijksaankondiging moet vragen, dominee. Voor mij en Annie. Ze is in gezegende toestand, om het zo maar te zeggen, en ik wil mijn verantwoordelijkheid nemen – voor haar en de baby.'

'Natuurlijk. Neem Annie binnenkort eens mee naar de pastorie, dan stellen we de datum vast. Gefeliciteerd, Matthew. Ik hoop dat je heel gelukkig zult worden – en dat je de baby zo snel mogelijk ten doop zult houden. En dat Annie zich aansluit bij de kerk.'

'Dit betekent niet dat ik minder van Lizzie hield, dominee,' zei hij haast verontschuldigend.

'Natuurlijk niet,' zei ik, denkend aan de Burke-lezende jongedame die alleen geïnteresseerd was in mannen met een inkomen van tienduizend guinea per jaar, en aan de zelfs nog mooiere ogen van Lady Salcombe. 'Lizzie zou gewild hebben dat je om haar zou rouwen, maar niet dat je dat de rest van je leven zou blijven doen. Matthew! Dat is rook!' Ik wees. Een flinke rookwolk, veel groter dan uit de schoorsteen van een hutje afkomstig kon zijn, steeg op tot boven de bomen. Niet veel later hoorden we het onheilspellende gekraak van brandend hout.

'Rij vast vooruit!' riep hij.

Ik had geen verdere aanmoediging nodig.

Toen ik daar aankwam, was het huisje van mevrouw Woodman al veranderd in een zee van vlammen. Ik trok echter mijn jas over mijn hoofd en rende naar binnen, vechtend tegen de rook tot ik de oude vrouw vond, slapend in haar stoel.

Ik probeerde haar te wekken en zelfs overeind te trekken, maar tevergeefs. Ze verroerde zich niet. Het vuur ging zo tekeer dat ik voor mijn eigen leven vreesde en dus besloot ik haar met stoel en al door de deur naar buiten te slepen. Ik had de deur nog niet bereikt of een afschuwelijk gekraak vertelde me dat de latei op het punt stond het te begeven. Ik trok uit alle macht, maar kreeg het niet voor elkaar. Het brandende hout stortte omlaag, raakte haar benen en zette haar rok in vuur en vlam.

Ik trok mijn jas van mijn hoofd en gebruikte die om de vlammen uit te slaan.

En toen gooide iemand water over ons heen. En nog meer. Matthew was ook gearriveerd en hij vulde de ene na de andere emmer met water uit haar put, zo snel hij maar kon.

We droegen de oude vrouw naar buiten, buiten bereik van de vonken en de razende brand. Ze zat nog steeds in haar stoel, haar jurk veranderd in een baal verkoolde vodden.

Matthew keek me aan en haalde nog een emmer water. 'Het heeft geen zin om te proberen het huisje te redden,' zei hij, 'maar misschien kunnen we uw handen nog wel redden. Houd ze voorlopig even in het water. Ik zal voor de oude vrouw zorgen.'

'Maar –'

'Doe wat u gezegd wordt, of u verliest het gebruik van uw beide handen. Doe het!'

Ik gehoorzaamde en hij legde de vrouw voorzichtig op zijn hemd, haar ernstig verbrande benen bedekt met wat er van mijn jas over was. We wisselden een treurige blik uit. Hoe kon ze overleven met deze verwondingen?

Ik knielde naast haar neer. Matthew duwde mijn handen opnieuw onder water. 'Stil blijven liggen, mevrouw Woodman. Matthew haalt de dokter. Neem Titus, man. Hansard is in het huisje van de familie Jenkins: daar zul je hem zeker vinden. En vraag of iemand een rijtuig kan komen brengen, en een grote stapel kussens.'

'U hoeft u niet te haasten,' fluisterde ze moeizaam terwijl hij ervandoor galoppeerde. 'Ik ben stervende, dominee, dat valt niet te ontkennen.'

'Wat is er hier gebeurd, mevrouw Woodman? U moet het me vertellen!'

Ze kreunde van pijn. Het was duidelijk te laat voor uitgebreide verklaringen.

'Zullen we God om genade smeken?' stelde ik voor.

Ze bewoog haar hoofd. Ik drukte haar handen tegen elkaar en omvatte ze met mijn druipende vingers. Een flauwe glimlach was het bewijs dat ze troost vond in de woorden die ik uitsprak.

Ten slotte besloot ik om toch nog iets te zeggen over de harde woorden die ze kort na Lizzies verdwijning had uitgesproken, waarbij ik haar liet weten dat mevrouw Beckles ons het een en ander verteld had.

Ze hief haar ogen, troebel van de tranen, en keek me aan. 'Maar dominee, u weet nu dat het de waarheid was! Toegegeven, ik had het niet zo moeten zeggen, omdat ik op alles wat mij dierbaar was gezworen had dat ik het geheim nooit zou onthullen. Ik was Lizzies min. Niet meer en niet minder. Ik heb nooit geweten wie haar ouders waren, maar ik had zo mijn vermoedens. Ik vermoedde... Maar een vrouw als ik kan geen beschuldigingen uiten, vooral niet omdat ik elk kwartaal een gouden guinea kreeg om mijn mond te houden – met de regelmaat van de klok. Ik moest haar grootbrengen als een van mijn eigen kinderen, zeiden ze –'

'Wie zei dat?' Mijn hart ging als een razende tekeer.

'De deftige heren die haar bij me brachten. Advocaten of iets dergelijks. Ik heb een kruisje op hun papieren gezet, dominee, en God is mijn getuige dat ik er tot nu toe nooit met iemand over gesproken heb.'

'Hij zal u zeker vergeven.' Ik bevochtigde haar lippen met wat water. 'Ik neem aan dat die wetsdienaars geen papieren bij u hebben achtergelaten?'

'Niets,' was het treurige antwoord. 'Maar,' ging ze verder, 'ik krijg nog steeds ieder kwartaal een guinea, dus waarschijnlijk weten ze niet dat ze overleden is.'

Als ik een moord gepleegd had, waren mensen die iets met het recht te maken hadden wel de laatste personen van wie ik wilde dat ze iets zouden vermoeden, dus misschien had Lady Elham hun niet verteld dat Lizzie er niet meer was. Waarom zou ze ook, als de mensen dachten dat Lizzie uit dienst getreden was en even later ook haar ontslag aan Lady Templemead had aangeboden?

'Stel ze alstublieft op de hoogte, dominee. Ik moet niet nemen wat niet van mij is, toch?' zei ze ongerust.

'Natuurlijk. Ik doe wat u maar wilt. Maar naar wie moet ik dan zoeken?'

'Hij zei dat hij Bunce heette. Meneer Bunce, van Bunce en Bargate. Uit Birmingham, zei hij. Maar ik mocht het niet vertellen. Ik mocht het aan niemand vertellen. Ik heb het gezworen op mijn bijbel.'

'U hebt uw belofte verbroken om de best mogelijk reden. Maar,' ging ik verder, met het wanhopige verlangen om iemand anders dezelfde beschuldiging te horen uiten, 'vertel me nog één ding. Wie was volgens u Lizzies moeder? Want zij moet dit ook weten, snapt u. En haar vader ook.'

Ze fluisterde iets. Ik hield mijn hoofd vlak bij het hare, maar kon het niet goed verstaan. Leicester? Lempster? In de wetenschap dat meneer Bunce, van Bunce en Bargate, me in elk geval van meer details kon voorzien besloot ik het daarbij te laten en mijn uiterste best te doen om haar laatste minuten zo dragelijk mogelijk te maken. 'Zullen we dan nu, terwijl we op de dokter wachten, nog eens bidden?'

Ik sloot haar ogen op het moment dat Hansard bij haar neerknielde. Ik had haar pijn niet kunnen verlichten met iets anders dan de zekere belofte van een leven na dit leven.

Hij knikte bedroefd. 'Ik had haar niet kunnen redden, Tobias. Het is goed dat u hier was om haar te troosten. Wat een toeval dat haar huis nou net afbrandt op de dag dat ook een ander gezin door een tragedie getroffen wordt,' zei hij terwijl hij opstond. 'Wil jij erop toezien dat ze naar mijn kelder overgebracht wordt, Matthew? Dan zullen we daarna eens kijken naar uw brandwonden, Tobias.'

Ik werd wakker toen de avondzon een kiertje tussen de gordijnen vond. Ik lag niet in mijn eigen kamer, maar in een kamer die ik niet kende. Ik worstelde om overeind te komen, maar ik werd met zachte hand tegengehouden.

'Dokter Hansard zegt dat u zich niet mag verroeren totdat hij daar toestemming voor geeft, meneer Campion,' zei Turner.

'Maar ik heb zo'n dorst,' klaagde ik, jammerend als een ziek kind. Edmund had me iets gegeven om de pijn te verlichten en blijkbaar was ik daar ook door in slaap gevallen.

'Ik zal u omhoog helpen door het kussen iets op te tillen, dan mag u een klein slokje van dit drankje nemen.' Hij voegde de daad bij het woord en hield een glas tegen mijn lippen. Toen hij me weer neerlegde, zei hij: 'Dokter Hansard heeft gezegd dat u nog wat druppeltjes mag hebben als de pijn heel erg is.'

'Ik zal het prima redden zonder, Turner, hartelijk bedankt. Waar is Edmund?'

Hij maakte een afkeurend geluidje. 'In de kelder, om het lichaam van die arme mevrouw Woodman te onderzoeken. Dat doet hij altijd, meneer. Als u het even zonder mij kunt stellen zal ik hem laten weten dat u weer bij bewustzijn bent.'

Ik moet weer weggezakt zijn, want het volgende waar ik me bewust van was, was dat Edmund naast me stond, voelend aan mijn pols.

'Hij heeft het gestel van een os, deze jongeman,' merkte hij op.

Toone antwoordde: 'Dat moet wel. Toen we aan Eton studeerden heb ik hem regelmatig een flink pak slaag gegeven – voor zijn bestwil, uiteraard.'

Dit was een mythe die ik in mijn geheugen moest prenten en, ter wille van hun vriendschap, in stand houden.

'Waarom behandelt u mij alsof ik ernstig ziek ben?' wilde ik weten, terwijl ik mijn ogen met grote moeite opende. 'Ik voel me misschien een beetje duf, maar ik weet zeker dat dat alles te maken heeft met het drankje dat u Turner bij mij naar binnen hebt laten gieten.'

'Dat klopt. Ik moest uw verbrande handen verbinden, Tobias en dat veroorzaakte hevige pijn. Dankzij het verstandige advies van Matthew is er echter maar weinig schade aan het weefsel en u zult uw littekens vast en zeker met trots dragen. Daar hebt u alle reden toe – mevrouw Woodman uit dat brandende huis redden was geen kleinigheid.'

'Als het me gelukt was om haar daadwerkelijk het leven te redden was dat misschien lovenswaardig geweest.'

'Ik denk dat ze evengoed al snel gestorven zou zijn,' zei Toone. 'U hebt Hansard verteld dat ze bewusteloos was toen u haar naar buiten sleepte. Dat kwam doordat iemand haar zo hard geslagen had dat ze een schedelbreuk had opgelopen. Wie dit ook gedaan heeft – en ik ben er zeker van dat we het er allemaal over eens zijn wie de meest waarschijnlijke dader is – moet gedacht hebben dat haar verwondingen toegeschreven zouden worden aan de brand, als ze dan tenminste nog zichtbaar waren.'

'En hebt u haar al gearresteerd?'

Edmund lachte, maar niet van vreugde. 'Denkt u echt dat we dat zouden doen zonder dat u erbij bent? Als u het idee hebt dat u op kunt staan, en als Turner erin slaagt u enigszins toonbaar te maken – het vuur heeft de helft van uw haar verschroeid, Tobias – dan zullen we de paarden laten halen en onmiddellijk op weg gaan.'

25

Ik was op weg naar beneden toen ik een dienstmeisje naar dokter Hansard hoorde roepen. 'Ze zeggen, heren, dat er van alles aan de hand is in het grote huis. Blijkbaar heeft Lady Elham zich in haar hoofd gehaald dat het tijd is om opnieuw op reis te gaan. Zo veel drukte en gedoe hebt u nog nooit gezien!'

'God zij gedankt voor de bemoeizucht van de dorpelingen!' riep Edmund uit toen het meisje wegliep. 'Mijn goede vrienden, we moeten er onmiddellijk vandoor.'

We reden te snel om nog een gesprek te kunnen voeren, dankbaar voor de heldere hemel en de zachte lenteavond. Titus leek even in de war toen hij voelde dat ik de teugels anders hanteerde dan anders, maar hij was zo mak dat het was alsof hij het verband gezien had en had begrepen wat er zich had afgespeeld.

'Lady Elham is niet aanspreekbaar,' verklaarde Woodvine, de butler.

'Ze zal ons toch ontvangen,' reageerde dokter Hansard al even vastbesloten, terwijl hij de ontvangsthal met geweld binnendrong. 'Waar is ze? In haar boudoir? U hoeft me niet aan te kondigen – ik weet de weg hier maar al te goed.'

Zelfs Hansard hield even in om op de deur te kloppen voordat hij hem openduwde – een gewoonte die na al die jaren een tweede natuur geworden was. We stapten alle drie naar binnen en bleven schouder aan schouder voor de deur staan. 'Ik ben hier niet als uw arts, maar in mijn functie als lekenrechter,' sprak Hansard op gewichtige toon. 'En ik ben van mening dat u maar al te goed weet wat de reden van mijn komst is, mevrouw.'

Voor ze antwoord gaf, viel haar oog op iets wat op de vloer gevallen was. Een dienstmeisje, niet een van mijn beschermelingen maar een meisje dat ik niet kende, bukte zich, ondanks de stapel kleren die ze in haar armen had, om het op te rapen.

'Laat liggen! Wacht in mijn slaapkamer.' Tot mijn verbazing

raapte Lady Elham het dingetje, wat het ook was, zelf op. 'En denk erom dat mijn nieuwe zijden jurk niet kreukt bij het inpakken!' Er verscheen een vreemd glimlachje rond haar lippen toen ze haar aandacht weer op ons richtte. 'Kan ik u wat aanbieden, heren? Nee? Neem me niet kwalijk, dokter Hansard, maar ik moet een paar van mijn druppeltjes nemen – ik voel hartkloppingen opkomen.' Ze keerde ons de rug toe, liet wat druppeltjes in een glas vallen en draaide zich weer om, waarbij ze het glas hief alsof ze een toost wilde uitbrengen. Ze slikte moeizaam en hapte naar adem. 'Maar waarom bent u hier allemaal? U ziet dat het niet uitkomt.'

'Ik wil u spreken met betrekking tot de dood van Lizzie Woodman. Of, beter gezegd, de moord op Lizzie Woodman. En de moord op Augustus, de tiende hertog van Elham, William Jenkins en Nan Woodman. En de onwettige opsluiting van John Sanderson en van George, de elfde hertog van Elham.'

Ik dacht dat de kleur uit haar gezicht wegtrok. In elk geval was haar ademhaling onregelmatig. Maar ze gaf geen antwoord.

'Lizzie was bovendien in verwachting, mevrouw,' ging hij verder. 'En het lijkt erop dat iemand zich ervan wilde verzekeren dat ze niet meer kinderen zou krijgen.'

'Maak u niet druk over de dood van het ongeboren kind,' fluisterde ze. 'Het zou zwakzinnig geweest zijn. Inteelt, dokter Hansard – iemand met uw kennis weet ongetwijfeld welke problemen daardoor veroorzaakt worden. Elke adellijke familie heeft verwanten die ergens op een zolder of iets dergelijks opgesloten zijn. Welke hoop was er voor een kind van mijn zoon, vooral een kind dat hij verwekt had bij zijn eigen zus?' Ze richtte haar blik op mij, al had ik het idee dat dat haar moeite kostte.

'Ze heeft iets geslikt!' riep Toone uit. Tot mijn verbazing greep hij haar vast en probeerde hij een vinger in haar keel te steken. Ze duwde hem met verbazingwekkende kracht van zich af.

'Een purgeermiddel dan!'

Ik wist dat hij en Hansard al het mogelijke zouden doen en dat ik eigenlijk overbodig was. Ik hield me bezig met het bestuderen van de kamer. Wat was het dat ze zo graag zelf had willen oprapen? Waar had ze het gelaten? Er lag niets ongewoons op het kleine zilveren dienblad. Het enige wat ik zag waren haar druppels en een kan water. Ik liet mijn blik langs de lambrisering glijden.

'Als we maar wisten welk vergif ze heeft ingenomen,' gromde Hansard, 'dan zouden we wellicht een tegengif kunnen toedienen.'

Ik liet het tabletje zien dat ik zojuist van de grond had opgeraapt.

Toone pakte het aan. 'Rattengif?'

'Ze moet tegen haar personeel gezegd hebben dat er hier muizen zaten, zodat ze altijd over een ontsnappingsmiddel zou beschikken. Lieve God, Hansard, hoe lang blijft ze in deze toestand?'

Hij haalde zijn schouders op.

Ik leidde haar naar de sofa, pakte haar hand en knielde naast haar neer. 'Er is nog tijd om het in orde te maken met de Almachtige,' drong ik aan.

'Geen tijd. Helemaal geen tijd.'

'Er is tijd om alles wat u gedaan hebt te belijden, en ook de reden waarom. Laten we beginnen bij het begin. Waarom hebt u uw echtgenoot verdronken, nicht?'

Haar glimlach deed me walgen. 'Nicht! Tja, ik neem aan dat ik dat ben. Ik hoop dat deze familiegekte u bespaard blijft, neef Tobias. Elham – mijn echtgenoot, inderdaad! – werd me door mijn familie opgedrongen, een jongeman die zo wereldvreemd was dat hij niet in staat was om het huwelijk te consumeren en dat wat onze wittebroodsweken hadden moeten zijn doorbracht in een gesticht, maar dan een gesticht waar de patiënten veel minder goed behandeld werden dan in Lymbury Park. Er werd gezegd dat we een langdurige rondreis maakten en ik werd ondergebracht bij het gezin van zijn broer totdat Augustus geschikt geacht werd om weer tevoorschijn te komen en nageslacht te verwekken. Toen eenmaal was vastgesteld dat ik zwanger was, werd ik verlost van zijn gezelschap, maar hij stond erop dat hij zijn eerstgeborene zou zien. Hij had nog nooit eerder een pasgeboren kind gezien en hij was daar zo van ondersteboven dat hij opnieuw krankzinnig werd en weer een periode in het gesticht moest worden opgenomen. Zoals u weet werden de periodes die hij in vrijheid doorbracht steeds langer, maar zijn verstand was nooit erg scherp.'

'Was dat de reden waarom u hem vermoord hebt?' wilde Hansard weten, onderwijl mompelend dat als stompzinnigheid een halsmisdaad was minstens de helft van de leden van adellijke families voor de doodstraf in aanmerking kwam.

'De reden dat ik hem vermoord heb, is dat hij met zijn nichtje aanpapte,' zei ze, haar stem opeens weer helder. 'Ach, kijk toch niet zo geschokt, neef Tobias. Zelfs een geestelijke zal die uitdrukking wel eens gehoord hebben. Hij heeft zich aan haar *opgedrongen*, domme jongen.'

'Lizzie was uw dochter,' zei Hansard, alsof dat de normaalste zaak van de wereld was.

'En van Elhams broer. Lord Leominster. Ze is verwekt en geboren in de periode dat we zogenaamd op rondreis waren. Vandaar *mijn* afzondering,' voegde ze er met een verwrongen grijns aan toe. 'Het was een schattig baby'tje, dus liet ik haar onderbrengen bij een vrouw die kort daarvoor weduwe was geworden en haar eigen baby had verloren, op een landgoed waar Elham in die tijd zelden of nooit kwam. Ik dacht dat ik haar nooit meer zou hoeven zien. Maar toen haalde Elham zich in zijn hoofd dat hij hier in de omgeving goed zou kunnen jagen, en opeens zag ik haar bijna elke dag. U weet ongetwijfeld dat weduwe Woodman goed voor haar werk betaald werd. Zolang ze het geheim met niemand deelde, uiteraard. En dat deed ze ook niet, tot een paar weken geleden. Waar is Beckles?' vroeg ze nukkig. 'Zo'n daadkrachtige vrouw.'

Ik pakte Hansard bij de schouder om hem te helpen zijn kalmte te bewaren. Hij knikte dankbaar. Uiteindelijk had hij zijn stem voldoende onder controle om verder te kunnen gaan. 'Dus vanwege die verspreking moest mevrouw Woodman sterven. Hebt u haar zelf gedood, mevrouw?'

'Hoe had ik dat aan iemand anders kunnen vragen? Ik heb het huis ook in brand gestoken. Weduwe Woodman heeft haar geheim meegenomen haar graf in.'

'Niet als ik Bunce en Bargate weet te vinden,' antwoordde hij.

Mijn nicht fronste haar voorhoofd alsof ze zich probeerde te concentreren. 'Ze is niet gestorven?'

'Niet meteen. Niet nadat ze ernstig geleden had.'

Ze haalde haar schouders op. Het was alsof ze wist dat haar ook nog heel wat lijden te wachten stond. 'En dan was er nog het probleem van mijn zoon. Zodra hij ergens een knap meisje zag, nam hij haar te pakken. Lizzie wist niet welke man de vader van haar kind was. Ik zei tegen haar dat ik haar persoonlijk zou onderbrengen op een veilige plaats. Hoewel ze voor een vrouw vrij lang was, ben ik langer en veel sterker. Ik moest zeker weten dat ze niet nog meer kinderen zou krijgen. Die zouden allemaal krankzinnig of gewetenloos geweest zijn, snapt u?'

Waren dit woorden van een vrouw bij haar volle verstand? Zelfs de altijd zo hoffelijke Toone hapte geschokt naar adem.

'En William Jenkins? Waarom hebt u hem vermoord?'

'William Jenkins? Wie –? O, dat stomme kind dat zag dat ik Elhams hoofd onder water duwde. Hij was aan het stropen, natuurlijk, dus had hij opgehangen moeten worden of in elk geval opgesloten. Daar heb ik mee gedreigd, dat ik dat zou doen als hij ooit iemand zou vertellen wat hij had gezien. De omschrijving die ik gaf aan de mensen die naar hem op zoek waren klopte van geen kanten, maar ging wel in tegen wat andere mensen die hem misschien gezien hadden zeiden. Ik heb hem nog een keer ingehuurd, maar dat was de laatste keer.' Ze glimlachte bij de herinnering. 'Ik hoop dat hij u niet al te hard geslagen heeft, Tobias. Het zal niet meevallen om de kracht van een klap in te schatten als de knuppel die je gebruikt haast net zo groot is als jijzelf. Maar ik vond dat het tijd was om u een toontje lager te laten zingen. En ik heb begrepen dat u weer helemaal hersteld bent en zelfs uw horloge hebt teruggekregen. Hij wilde het horloge en de laarzen houden, maar ik stond erop dat hij ze weg zou gooien. En toen vond hij het horloge toch weer. Dom kind.'

Overmand door verdriet zei ik: 'Ik heb hem en zijn familie rijkelijk beloond! Geen wonder dat die arme jongen zich daarna altijd ongemakkelijk voelde als ik in de buurt was.'

Het was mogelijk dat ze me niet had gehoord. 'Toen hoorde ik van iemand dat hij slecht sliep – dat hij 's nachts zelfs van alles riep! – en ik was bang dat hij te veel zou zeggen. Daarom zei ik tegen zijn moeder dat ik hem zou meenemen naar Elham House om hem op te leiden tot lakei.'

'Elham House is hun huis aan Grosvenor Square,' zei ik zachtjes tegen de anderen.

'In de goten van Londen liggen zo veel lijken, dat eentje meer of minder niet op zou vallen,' zei ze.

'En hij was zo bang voor wat u hem aan zou doen dat hij vanmorgen geprobeerd heeft om zichzelf te verhangen', zei ik grimmig.

'Zei hij dat? Dan heeft hij gelogen. Maar wat verwacht je ook van iemand van zijn slag,' zei ze, ineenkrimpend bij een heftige pijnscheut ter hoogte van haar maag.

Ik kon niets uitbrengen.

'Misschien zal hij ons later de hele waarheid nog vertellen,' verbeterde Hansard haar op scherpe toon. 'Hij is nu nog diep bewusteloos, maar misschien dat hij langzaam maar zeker zal herstellen.'

'Tegen die tijd hoef ik me daar in elk geval geen zorgen meer over te maken,' zei ze spottend. 'Waar is mijn bediende? Ik moest een ander kamermeisje in dienst nemen, weet u, omdat de vorige niet aan mijn wensen voldeed,' voegde ze er lijzig aan toe. 'En dan was er nog die kletskous van een butler. Ik ben vergeten waar ik zijn lichaam gelaten heb. En John Coachman, niet te vergeten. Hij hield vol dat hij gezien had dat ik de keel van dat wicht, die Lizzie, had doorgesneden en haar had begraven. Ik wilde hem niet zelf vermoorden, die arme oude man, dus liet ik hem door iemand anders vergiftigen. Die aardige dokter van Lymbury.'

Ik probeerde haar te vertellen dat hij nog leefde, maar ze ratelde maar door, haar stem steeds heser.

'Kent u hem? Ene dokter Brighouse. Bijzonder charmante man, maar met een walgelijk varken als vrouw. Het zou me niet verbazen als ze het voedsel van de patiënten steelt. Daar moet u eens achteraangaan.'

'Dat zullen we zeker doen, mevrouw,' zei Hansard. 'Maar help me even herinneren, waarom hebt u uw zoon laten opsluiten in Lymbury?'

'Hij was net zo gek als zijn vader en veel gewelddadiger. Ik moest constant vergoedingen betalen aan dorpelingen wiens kippen of varkens hij aan stukken gesneden had. En toen hij de titel en de landerijen geërfd had, werd het nog erger. Hij heeft Lizzie verkracht, moet u weten, en haar onderworpen aan praktijken die meer op hun plaats waren geweest in de Hellfire Club – dat kan ik u wel vertellen. Dus daarom moet hij van tijd tot tijd een poosje weg.' Ze greep naar haar keel en kokhalsde hevig.

'Toone, ik zou graag een beroep doen op uw bijstand als medicus. Laat ons even alleen, Toby – wacht buiten en laat niemand binnen zonder mijn toestemming,' beval Hansard.

Ik deed wat me gezegd werd en gaf een geschrokken bediende opdracht om een stoel voor me te halen, en bovendien een kandelaar met kaarsen, een gebedenboek en een karaf wijn. Van tijd tot tijd kwam er een doodsbang dienstmeisje voorbij met in haar handen een schaal met een doek eroverheen. Ze vertelde me niet wat erin zat en ik vroeg er niet naar. Ze kwam even later terug met een andere, lege schaal.

Een groepje bedienden dromde samen in een hoekje van de hal. Ik gaf een van hen opdracht om meneer Davies, de rentmeester, te roepen.

'Lady Elham is ernstig ziek, meneer Davies. Ik wil u vragen om uit te zoeken wie de eerstvolgende opvolger is en hem te laten halen.'

'Iemand anders dan Lord Elham, meneer?'

'Weet u niet waar Lord Elham is?' Hij werd verraden door zijn gezichtsuitdrukking. 'Hoewel ik vrees dat hij tijdelijk terug zal moeten komen voor de begrafenis zal het nog vele weken duren voor hij voldoende hersteld is om weer op de Priorij te kunnen wonen. Misschien komt dat moment zelfs nooit. Maar er moet in elk geval een bewindvoerder worden aangewezen. Ik ben er zeker van dat ik erop kan vertrouwen dat u, Davies, uiterst discreet te werk zult gaan,' zei ik, op de toon die ik zo goed kende van mijn vader.

Het was al vroeg in de ochtend toen Edmund weer uit de kamer kwam. 'Ik denk dat het nu tijd is voor uw aanwezigheid, Tobias.' Hij ging me voor naar de slaapkamer, waar ze op bed lag, schreeuwend en kronkelend van pijn. Ze leek onze aanwezigheid niet op te merken.

'Lieve God, Hansard, hoe lang gaat dit duren? Hebt u niets wat haar zou kunnen helpen?'

'Het middel waarmee ik Jenkins van zijn pijn verloste en naar de andere wereld hielp?' Hij keek me recht in de ogen. 'Dat heb ik niet meer.'

Ik geloofde hem niet.

Ik wierp een blik op haar doodsbleke gezicht en bad dat er spoedig een einde aan haar lijden zou komen. Toen dacht ik echter aan de dood van mijn arme Lizzie en ik veranderde mijn gebed. Ik bad dat de Almachtige haar in zijn oneindige wijsheid zou straffen zoals Hij passend achtte voor iemand die dergelijke afschuwelijke misdrijven gepleegd had.

Lady Elham stierf pas de volgende dag, rond het middaguur.

EPILOOG

'Ze begraven op de begraafplaats bij de kerk? In gewijde grond?' vroeg Miller verontwaardigd. 'Allebei? Terwijl ze zelfmoord gepleegd hebben?'

Ik zei kalm: 'Lady Elham was duidelijk geestesziek toen ze zichzelf van het leven beroofde. En de Lord was stomdronken toen hij dat arme paard van hem tegen een muur liet lopen.'

Lord Elham was tijdelijk vrijgelaten uit de inrichting om de begrafenis van zijn moeder te kunnen bijwonen. Hoewel hij vergezeld werd door twee van de sterkste verplegers die dokter Brighouse in dienst had, wist hij aan hen te ontsnappen, waarna hij zich te buiten ging aan de inhoud van zijn wijnkelder. Daarna, terwijl zijn moeder nog opgebaard lag, was hij op zijn favoriete jachtpaard geklommen en had hij een dodemansrit gemaakt door het park – met fatale gevolgen.

'Droevig, wat er met dat paard gebeurd is,' zei Bulmer. Het was duidelijk dat het verlies van het paard hem veel meer aan het hart ging dan het verlies van de ruiter, en ik kon hem geen ongelijk geven. 'Stelt u zich eens voor, zo'n beest afschieten, terwijl hij er drieduizend guineas voor betaald had. Dat zeggen ze, tenminste.'

Dat was het toppunt van waanzin; zo veel geld uitgeven aan paardenvlees terwijl talloze arbeiders in dienst van de Priorij niet eens schoenen hadden.

'Ik heb de bisschop gevraagd naar zijn mening over deze begrafenissen,' hielp ik hen herinneren, 'en hij hield vol dat we ze hier ter ruste moeten leggen.' Uitgaande van de christelijke naastenliefde zou ik het met hem eens moeten zijn, maar er waren dagen waarop het, kijkend naar de groene heuvel waar het stoffelijk overschot van mijn arme Lizzie begraven lag, ontzettend moeilijk was om zelfs maar te denken over de vergeving die de hoeksteen van mijn geloof was. 'Goed,' ging ik bruusk verder, 'We kunnen niet van meneer Clark verwachten dat hij allebei die kuilen graaft –'

Bulmer zuchtte. 'Vooral niet als je bedenkt dat het volgende graf waarschijnlijk voor zijn eigen vrouw bestemd is. Dat zal niet lang meer duren, heb ik gehoord.'

Ik glimlachte droevig naar hem. Zou deze man dan toch nog een medestander worden? 'Kan ik erop vertrouwen dat u iemand regelt die een diep gat graaft, maar daarbij tegelijkertijd respectvol te werk gaat?'

Bulmer knikte. 'Ik zal een van mijn beste krachten sturen.'

'Meneer Davies zal ervoor zorgen dat hij ruimschoots voor zijn werk beloond wordt.'

Miller had nog meer op zijn lever: 'En die jongen – wat moeten we daarmee? Ze zeggen dat hij geprobeerd heeft zichzelf te verhangen. En ik kan me niet voorstellen dat de bisschop zou zeggen dat zo'n joch, zo'n stiekeme schooier met lange vingers, begraven moet worden tussen nette mensen.'

Was hij een dief? Ik was ervan overtuigd dat Lady Elham de waarheid gesproken had toen ze zei dat ze hem opdracht gegeven had om dat horloge weg te gooien. Hoe kon hij het dan opnieuw gevonden hebben? En als hij het op de een of andere manier voor Bulstrode had weten te verbergen, zou hij het dan inderdaad aan mij hebben laten zien? Misschien wist hij het zelf niet eens; hij was tenslotte nog maar een kind.

Ik schudde beslist mijn hoofd. 'Hij komt misschien nog bij.' Dokter Hansard had al heel wat beroemde collega's laten komen om hem te adviseren over de behandeling van die arme William. 'Maar als hij al sterft, is Williams dood geen zelfmoord. Hij is te pakken genomen door een moordenares – Lady Elham,' voegde ik eraan toe. 'U herinnert zich ongetwijfeld welke bewijzen er tijdens het verhoor naar voren gekomen zijn.'

'De rechter van instructie heeft niet gezegd dat ze hem eigenhandig heeft opgeknoopt,' wierp Miller tegen.

'Maar het scheelde niet veel,' zei Bulmer. 'Zou die moeder van hem belang hebben bij wat vlees en groenten, dominee? Want ik kan gerust een van mijn mannen sturen om haar het een en ander te brengen – en dan kan hij als dat nodig is meteen die tuin van haar omspitten.'

Ik voelde mijn tranen branden. 'U bent een goed mens, meneer Bulmer.'

Hij keek verlegen de andere kant op. 'Het was dokter Hansard die me op het idee bracht.' Hij grijnsde. 'En wanneer is de officiële huwelijksaankondiging, dominee, van hem en die vrouw van hem?'

Was het niet mevrouw Beckles zelf die me gewaarschuwd had tegen roddelen? 'Mevrouw Beckles heeft het erg druk op de Priorij, zoals u zich ongetwijfeld voor kunt stellen. Ze helpt meneer Davies om alles op orde te maken. Al het zilver en porselein moet in stro worden ingepakt, de schilderijen moeten van de muur gehaald worden en het meubilair moet met linnen doeken overdekt worden. De bedienden werken allemaal ontzettend hard.'

'Ze zeggen dat de nieuwe erfgenaam hun allemaal een heel jaar loon beloofd heeft, God zegene hem daarvoor,' zei Bulmer.

Miller knikte somber. 'Maar daarna, dan – ik weet niet wat er daarna gebeurt. Ze zeggen dat de nieuwe Lord Elham hier niet komt wonen.'

'Zou jij dat wel doen als je een keuze had?' wilde Bulmer weten, al huiverend. 'Ze zeggen dat hij zelf ook al een groot huis heeft, in Surrey of zo,' zei hij.

Hij wachtte tot Miller vertrokken was en boog zich toen naar mij toe om me op de arm te kloppen. 'Het lijkt erop dat mijn schoondochter in gezegende toestand is, dominee. Denkt u dat de Heer het erg vindt als ik Hem vraag om een beetje op haar te letten?'

'Ik weet zeker van niet, meneer Bulmer. En als u mee wilt lopen de kerk in, zal ik mijn gebeden graag bij de uwe voegen, ook voor de baby.'

We knielden naast elkaar neer. Ik wist niet wat zijn gebed precies inhield, maar ik wist wel dat het lang en oprecht was. Zelf legde ik ook de toekomst van William in de handen van de Almachtige. Als hij zou blijven leven, dan hoopte ik dat hij gezond zou zijn. Als hij zou sterven, dan hoopte ik dat het einde snel zou komen en dat hij niet verder zou hoeven lijden. Pas dan zou mevrouw Jenkins de ruimte hebben om voluit te rouwen en naar behoren voor haar andere kinderen te zorgen. Natuurlijk werd ze wel gesteund; er waren verscheidene vriendelijke mensen, onder wie ook Jem, die toezicht op het zieke jongetje hielden terwijl zijn moeder het kleine beetje rust nam dat ze zichzelf toestond.

Was het mogelijk dat Jem speciale gevoelens voor de jonge weduwe begon te koesteren? Uit zijn gedrag was niets op te maken en ik had te veel respect voor hem om ernaar te vissen. Was er iemand op aarde met een beter onderscheid tussen wat goed en verkeerd was dan hij? Het enige wat ik wist, was dat hij nog niets gezegd had over het verlaten van het dorp of de pastorie. Wat hij ook deed, God zou hem zeker leiden en steunen.

Ik bad ook voor mijn dierbare vrienden, Edmund en Maria, die nu, na hun onorthodoxe verloving, al snel man en vrouw zouden zijn. Hoe tragisch de gebeurtenissen van de afgelopen tijd ook waren, ze deden niets af aan hun overduidelijke liefde voor elkaar nu hun relatie eindelijk officieel bekend was, en er waren maar weinig mensen die hun dit geluk misgunden. Zodra zij van mening waren dat ze konden trouwen zonder fatsoensregels te overtreden of hun vrienden te beledigen, zou ik hen in de echt verbinden. Deze gang van zaken was misschien uitzonderlijk, maar God wist dat ze lang genoeg gewacht hadden om nu nog tijd te verspillen aan een officiële aankondiging. Ze stonden erop dat het bij een besloten ceremonie zou blijven, met slechts een minimum aan wit satijn en kanten sluiers, maar ondanks deze soberheid zou niemand twijfelen aan hun volmaakte geluk.

Ik vroeg God om Susan te zegenen, die nu volledig op de hoogte was van het afschuwelijke lot van haar zus. In haar eigen ogen was ze nog steeds donker en gedrongen, maar ik had al gemerkt dat verschillende jongemannen in de omgeving zich tot haar aangetrokken voelden, en misschien was ze nu minder in de ban van Jem dan eerst.

Boer Bulmer bleef maar bidden.

Omdat ik hem niet wilde storen, voegde ik ook nog een gebed voor mezelf toe. Mijn moeder had me een brief geschreven waarin ze me dringend aanspoorde om me te verzoenen met de rest van de familie en een beroep aan te nemen in een dorp vlak bij hun hoofdverblijf op het platteland. Ik kon net zo veel goed doen in de wildernis van Derbyshire als ik hier in de bossen van Warwickshire

gedaan had, beweerde ze. Wat moest ik doen? Waar was mijn aan-
wezigheid het meest nuttig? Misschien werd ik wel geroepen om als
missionaris naar het verre India te trekken?

Ten slotte, verscheurd tussen al deze verschillende mogelijkheden,
kon ik niet anders dan de woorden mompelen die onze Heer ons
ooit zelf leerde: Uw wil geschiede.

OVER DE AUTEUR

JUDITH CUTLER heeft meer dan twintig romans op haar naam
staan, waaronder diverse misdaadseries die zich afspelen in
de achterstandswijken van Birmingham.
Zij heeft Creatief Schrijven gedoceerd aan de Universiteit van
Birmingham en enkele andere instituten. Tevens was zij enkele
jaren secretaris van de Britse Crime Writers' Association.
Ze woont samen met haar man, de schrijver Edward Marston,
op het Engelse platteland en houdt zich in haar vrije tijd
bezig met biologisch tuinieren.
De Geheimenbewaarder is haar eerste roman
in Nederlandse vertaling

Meer informatie over Judith Cutler en haar boeken op:

www.judithcutler.com

www.librion.nl